ボートフィッシングバイブル

海のマイボート・フィッシング
[完全マニュアル]

齋藤海仁
Kaizin Saito

ボートフィッシング バイブル
海のマイボート・フィッシング [完全マニュアル]

CONTENTS

[撮影] 齋藤海仁、舵社
[イラスト] もりしま蝗、浜中せつお、舵社

- 4 はじめに

9 [実釣ケーススタディー]
達人アングラーに見るスタイル別ボートフィッシング

- 10 アンカリングの達人　　永井憲三さん
- 16 シーアンカーの達人　　伊藤博昭さん
- 22 スパンカーの達人　　　窪田郁久さん
- 28 魚探とソナーの達人　　黒澤直人さん
- 34 深場釣りの達人　　　　九鬼正憲さん
- 40 ドテラ流しの達人　　　後迫正憲さん
- 46 バウモーターの達人　　加藤淑彦さん
- 52 キャスティングの達人　藤岡清希さん

59 [第1章]
海に出よう

- 60 ボートを持つということ
- 62 航海計画を立てる
- 64 快適ボーティングのための便利アイテム

67 [第2章] 免許を取る
- 68 ボートには免許が必要
- 69 免許の種類と取得資格
- 71 免許を取る方法
- 72 船舶検査と登録制度

75 [第3章] ボートを選ぶ
- 76 ボート選びの基本
- 76 どんなボートがあるのか
- 82 チェックポイント

85 [第4章] 艤装に凝る
- 86 艤装とは
- 88 ボート艤装
- 91 フィッシング艤装
- 96 魚探とGPS

103 [第5章] ボートコントロール
- 104 アンカリング
- 111 シーアンカー
- 115 流し釣り
- 126 バウモーター
- 132 ライトトローリング
- 136 ミニボート
- 142 達人コラム（切東真二さん、森山利也さん、田原 学さん）

155 [第6章] ボートフィッシングの基礎知識
- 156 ポイントを選ぶ
- 159 情報を収集する
- 162 タックルを選ぶ

167 [第7章] 基本仕掛け別ターゲット&釣り方
- 168 ブッコミ仕掛け
- 170 片テンビン仕掛け
- 174 ドウヅキ仕掛け
- 192 ビシ仕掛け
- 196 テンヤ仕掛け
- 202 エギング仕掛け
- 206 ジギング
- 211 ライトトローリング

- 214 あとがき

はじめに Foreword

　本書はボートフィッシングの解説書。要は釣りの本だ。けれど、ボート釣りは出航しなければ始まらない。だからボートで海に出るところから始めよう。
　周囲を豊かな海に囲まれた日本。おかげでご存じのように釣りは盛んだが、ボートによる遊び、いわゆるボーティングとなると正反対だ。ボート保有率は主要先進国中ダントツの最低で、ボーティングが盛んとはお世辞にも言いがたい。身の回りに釣り好きの知り合いはいても、ボートオーナーはほとんどいないんじゃないだろうか。
　せっかく海辺が近いのに、なんともったいない。実際に海に出る喜びを知っているだけになおさらそう思うのだろう。
　みずから舵を握って海に出る。それは特別な体験だ。
　ふだん見慣れている海岸や風景も、海から眺めればまったく違って見える。また、海は季節や天気によってさまざまな表情を見せてくれる。天気がよくてナギならこんなに平和で静かな場所はないかと思えば、シケの日は恐ろしいほどの自然の厳しさを目の当たりに教えてくれる。
　遊漁船に乗り慣れていても、自分で舵を握るとなれば話は別だ。
　海の上には道路も信号もないから、注意していないとまっすぐに走れない。それどころか自分がどこにいるのかさえわからないこともある。波のある海面は常に変化し、同じ状況は皆無。トラブルが起こっても、他に頼る人はいない。すべて自己責任で対応する。イージーな遊びではないことは確かである。
　だがしかし、その先には他では決して得られない世界が待っている。広い海原を自由自在にクルージングする気分は最高。そして、何ものにも代えがたいオフショアの開放感。
　波があればあったで、生きもののように変化する海面をさばく操船は楽しいものだ。ボートの操縦は海との一体感が味わえるから好きという人もいる。ボートアングラーに乗りもの好きが多いのは当然。単調な舗装道路を走っているよりずっと楽しいゾ。
　ボートならではの遊び方もある。ちょっとした装備があればウェイクボードや水上スキーもOK。クルージングはもちろんのこと、ひと気のない入り江にアンカリングしてのんびり過ごしたり、砂浜に上陸して海水浴やバーベキューを楽しんだり。陸地から入れない砂浜がたちまち自分だけのプライベートビーチに様変わり。こんな贅沢はボートがなければできやしない。
　海の生き物との出会いもボーティングの魅力のひとつだ。代表格はカモメ、カモ、ミズナギドリ、アジサシといった海鳥たち。イルカ、クジラに出会うチャンスは意外と多い。クルージング中にトビウオが飛ぶのは当たり前。表層でカジキやサメ、マンボウなどを見つけることもある。以前、真夏の下田沖で巨大なイトマキエイがボートのすぐ下をくぐったことがあった。悠然と泳ぐ姿を見たそのときは本当に感動した。
　ボーティング。それは未知の世界への冒険だ。経験のない人にとってはそのくらいのインパクトのある出来事に違いない。
　ボートの普及が遅れている日本では、縁のない世界と思われがち。だが、最近は免許制度の改正や規制緩和が進み、以前に比べればずっと手軽にエントリーできるようになってきた。こんなに楽しい遊びを放っておく手はない。まずはボートで海へ出てみよう。
　ようこそ、素晴らしきボートの世界へ。

ようこそ、海へ。
Welcome to the amazing sea.

上：潮風を受けながら、広い海原をクルージングすれば気分爽快。この開放感は決して他では味わえない
下：ボートで上陸すれば、ひと気のない砂浜がプライベートビーチに早変わり。沖縄の離島にて

はじめに Foreword

　釣り以外にもさまざまな楽しみがある、と誘っておきながら、こんなことを言うのは矛盾するけれど、ボートフィッシングは本当に面白い。ボーティングのなかではダントツの遊びだと思う。ボートに乗ったらぜひ釣りをしてほしい。いや、ゼッタイに釣りをすべきである。日本でボートを持っていながら釣りをしないなんて信じられない！

　失礼。つい大声になってしまったが、かく言う理由のひとつは恵まれた環境にある。暖流と寒流がぶつかる日本近海は世界でも有数の豊かな海。おまけに、急峻な日本列島から想像できるとおり、海底は起伏が激しく、雨も多いから、海水は栄養豊富で沿岸にも魚が多い。亜熱帯の沖縄から亜寒帯の北海道まで南北に長く、魚はバラエティに富んでいる。

　この恵まれた環境の下、日本は世界に冠たる魚食大国となり、釣り文化も類を見ないほどに発展した。それこそハゼからマグロまで、それぞれの魚種について、それぞれの地域において、ディープな世界が存在する。サッカーといえばブラジル、焼肉といえば韓国、ロックといえばイギリス、ボートフィッシングといえば日本なのだ。

　ボーティングが未知の世界への冒険なら、ボートフィッシングはその先に広がるワンダーランドである。足下の未知の海にはいつも魚たちが泳いでいる。天候、海況、海底の地形、魚の生態など、さまざまな要素を考え合わせ、知恵と技術をふりしぼって、姿の見えないターゲットをいかに釣りあげるか。相手は自然だ。簡単にいかないこともあるだろう。でも、だからこそ楽しみが尽きることはない。

　他の釣りと比べても、ボートフィッシングは魅力的だ。海岸"線"に縛られる岸釣りに対して、海"面"を自由に動けるボートフィッシングはほとんど異次元の世界。スケールは圧倒的に大きく、釣れる魚種も多い。アジ、サバ、カツオ、マグロなどの青物から、マダイやヒラメといった高級魚、さらには水深数百メートルを超えるキンメやアコウダイなどの深場の魚まで、ボートからなら美味しい魚がよりどりみどり。

　地元の海をよく知る船長がポイントまで案内してくれる遊漁船の釣り、いわゆる沖釣りは、広い意味ではボートフィッシングの一種である。しかし、船長と釣り人が分離した沖釣りはユニークな進化を遂げ、独自のカテゴリーになってしまった。釣果の面でいえば、沖釣りは有利に違いない。しかし、大きな船に乗って大勢が竿を出す遊漁船のシステムは制約が多い。対して、ボートフィッシングはどこまでも自由だ。ターゲットの設定も自由自在。静かな入り江にアンカリングしながらのんびり竿を出すもよし。本格的に幻の魚をねらうもよし。ボートフィッシングの楽しみは沖釣りよりずっと幅広い。また、ポイントから釣り方まで、すべてを自分で決めて手にした1尾は、沖釣りでは決して得られない深い満足を与えてくれるだろう。

　釣りの魅力についてはさまざまな意見があるけれど、魚との出会いもそのひとつである。考えてみれば、魚はれっきとした野生動物であり、素晴らしい（そして美味しい）生きものである。もしあなたが今まで釣りをしたことがなかったら、釣りは自然の不思議と海の神秘をあらためて教えてくれると同時に、海と魚に対する見方をがらりと変えてくれるはずだ。そんな宝石のような魚を手にしたときの喜びは何ものにも代え難い。海岸から沖へ一気に羽ばたかせてくれるボートはそのチャンスを劇的に増やしてくれる魔法の絨毯だ。

　四方を海に囲まれた島国、日本。海は近い。その気になればチャンスはいくらでもある。あとは舵と竿を手に取るだけだ。

釣りに行こう。
Let's go offshore fishing!

上・魚は素晴らしき野生動物であり、ファイターである。首尾よく手にした1尾は震えるほどの喜びを与えてくれるだろう
下・気の合った仲間とマイペースでサオを出せるのもボートフィッシングのいいところ。仙台湾の松島にて

実釣ケーススタディー
BOAT FISHING CASE STUDY

達人アングラーに見るスタイル別ボートフィッシング

たとえば、自分だけのとっておきのポイントを開拓する。あるいは、人と違った釣り方で釣果をあげる。
好きな場所で、好きな道具で、好きなように、好きな魚を釣れるボートフィッシングでは、
そんな"自分流"を創造するのも大きな喜びだ。
結果、アングラーのスタイルは釣りに行くほど個性的になる。
ここに登場するアングラーはいずれもボートフィッシングを知り尽くしたエキスパートばかり。
釣りのためのボートコントロールをはじめ、楽しみ方、ターゲットの選択、ボート選び、タックルシステムなど、
多くの釣行で磨き抜かれた達人たちのエッセンスが詰まっている。

BOAT FISHING BIBLE　実釣ケーススタディー BOAT FISHING CASE STUDY

TATSUJIN FILE #001　永井憲三さん
アンカリングの達人

的確な状況判断で魚を巧みに誘い出すウキ流し

〈アグロウティス〉のオーナーである永井憲三さん（左）と、釣友の菅原智誠さん（右）。古くからの釣り仲間で、アンカリングでも釣りでも、あうんの呼吸を披露してくれた

永井さんの愛艇〈アグロウティス〉はヤマハUF-26 S/D。V型ハルを採用し、風流れを抑えるコーススタビライズドキールも装備。キャビンも広く、玄界灘でもウキ流しを余裕で楽しめる

一瞬で心臓バクバク
期待は最高潮に

　波の間をオレンジ色の棒が潮に乗ってゆらゆらと遠ざかってゆく。向きはいい。そろそろか、と思った矢先、槍のようなウキが海に吸い込まれた！

　ウキが消し込む瞬間は釣りの醍醐味の一つ。見た目の劇的な変化に加えて、手応えが伝わるまでに「間」があるところもまた格別。アワセが決まるまでは数秒だけれど、期待は一瞬で最高潮に。まして、巨大なウキともなれば心臓バクバクは間違いない。

　ボートフィッシング全体からすれば、ウキを使う釣りはマイナーかもしれない。だが、磯釣りのウキフカセはボートでもできるし、ミチイトの出具合の変化でアタリを見る完全フカセも本質は同じ。そこまで含めれば応用範囲は意外に広い。

　これらの釣法はみな西高東低だ。そのわけは、カカリ釣りが西日本で盛んなためである。ウキを使うのはボートを固定しないと難しい。中でも、巨大なウキを使う釣法が九州発祥の「ウキ流し」だ。

　〈アグロウティス〉（ヤマハUF-26）のオーナーである永井憲三さんは、ウキ流しの達人の一人。福岡県福岡市の福岡マリーナをベースに、マダイやイサキからブリ、ヒラマサまで、さまざまな魚のヒキを玄界灘で楽しんでいる。

　玄界灘の冬は厳しい。珍しくシケが収まった冬のある日、釣友の菅原智誠さんを乗せて、永井さんは冬の玄界灘へ繰り出した。メインターゲットはマダイとイサキ。釣法はもちろんウキ流しである。

潮を考慮して
アンカーロープは短めに

　博多湾に面した福岡マリーナから出航し、志賀島をかわして外海へ出ると、そこはもう玄界灘だ。かれこれ40分ほど走ってポイントに到着。水深30〜40メートルから10メートル以浅まで一気に浅くなるカケアガリだった。

　広い範囲から魚を寄せられるとはいえ、やはりポイントに仕掛けを送り込んでこそのウキ流しである。相手は海。潮の向きは実際に仕掛けを入れるまでわからないし、ボートが風に振られるせいで、アンカリングのポジションは文字通り風に左右される。永井さんレベルの達人ですら、「この釣りはいかにアンカーを打つか。アンカーの打ち直しは何回もする」のが鉄則だという。

　当日は大潮で、到着時はちょうど潮止まりから引き潮になるころ合いだった。いつも通りであれば引き潮は北

ウキ流しにおける、アンカリング時の海中イメージ

※ボートの向きは、潮と風のバランスにより異なる

アンカーロープは短いほうが振れが少ない

ウキ流しは一定のタナにコマセの帯を作れるので、エサを同調させやすい

食い気のある魚は、高いタナまで上がってくる

潮流

潮がぶつかるカケアガリのキワはコマセが集まりやすく、ヒットゾーン

カケアガリ

向きに流れる。風はほぼない。つまり、ボートも仕掛けも北に向くはずだ。

「これ ばかりは、やってみるまでわかりません。まずはやってみましょう」と、永井さんはアンカーとアンカーロープが潮に流されることも考慮して、50メートル以上ポイントから南へ離れてボートを止め、バウで投入準備をしていた菅原さんにGOサインを出した。

投入してすぐに軽く後進をかけ、着底後にアンカーがしっかり掛かったことを確認してから、少し様子を見る。すると、なんと予想に反してボートはアンカーの南東側に……。

「これだから難しいんですよね」と、思わず苦笑した永井さんだが、試しに手でオキアミを投げ入れると、想定通りポイントの方向へ流れる。これならイケるとみて、バウに菅原さん、スターンに永井さんが陣取り、釣りを開始した。

潮のぶつかる根やカケアガリに向けてコマセの帯を作り、その中に付けエサを紛れ込ませる釣法がウキ流しだ。コマセの帯で広範囲から群れを寄せられ、また、警戒心の強い大型を誘い出せる爆発力がウリ。コマセの帯はなるべく同じ筋に作ったほうが有利であり、したがって、ボートを固定できるアンカリングの独壇場だ。また、ウキ下を固定できるため、タナを一定にキープしやすく、群れの魚を間引くような釣り方ができるおかげで、魚をスレさせにくい一面もある。もちろん、操船にわずらわされず、船長も釣りに集中できる点もメリットだ。

ちなみに、ボート免許を取得するときに、錨泊時のアンカーロープは水深の3倍が基本、浅いところでは5倍などと教わるが、風によるボートの振れを抑えるため、ウキ流しではなるべく短くしたほうが有利だ。波やウネリの揺れをボートがダイレクトに受けないよう、安全を確保できる長さを維持した上で、水深の1・5倍ほどまでに収めるのが一つの目安である。

風と潮の向きからアンカー投入地点を読む永井さん。実際のところはアンカリングしてみるまでわからないが、基本的にウキはボートの潮下に、ボートはアンカーの風下に位置する

舵を握る永井さんの合図で、バウで菅原さんがアンカーを投入する。シビアなアンカリングが求められるときは、2人以上いると楽。まして、気の合った仲間ならよりスムーズだ

まずは海面からコマセを投入して潮の向きを見る。この時点でダメと判断して、すぐにアンカリングし直すのはよくあること。トライアル&エラーのボートコントロールなのだ

BOAT FISHING BIBLE | 実釣ケーススタディー
BOAT FISHING CASE STUDY

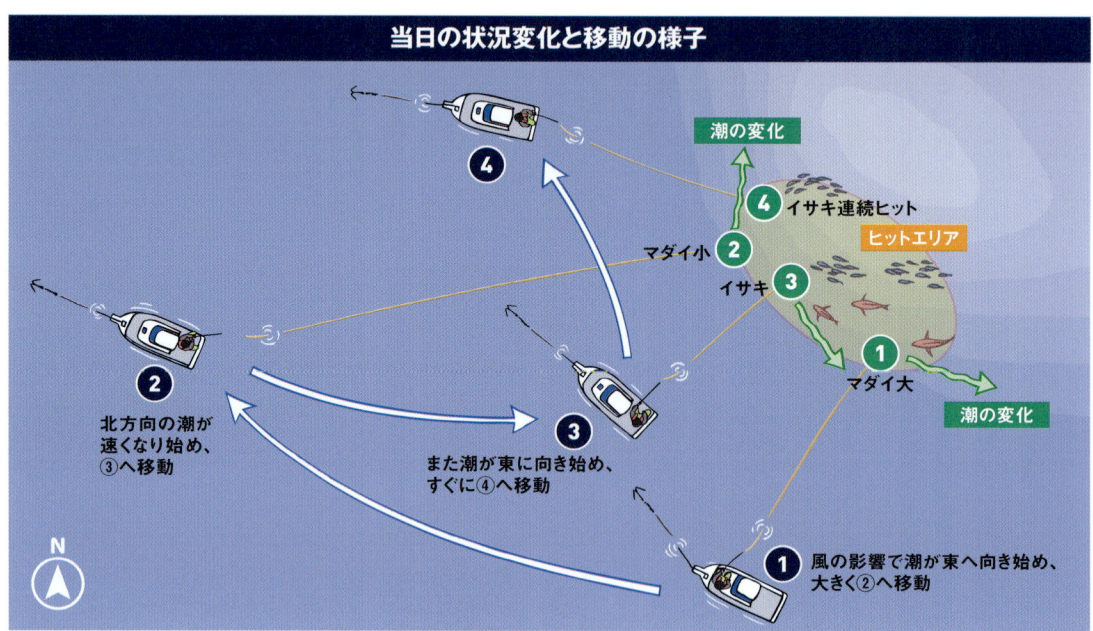

当日の状況変化と移動の様子

通い慣れたポイントだったので、永井さんはまず潮が南から流れると予測して❶に。ボート位置は予想外だったが（船尾が潮下に向くと釣りやすい）、潮の向きは狙い通りで釣り開始。ほどなく北西風が吹き始めるとともに、風に押されるように潮が東寄りになり❷へ移動し、マダイをキャッチ。次は潮が速くなって、仕掛けはまた北向きに流れ❸へ。同時に、速潮で食うイサキねらいにシフト。さらに風が強くなると、また潮が東寄りになり、最後は❹。トライアル＆エラーをしつつ、状況に合わせてアンカリングの精度と釣果をアップさせていった。

永井さんのウキ流しタックル

ねらうポイントの水深が10メートル前後と浅く、オモリは10号くらいまでのライト仕様。ウキは自作。ほかは市販のものを活用している。コマセと付けエサはオキアミで、タナが浅ければカゴを外してフカセで釣るときもあるという

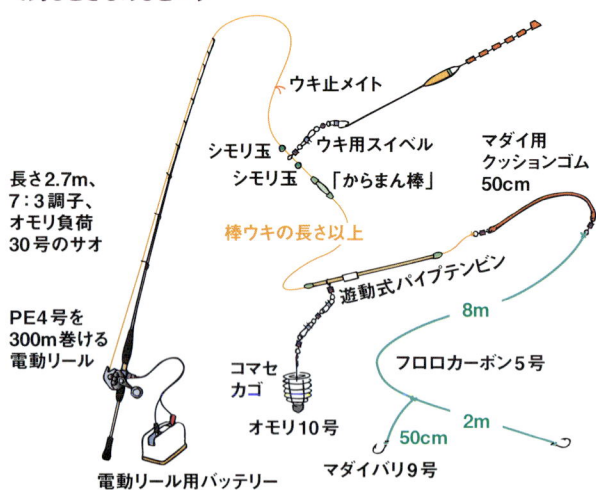

菅原さんが１投目で65センチ級の良型マダイをキャッチ！
大物ねらいに強いというウキ流しの実力をさっそく証明

魚がいる場所は2人とも知り尽くしている。ウキを回収する直前の、まさしくカケアガリの間際でウキが消し込んだ。ねらい通りのヒットに思わずガッツポーズ

また、アンカーを2丁打てばボートを完全に固定できるが、やはり波やウネリの影響を強く受ける上、回収に時間がかかるので、安全を確保できることが2丁錨の絶対条件である。

エサの残り方でタナを調整 早アワセは禁物

ウキ流しの釣り方自体はシンプルだ。

仕掛けは片テンビンにコマセカゴを付ける吹き流し。80号前後のオモリを使う場合もあるが、ねらう水深が比較的浅いこともあり、永井さんは10号前後のライト仕様で楽しんでいる。

ウキ下の目安は、マダイであればまず底から5メートルでスタート。そして、付けエサが残ればより深く、残らなければ浅くする。一方、イサキは根の水深にもよるが、海面から4～5メートルとのこと。

オキアミをハリに付け、カゴにコマセを入れたら、手前マツリに注意しつつ、ゆっくり落ち着いて投入する。

投入後、ころ合いを見計らってコマセを振り出したら、あとは待つだけ。比較的水深が浅ければ、ときどきフネからじかにオキアミをまくのも効果的だ。ポイントまで距離があったり、釣れるエリアが広かったりすれば、コマセを振り出すタイミングを分散させるといいだろう。

本アタリではウキがしっかりと消し込む。反射的な早アワセは禁物。ワンテンポおいてから、しっかり大きく合わせるのがコツだ。

ラインが長く出ているおかげで、横走りする魚に対し、長いサオをめいっぱい曲げる豪快なファイトは最高に気持ちがいい。サオの曲がりを存分に生かしてボート際まで魚を寄せたら、長いハリスを慎重に手繰ってタモ入れしよう。

続いて永井さんもマダイを手に。この2尾目は、潮の向きが変わったため、ボートを移動させたあと、また同じエリアでヒットさせた

BOAT FISHING BIBLE | 実釣ケーススタディー
BOAT FISHING CASE STUDY

上：胴調子のサオが満月を描く。ボート直下をねらう釣法とは異なるヒキが楽しめるウキ流し。風と潮次第だが、潮はある程度読める。問題は風。「ウキ流しは風次第です」と永井さん
右：風と潮がようやく安定すると、2人にイサキが連続ヒットした。それにしても、コイみたいな良型ばかり。このサイズになるとファイトも楽しい

1投目でウキが消えた！
サオは満月に

　2本のウキがカケアガリに向かってゆっくり流れていった。

　ウキ流しの最初の1投は様子見の色合いが濃いのだが、ウキが流れる方向は悪くない。

　菅原さんのウキが消えたのは、根掛かりしそうなほどカケアガリぎりぎりに近づいたときだった。

　セオリー通り遅めのタイミングでサオを大きくあおって合わせると一瞬で満月に。手応えは十分だ。電動リールのモーター音がひときわ高くなる。サオの先、いや、胴がたたかれるヒキからするとマダイか。数分間のファイトを楽しんだのち、タモに収まったのは予想通り良型のマダイだった。さすがの達人、そして、ウキ流しである。

　1投目からこのサイズは上出来のようで、菅原さんも永井さんも思わずガッツポーズ。

　ウキ流しがツボにハマったときの威力は絶大だ。ひょっとすると今日は絶好調か、と期待を膨らませて第2投。

　ところが、北寄りの風が吹き始めたせいか、ウキが流れる方向が東にズレ始める。これでは移動しなければならないが、仕方がない。

　「アンカーを入れ替えましょう」と、永井さんに迷いは

〈アグロウティス〉の艤装

アンカリングのときに、バウに指示を出すのに便利なアフトステーション。たまにやるというタイラバやキャスティングの釣りのときにも活躍する

スターン用のデッキライト。最近はあまり使わないそうだが、40代のころまでは、仕事を終えてから徹夜での釣行に活躍していたそうだ

GPS魚探。魚探では魚の反応よりも、主に海底の地形を確認するという。実績のあるポイントが10カ所ほど登録されており、アンカリング時は山立ても駆使している

ロッドホルダーは上下左右の角度を変えられるタイプ。ブルワークトップのウッドボードは、ハリなどを軽く刺したり、エサを付けたハリを置いたりすることでオマツリ防止になる

3尾目はイサキ。これも40センチ級の良型！　マダイの時合は潮が動いたり止まったりする前後だが、潮が速いときはイサキが釣れ続くことが多いという

上：バウとスターンに釣り座を構えたため、潮に対してフネがなるべく横を向くよう、アンカーロープをサイドクリートに結んだ
下：アンカリングする底質が岩礁のため、岩場用のバーフックアンカーを使用。回収時に伸びていたフルークは、毎回、パイプで元に戻す

ない。

　潮がほぼ真東に向いたので、今度はポイントの西へ移動して再びアンカリング。すると、またウキがポイントへ流れるようになり、すぐに永井さんのウキが消えてマダイをキャッチした。

　だが、その後は北寄りの風と南からの潮流がともにだんだん強くなり、ボートポジションもウキが流れる方向もなかなか落ち着かない。

　もう一度移動したが、そこでもほどなく潮の向きが変わり、この日、ようやく状況が安定したのは4度目の場所だった。

　アンカリングするたびに増える潮流と風の情報を生かして、アンカー投入地点の予測精度が上がり、永井さんはポイントとの間合いを詰めていった。ウキ流しのアンカリングでは、こうしたトライアル＆エラーが不可欠だ。

　また、その間にヒットする魚がマダイからイサキに変化していたため、2人はタナを浅くしてイサキねらいにシフト。アンカリングが決まればこっちのものだ。永井さんと菅原さんが良型イサキの連続ヒットを披露したところで、この日はサオを置いた。

　アンカリングというと、のんびりと釣りを楽しむイメージがあるかもしれない。だが、ボートを固定するメリットを存分に生かすことで、ほかのボートコントロールでは得られない威力を発揮するこんな釣法があることを知っておいて損はないだろう。

　ただし、アンカリングに関してはエリアのローカルルールで禁止されているケースがある。また、ウキ流しや完全フカセを行っているほかのボートのすぐ潮下を航行するのもご法度だ。威力のある釣法であることは確かだが、ルールとマナーは決して忘れてはならない。

BOAT FISHING BIBLE　実釣ケーススタディー
BOAT FISHING CASE STUDY

TATSUJIN FILE #002 伊藤博昭さん
シーアンカーの達人

状況や目的に応じてシーアンカーを使い分ける

〈猫丸〉のオーナーの伊藤博昭さんと、長男の慎之介君。「日本一有名なスモールボート」とも呼ばれた名艇を継ぐにふさわしい、豊富な知識と経験をもつベテランアングラー

スターンドライブのディーゼルエンジンを搭載したヤンマーのFX24BZ。V型ハルで波切りもよく、燃費と足のよさを誇る。10年以上前のモデルながらまだ人気は根強い

風でボートがまっすぐ船尾側に流れるので、両弦からサオを出すといい感じに。操船にわずらわされず、船長も釣りに集中できるのは、シーアンカーのメリットの一つ

食わず嫌いでは
モッタイナイ

　その便利さに比すると、驚くほど使用率の低いシーアンカー。なぜそうなのかは実に不思議だが、理由の一つは、釣りの道具として使いこなす方法がいまひとつ理解されていないからではないだろうか。

　〈猫丸〉（ヤンマーFX24BZ）のオーナーである伊藤博昭さんはそんなシーアンカーの釣りを得意とするボートアングラーの一人である。ディーゼル艇の燃費のよさを生かし、千葉県の保田港をベースに、東京湾と相模湾、さらには伊豆大島周辺にも足を延ばす。大きな河川が複数流れ込む東京湾の浅場から、水深1000メートルを超す相模トラフまで、変化に富む地形のおかげで魚種は多彩だ。かつてボートフィッシング専門誌の編集者も務め、豊富なボート釣り歴をもつ伊藤さんは、浅場のシロギスから深場のアカムツまで、さまざまな釣りをこなしている。

　家族や友人と一緒に釣りに行くことが多い伊藤さん。ボートコントロールの面は、ゲストのケアをしつつ、自分も釣りに集中しやすいアンカリングとシーアンカーの流し釣りがメインとのこと。なかでも、代表的なシーアンカーのメニューの一つがアマダイ五目である。

　アマダイは秋から春にかけてのターゲットで、ポイントの水深は浅くてもほぼ50メートル以上。この水深になると、そもそもアンカリングは無理。また、アマダイは砂泥地に広く生息しているため、流し釣りが定番だ。ゆえにシーアンカーの出番となる。

シーアンカーを前提に
組み立てる

　伊藤さんと長男の慎之介君の2人がアマダイ五目で出航したのは、ようやく秋らしくなり始めた10月上旬のこと。夕方から雨という予報だったが、風は強すぎず、い

水深を選ばず、投入してしまえば手間いらずのシーアンカーは思った以上に便利なアイテムのはず。特別な艤装は不要だし、ぜひとも自分の手札に加えておきたい

かにもシーアンカーが活躍しそうな状況だ。

　ポイントはホームポートのすぐ沖に広がる水深70メートルの砂泥地だった。15分ほど走って到着するや、伊藤さんはボートの足をとめ、周囲の安全を確認してからシーアンカーを投入する。

　伊藤さんがアマダイ用に使うシーアンカーは、ごく普通のパラシュートタイプだ。使い方は、ロープが絡まず、抵抗体となる傘の部分がちゃんと開くように投入するだけと実に簡単で、操作は不要。というか、回収するまで操作はできない。そのぶん、釣りに集中できるわけだが、

投入は落ち着いてていねいに

まず、曳き索をクリートにしっかりと結ぶ。曳き索の長さはボートの全長程度が標準だが、より長くして抵抗体を深く沈めると効果が高くなる

投入は目印から。次にブイ連結索と引き上げ索を送り出す。狭いポイントをねらうわけではないので、あわてることはない。落ち着いて、ていねいにやろう。それが最大のコツだ

パラシュートを投入。傘が空気をはらむと沈みにくくなるため、先端側から向きに気をつけて入れること。傘の開きが悪ければ、手で引っ張るか後進で引くかして開くと確実

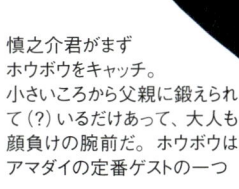

慎之介君がまずホウボウをキャッチ。小さいころから父親に鍛えられて（?）いるだけあって、大人も顔負けの腕前だ。ホウボウはアマダイの定番ゲストの一つ

BOAT FISHING BIBLE | 実釣ケーススタディー
BOAT FISHING CASE STUDY

続けてまた慎之介君がオニカサゴをヒットさせ、伊藤さんがタモ入れ。いちばんうれしいゲストかも。手間いらずのシーアンカーならヘルムを離れてのタモ入れも余裕

ポイントを通過したら、また風上側に戻って流し直す。流すコースを細かくコントロールできないため、シーアンカーを使うことを前提に、広い範囲で釣れる場所を選ぶという

回収時もロープが絡まないよう、ていねいに。スムーズな投入は、実は、ていねいな回収があってこそ。ブイ、引き上げ索、曳き索という投入の順番を念頭に、整理しながら回収すべし

シーアンカー使用時におけるよくない例

投げてはいけない

ロープの絡みに注意

シーアンカーは、ブイ用の連結索、引き上げ索、曳き索など、多くのロープが使われているだけに、絡まると厄介なことになる。そのため、ロープを絡めてしまうような使い方はNGだ。その筆頭がパラシュートの部分を放り投げる投入法。こうすると、引き上げ索と曳き索が絡みやすい。ロープが絡んでしまったら、引き上げてほどくしかなく、大変な時間の無駄だ。また、曳き索もよじれがちで、たとえロープが絡まなくても抵抗体が開きにくくなり、スムーズに水圧がかからずに、シーアンカーの効果が出るまで時間がかかる。もちろん、パラシュートそのものにロープが絡むこともある。そうなるとますます開かなくなり、最悪の場合は再投入に至るケースも。

シーアンカーを釣りに生かすノウハウは確かにある。

続けて仕掛けを下ろしてみたところ、ボートは北寄りの風に流されて0.6ノットで南に流された。弱い潮が風とは逆に南寄りから流れていたが（潮流の方向は仕掛けを下ろしてみるまでわからない）、潮下ではなく風下に流されたのは風の影響のほうが強かったから。シーアンカーではよくある状況だ。

アマダイのタナは基本的に底付近である。一度オモリを着底させてから、ハリス分前後をシャクリ上げ、オモリを再び着底させるまでゆっくり誘い下げる流れが一連の動作になる。この誘い下げの途中にヒットしやすい。

タナが水深70メートル前後で潮と風が逆では、アングラーから見ると仕掛けはどんどんと風上側、つまり、船首方向へと離れていく感じになる。ミチイトはPEの1号以下にしているものの、実際のところ、最初はイトがナナメになって釣りにくそうだった。

そこで伊藤さんはオモリを40号から50号に交換した。シーアンカーを投入してからボートを細かくコントロールできない点は、ミチイトの太さやオモリの重さで対応するという。伊藤さんは細めのミチイトを使い、いつもオモリを各種用意している。さらに、ポイント選びも重要だ。

「シーアンカーを使うと、スタート地点からボートがどう流れるかコントロールできません。また、なるべく釣りに集中したいから使っているのに、すぐ潮回りして手間が増えるのは本末転倒ですよね。だから、必然的にシーアンカーの釣りに適した、広いエリアで釣れるポイントを選びます」

伊藤さんが45センチのアマダイをゲットした。この日はなかなかアマダイが顔を見せず大苦戦かと思いきや、このサイズなら1尾でも大満足。お見事！

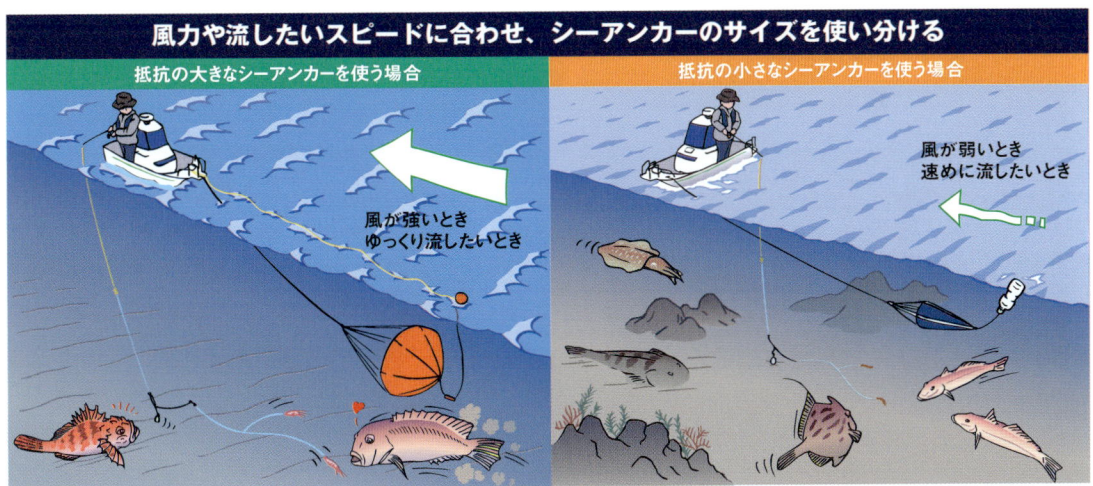

風力や流したいスピードに合わせ、シーアンカーのサイズを使い分ける

抵抗の大きなシーアンカーを使う場合　　　抵抗の小さなシーアンカーを使う場合

風が強いとき
ゆっくり流したいとき

風が弱いとき
速めに流したいとき

シーアンカーは融通や応用が利かないアイテムだと思ってはいないだろうか。決してそんなことはない。シーアンカーにも状況に応じたさまざまな活用法がある。使い分けの一番の柱は抵抗の大きさだ。大きいほど潮の影響が強まり、また、風の影響が弱くなる。したがって、深場をねらうときのように、ゆっくり流したいときは、パラシュート形のような抵抗が大きなタイプを使うのが基本。逆に、浅場ねらいや速めに流したいときは、コーン形などの小さなものが合うので、何種類か持っておくと応用が利くし、複数を直列に連結するとさらに抵抗を増やせる。また、使うサイズとは別の要素だが、サイドクリートから出したり、曳き索を2本にしてボートが斜めに流れるように工夫したりすれば、流れるボートの姿勢とコースの制御も可能だ。

今回使った2種類をはじめ、状況に応じて伊藤さんは計3種類のシーアンカーを使い分けている。左から右の順に、抵抗は小さくなる

抵抗が小さいシーアンカーでヨコタ流し

シロギス＆カワハギには小型を投入。こちらは傘の口が開閉しない、トラブルの少ないタイプだ。それでもしっかり潮の抵抗を受けるよう、投入はていねいに

曳き索は先に結んでおくのが鉄則だが、長めに出すと抵抗が増えるので、状況を見てボートが流れるスピードや姿勢をさらに調節できる

アンカーローラーではなく、今度はサイドクリートからロープを出す。すると、流れる方向に対してボートが真横を向く、いわゆる「ドテラ流し」になる

これはあえて一緒に写ってもらったが、ドテラ流しは「バウとスターンのそれぞれを広く使えて快適」と伊藤さん。キャスティングをして探る範囲も広くとりやすい

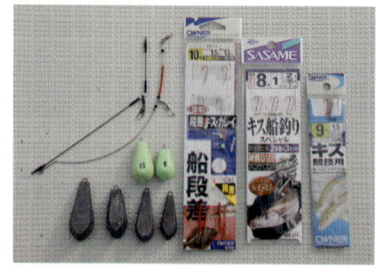

シロギス＆カワハギ用の仕掛け。カワハギもシロギスと同じもので釣れるが、ハリが大きめのほうがよいとのこと。オモリは8〜20号まで各種用意する

狭いスポットに仕掛けをねらって送り込めないため、五目釣りになりがちなのは、シーアンカーによる流し釣りの一面だ。「のんびり釣るのも好き」という伊藤さんは、そんな大らかなところも魅力の一つだと言う。想定外の魚が釣れれば自分の釣りの幅が広がって、新たなメニューが加わることもある。

シーアンカー同様、艤装や仕掛けなど、それぞれのアイテムについては特別なことをしていない。釣り方もごくオーソドックスだ。釣りに関しては、既製品をうまく使いこなすだけで十分楽しめるという。

伊藤さんと慎之介君がそれぞれキャッチした良型のオニカサゴとアマダイが何よりその言葉を証明しているだろう。

浅場ではドテラ流しのサポート役にも

もう一つ、同じ時季に伊藤さんがシーアンカーを使ってよくやる種目がある。シロギス＆カワハギ（あわよくばマゴチ）の流し釣りだ。

なぜシロギスとカワハギの2種目かというと、単に同じポイントと仕掛け、エサ、そして釣り方で釣れるから。その2種目をねらおうと、次に伊藤さんが向かったのは、水深が10〜30メートルのカケアガリだった。

アマダイより浅く、キャストして探るので、流れる方向に対してボートを横向きにする、いわゆる「ドテラ流し」だとやりやすい。穏やかな風と潮を見て、伊藤さんはコーン形の小さなシーアンカーをバウのサイドクリートに結び、そこから直接海に投入した。

多くのプレジャーボートは、放っておくと船首が風下に向く姿勢で風に流される。伊藤さんのボートもしかり。そこで、船首を少し風上側に持ち上げて真横に向くぶんの抵抗をシーアンカーで補うのだ。

もちろん、この方法だとアマダイのときのパラシュート形よりボートは速く流れるが、特にマゴチねらいの泳がせ釣りにはやや速めのスピードのほうが向いているという。また、シロギスとカワハギなら、キャストする方向でも仕掛けをサビく速さを調整できる。

仕掛けは片テンビンに市販の吹き流し。工夫している点は、カワハギが交じるためハリをやや大きめにする

上：慎之介君にカワハギが来た。岩礁混じりの砂地で、シロギスとカワハギのどちらもヒットする可能性があるポイントだが、アタリとヒキでちゃんと魚種を区別していた
右：伊藤さんがシロギスをキャッチ。サオを出す前はシロギスのほうが多いと予想していたが、この日はシロギスが少なく、貴重な釣果に

ことと、シロギスをメインにしたいならエサをジャリメに、カワハギならアカイソメにするぐらいだという。

慎之介君はバウに、伊藤さんはスターンに分かれ、それぞれ思い思いの方向にキャストする。オモリとエサを使い分けながら、2人は順調にヒットさせた。この日はどちらかというとカワハギが多く、2人は徐々に仕掛けとエサをカワハギ寄りにシフトしていった。

仕掛けからポイント選びまで、すべてをシーアンカーを前提に組み立てる伊藤さん。一途にターゲットをねらっていく釣りと比べたら、曖昧な面があるかもしれない。だが、状況にあわせて柔軟に対応できる幅の広さがあるともいえる。また、ゲストも自分も釣りに集中できるのもうれしい。そんな臨機応変かつおおらかに釣りを楽しめるスタイルこそ、シーアンカーの真骨頂である。

〈猫丸〉の艤装

GPS魚探はHONDEXのHE-7301。深場もこなすため、40／75キロヘルツの2周波タイプで、出力2.5キロワットの振動子をチョイス。深場のイカがいちばんよく映るのが70キロヘルツ前後

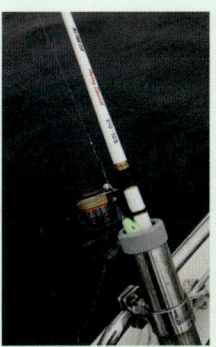

ロッドキーパーは第一精工の「ラーク2200」。台座も含めたボート専用設計で、左右45度、計90度の首振り機能がある。深場用タックルにも使えるタフなモデルだ

シーアンカーとアンカリングの釣りが半々ぐらいという伊藤さんには、ウインドラスも必需品。モデルはヤマハのパワーメイト。もちろん現役

左：トローリングロッドも挿せるリガーマリンのレール用ロッドホルダー。スターンにはトローリング用のロッドホルダーが計5本あり、サオの置き場は充実している
右：パイロットハウスの左右にある4連ロッドラック。タモやちょっとした水くみにも使える長めのひしゃくなども挿せるので、サオの置き場が多くて困ることはない

夜釣りはやらないそうだが、出航前や帰港後の暗くなった際は、やはりあると便利なデッキライト。加えて、夜の宴会でも活躍するそうだ

BOAT FISHING BIBLE　実釣ケーススタディー
BOAT FISHING CASE STUDY

TATSUJIN FILE #003 窪田郁久さん
スパンカーの達人

高い機動力と状況対応力、スパンカーを使った流し釣り

窪田郁久さん（右）と瀬川良浩さん（左）。〈グレース〉は2人の共同所有だ。知り合った場所は釣具店で、以前は遠征釣行にもよく一緒に行ったという。どうりで息の合ったご様子

〈グレース〉は、ヤマハのインボード艇のFG-35。バウの吃水下が深く、スターンが浅い和船船形で、かつ、重心は中央寄り。典型的な「スパンカーの効果が高い」ボートだ

上：釣り場に到着してスパンカーを展開する。スパンカーの帆布が2枚なのは、風の抵抗を調整するため。風が弱くて抵抗を増やしたいときは開き、風が強いときは閉じる

左：左が窪田さん、右が瀬川さんのタックル。いずれもベイジギング用で、ジグはタングステン素材の120グラムをメインに使用

ジギングでも
手前船頭を余裕でこなす

紀伊水道のほぼ真ん中、具体的には和歌山県・日ノ御埼（ひのみさき）と、徳島県・伊島（いしま）を結ぶラインの中央あたりに、アイノセという広大な魚礁がある。

根魚やマダイ、青ものなど、さまざまな魚が釣れるこの一級ポイントに浮かぶ、ヤマハFG-35〈グレース〉。そのアフトステーションでサオを構えているのは、窪田郁久さんだ。

ポイントの水深は70メートル前後。釣り方はジギング。120グラムのジグで静かにワンピッチジャークを繰り返すのが、この日の窪田さんのパターンである。

片手でサオを持ち、もう一方の手でリールのハンドルを回すジギングでは、アクションをつけながら操船するのは無理。ボートを操るためには、必ず釣りをする手を止めなければならない。

もちろん、ジギングでアクションを止めたら魚はヒットしないから、操船の手間はなるべく減らしたい。何より、手数の多いジギングでは、手前船頭をやると釣りに集中しにくいものだ。にもかかわらず、窪田さんは余裕をもってハタ類やホウボウを着々と釣り上げていた。

その秘密はスパンカーにある。

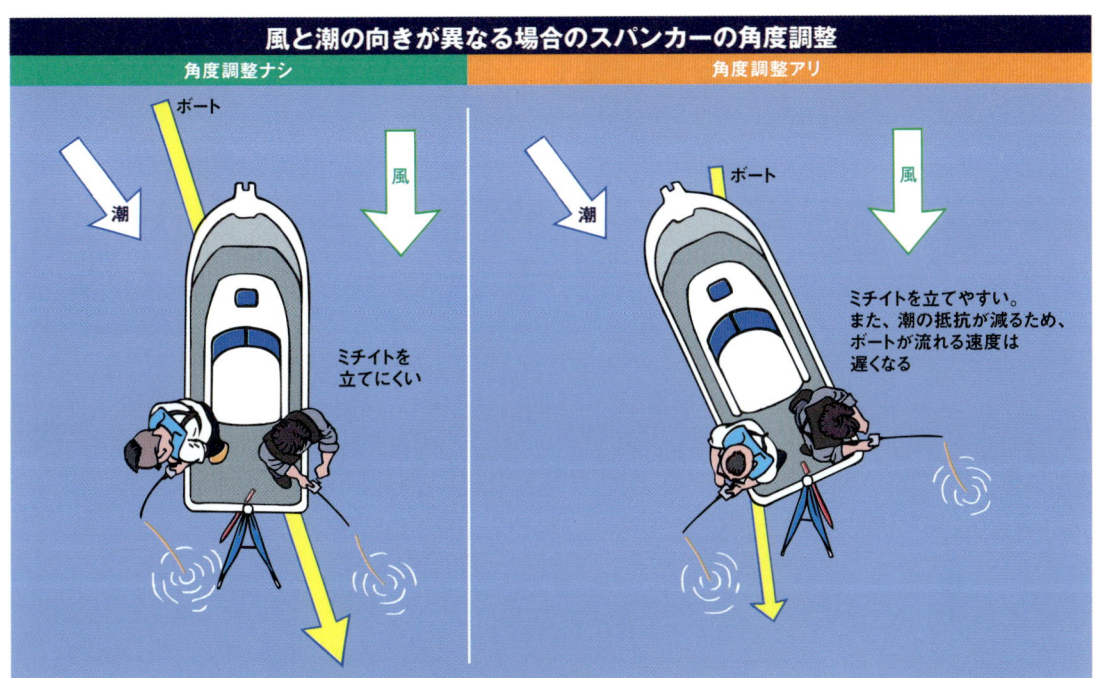

風と潮の向きが異なる場合のスパンカーの角度調整

角度調整ナシ／角度調整アリ

ミチイトを立てにくい

ミチイトを立てやすい。また、潮の抵抗が減るため、ボートが流れる速度は遅くなる

風と潮の向きに角度がついていると、左のようになって釣りにくくなりがちだ。また、風に押されたぶんだけボートを戻そうとすると、ミチイトをよけるために左に舵を切って推力をかけることになり、左右にお尻を振りながら流すような練り船のスタイルになってしまう。結果として、ミチイトに余計な方向の力が掛かって、イトが立てにくく、釣果にも悪影響を及ぼしてしまう。それを避けるには、右のように、ボートの向きとミチイトの角度がそろうよう、スパンカーの角度を調整するとよい。すると、ボートが潮の方向に向くため、舵を真っすぐにしたままで推力をかけられて、ボートの挙動はよりスムーズになり、イトも立てやすい。窪田さんは、「まずスパンカーの角度調整、次に舵での調整」が鉄則だと言う。実際に、窪田さんは頻繁にスパンカーの角度を変えていた。

上：ミチイトがナナメに入っていたので、スパンカーを左舷側に振って固定する窪田さん。スパンカーは風に対して舵のように働くため、風に対するボートの向きを調整できる

右：スパンカーの角度を変えただけで、ミチイトの角度がボートに対して真っすぐになった。この状態なら、舵を切らずに推力をかけられるので、お尻を振る挙動が抑えられる

スパンカーの調整ロープを留めるアイプレートやクリートを、作業しやすい位置に取り付けると、スパンカーの角度調整をしやすくなる。スパンカーをしっかり生かしたいなら必須の工夫

スパンカーとは船尾に掲げた帆で、ボートを風に立てる装備である。〈グレース〉には、おまけにバウスラスターと微速装置という強力な助っ人もあり、操船がますますスムーズなアレンジになっている。窪田さんにとって、スパンカーはもはや欠かせない相棒だという。

スパンカー自体は遊漁船では当たり前の装備なので、沖で見かけたことのあるボートアングラーは多いだろう。だが、プレジャーボートではそれほど一般的ではない。そこで、スパンカーを使った流し釣りの達人である窪田さんに、その極意を伝授してもらおう。

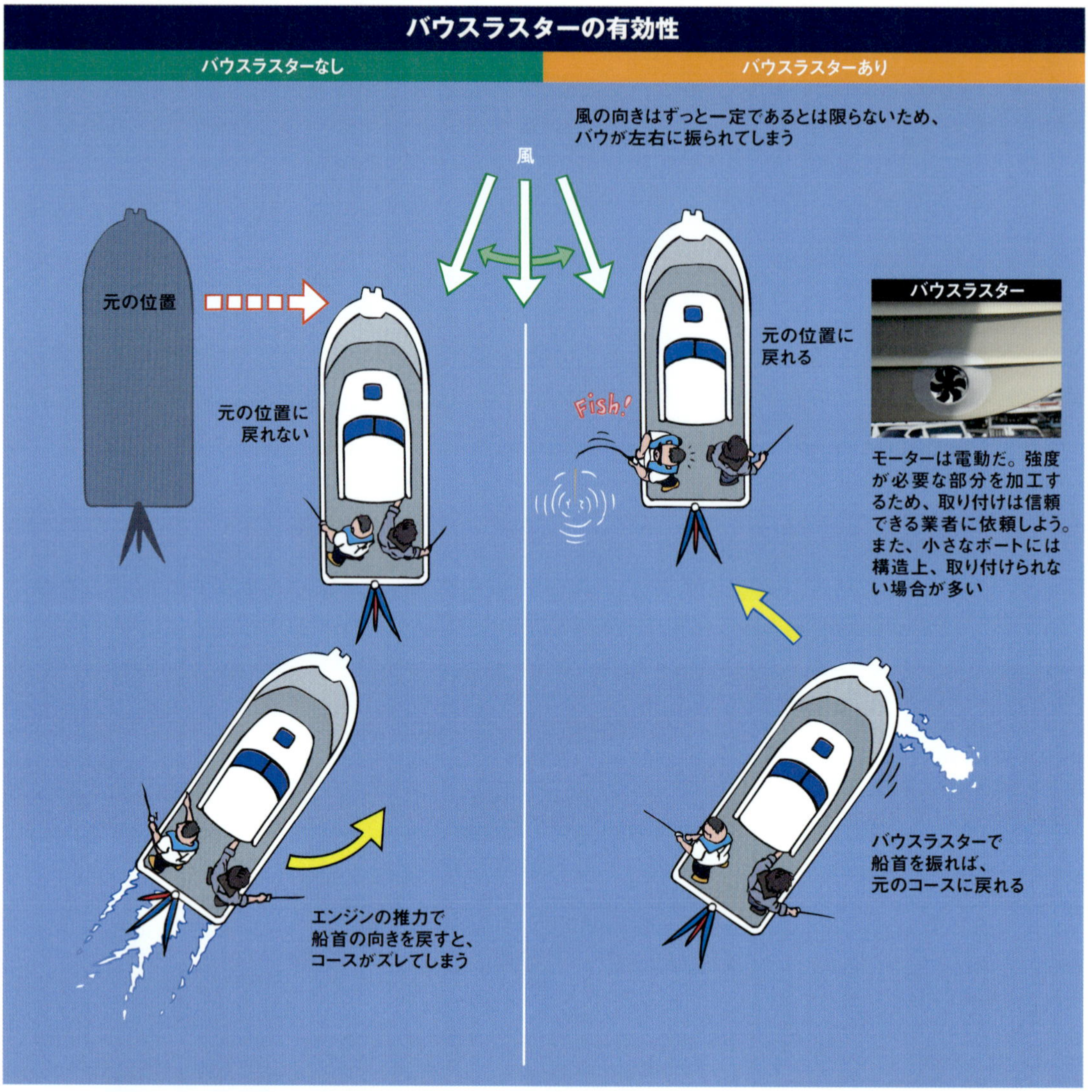

BOAT FISHING BIBLE　実釣ケーススタディー
BOAT FISHING CASE STUDY

バウスラスターの有効性

バウスラスターなし ／ **バウスラスターあり**

風

風の向きはずっと一定であるとは限らないため、バウが左右に振られてしまう

元の位置 → 元の位置に戻れない

エンジンの推力で船首の向きを戻すと、コースがズレてしまう

Fish!

元の位置に戻れる

バウスラスターで船首を振れば、元のコースに戻れる

バウスラスター
モーターは電動だ。強度が必要な部分を加工するため、取り付けは信頼できる業者に依頼しよう。また、小さなボートには構造上、取り付けられない場合が多い

上：当然、アフトステーションにもバウスラスターのスイッチがある。操作はスティックを左右に倒すだけと、とても簡単だ
右：アフトステーション。上からバウ・スターンスラスター、クラッチとスロットル、微速装置、そして、ステアリングホイール

船首が風下に振られてしまったときが、スパンカーを使った流し釣りの泣きどころだ。ボートの舵はスターンから効くため、イラスト左のように元の位置には戻れず、どうしてもコースがズレてしまう。だが、バウスラスターがあると、船首の方向を修正してから推力をかけられるおかげで、イラスト右のようにスムーズに元の位置に戻れる。もちろん、このほうがイトも立てやすい。小型で小回りの利くボートならさほど問題にならないが、回転半径が大きかったり、舵効きが悪かったりすると、バウスラスターがあるとないとでは、操船の手間も釣りやすさも大きく異なる。

上：窪田さんにヒット！かなりの大物だったが、残念ながらバレてしまった。ジグを回収したところ、アシストフックのハリスから切られていた。おそらくサワラとのこと
右：これも定番、良型のホウボウ。窪田さんのジギングはシャクリ幅の小さいワンピッチジャークだった。静かなジギングのほうが根魚のヒットが多いという

スムーズにイトが立ち
さまざまな状況にも対応

　窪田さんにスパンカーの威力を知らしめたボートは、実はヤマハFG-35の前に乗っていた同YF-27だった。
「風にすんなり立ちますし、手前船頭で流すのも快適。仕掛けがまっすぐ落ちるようになったおかげで、釣果も増えました」と、窪田さん。
　ジギングでは、ボートを風に任せるドテラ流しを含め、あえてジグをナナメに引くこともある。「イトが立ってから釣れるようになった」という真意は、どこにあるのだろうか。
「魚探の情報がダイレクトにわかるというのがいちばんですね。それと、ナナメに引くと、ポイントによっては根掛かりも多いです」
　窪田さんのターゲットはハタ類などの根魚からマダイ、青ものと幅広い。ジギングのアクションが静かなワンピッチだったのも、この日は主に根魚をねらっていたからだ。
　なるほど、根についたターゲットを比較的スローなジギングでねらうスタイルには、イトを立てるほうが理にかなっている。

　また、ボートを風に任せるだけのドテラ流しと比べれば、エンジンを使ってボートをコントロールするほうが、対応できる状況は明らかに多い。極端な話、ドテラ流しはあるレベル以上に風や潮が強くなるとお手上げだ。対してスパンカーは、強風も得意とする状況である。
　という具合に、ジギングであれほかの釣り方であれ、機動力を生かして手前船頭で流し釣りを快適に楽しむには、やはりスパンカーの右に出る艤装はない。結果、窪田さんは現在、スパンカーとバウスラスターという最強の艤装を誇るインボード艇で、存分にその恩恵にあずかっている。

左右の角度調整で
スムーズにイトが立つ

　とはいえ窪田さんは、「スパンカーは決して万能ではない」とも言う。
　状況によってはスパンカーが役に立たないケースもある。象徴的なのは、この日の午前中のように無風あるいは微風のとき。風を利用するアイテムだから当たり前と

25

いえば当たり前で、こうなると、スパンカーがあってもなくても差はない。

また、ボートによっては効果がないこともある。遊漁船では一般的なのに、プレジャーボートではそこまで取り付けられていない理由の一つもこの点にあるだろう。船型でいえば、インボード艇のようにバウ側の吃水が深く、スターン側が浅いものほど効果は高い（詳しくはボートコントロールの章を参照）。

では、そんな「使いよう」によるスパンカーを生かすキモはどこにあるのか。窪田さんによれば、いちばんのポイントは左右の「角度調整」だ。

スパンカーを使った流し釣りで、イトを立てるときに厄介な要素が潮だ。風と潮の向きがほぼ同じか反対以外だと、ミチイトの向きがボートに対してナナメになり、ボートが風に流されるぶんを、推力で相殺するときに舵を切ることになる。すると、ボートがお尻を振るような挙動になって、流し方が安定せず、ミチイトにも余計な動きが加わってしまう。

このとき、スパンカーを風に対する舵に見立て、ミチイトの入る角度とボートの向きがそろうようにしてやると操船はスムーズになる。

「まずスパンカーの角度を調整して、それでも足りなければ、エンジンを使ってイトを立てるようにするという考え方です。私はけっこうマメに角度を変えていますよ」と、窪田さんは強調する。

そのためには、〈グレース〉のようにクリートの位置を工夫するなどして、スパンカーの角度を簡単に調整できるような艤装もカギになる。

泣きどころをカバーする頼もしいアイテム

ただし、そうはいっても、現実は教科書通りにはいかないもの。風にも潮にも方向のふらつきがある。強弱もある。したがって、だいたいはそろえられても、ミチイトが入る角度とボートの向きにときどきズレが生じてしまうことは避けられない。

ゆえに、推力をかけてイトを立てようとすると、どうしてもお尻を振る動きが出てしまうことになる。小さなボートならまだしも、大きなボートは回転半径も大きくなるため影響が大きい。

これはスパンカーの泣きどころだ。ボートの構造上、致し方ないことではあるのだが、対処法はある。

一つは、エンジンの推力による修正を、できるだけ早めに行うことだ。つまり、手動ではマメにクラッチのオン・オフと操舵を繰り返すこと。しかし、これはこれで煩わしいため、より手数を減らすためのアイテムが開発されている。〈グレース〉にも備わっている微速装置や、クラッチの切り替えをタイマー制御できる「潮立装置」などがそれだ。

そしてもう一つ、解決策ともいえる強力な味方がバウスラスターである。バウスラスターは、船首部分を左右に振る推進装置だ。24ページのイラストに示したように、バウスラスターがあると、エンジンの推力でイトを立てようとしたときに、お尻を振らずに元の位置に戻れて、結果、ミチイトも立てやすい。おかげでジグや仕掛けの操作もスムーズになり、この日のような見事な釣果につながるというわけだ。

先にも書いたように、スパンカーの効果をはじめ、風や潮の影響の受け方はボートによって相当な差があるため、教科書通りにいかないことは多い。実際のところ、こうしたエッセンスはいわば公式であり、正しい答えはボートやそのときの状況に応じて出していくものだ。

それでも、スパンカーがハマれば、流し釣りが一段と快適になることは間違いない。そして、公式さえ理解できていれば、正しい答えを出すハードルは高くはない。

瀬川さんが、本命の一つであるオオモンハタをキャッチ。和歌山県南部ではメジャーなターゲットだ。ホウセキハタによく似ているが、オオモンハタは尾ビレの先端が白いのが特徴

窪田さんの言う通り、適度に風が吹いてミチイトが立てやすくなってきた途端に、瀬川さんに良型の乗っ込みマダイがヒットした

〈グレース〉の艤装

ヘルムステーション。航行機器のモニター画面は、右がGPS魚探で左がレーダー。レーダーは早朝まだ暗いときや、霧のときに活躍する

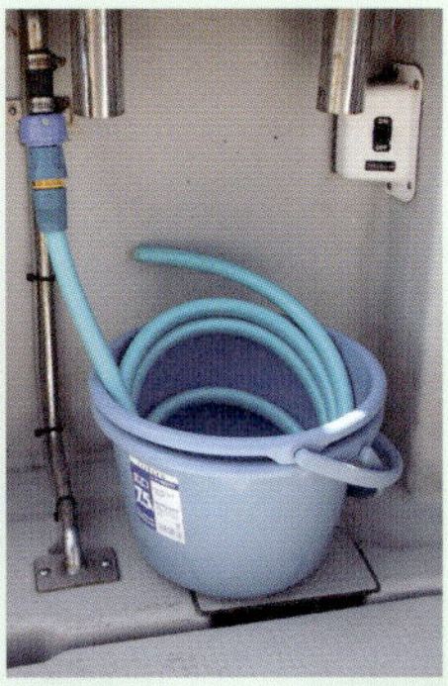

左：プラスチック製の飲料用の通い箱を利用したロッドホルダー。安くて、洗えて、持ち運べ、なによりたくさん立てられるスグレモノだ

右：スターンには海水をくみ上げて使うデッキウオッシュ。ボートをきれいに保つにはとても便利。共同所有では大事な艤装だろう

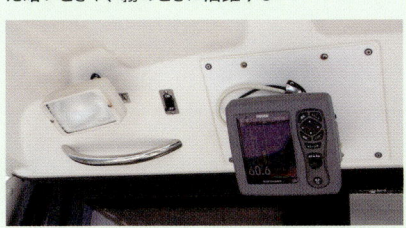

イトを立てた流し釣りでは、魚探の反応をダイレクトにねらえる。キャビンの出入り口上部には、魚探とデッキライトが設置されていた

スパンカーを使った流し釣りの補助装置の一つである「微速装置」。通常のアイドリングよりずっと低い回転数でエンジンを使えるようになる

これはスターンのスラスター。ハル自体は加工せずに、左舷側に取り付けられていた。流し釣りでも使うが、主には離着岸時に活躍するという

BOAT FISHING BIBLE | 実釣ケーススタディー
BOAT FISHING CASE STUDY

TATSUJIN FILE #004 黒澤直人さん
魚探とソナーの達人

魚の動きを読みつつ先回り、「一歩先」がねらえるソナー

ソナーの達人であるキャプテンの黒澤直人さん（右）と釣友の木村勇太さん（左）。黒澤さんはカジキ釣りの強豪チーム「常陸マーリンジャンキーズ」の一員だ

〈NatsutoⅢ〉はヤマハUF-29Ⅰ/B。強めのV型ハルを採用し、凌波（りょうは）性が高く、大型イケスを標準装備。太平洋に面した大洗沖にマッチしたディーゼル艇

ロニクス機器全般の進化にともない、ようやく一般ユーザーにも手の届くようになってきたようだ。

　高性能化する魚探の中で、いちばん「使える」アイテムは、なんといっても広範囲を見られるものだろう。

　これまでの一般的な魚探が見ていたのは真下だけ。ディスプレーに残る映像は過去のものであり、横方向の情報はゼロ。いわば一つの「点」にすぎなかった。

　対して、広い範囲の情報が得られれば、横方向の世界は地図よろしく「面」になる。それは文字通り異次元の世界だ。

　そんな魚探の代表格がソナーである（英語の「SONAR(Sound Navigation And Ranging)」は音波探知機といった意味で、一般の魚探も含むのに、日本では広範囲を探るタイプをソナーと呼ぶ。実に紛らわしいが、ここでも慣例にしたがうことにする）。

　「点」を「面」に広げるソナーは、ボートフィッシングにとってどれほど強力な味方なのか。茨城県の大洗マリーナをベースに、アジからカジキまでさまざまなターゲットを自在に楽しむ達人が披露した。

魚の動きを追える「魔法のアイテム」

　ボートフィッシングに欠かせない艤装といえば、魚群探知機を真っ先に挙げる人が多いのでは。魚の存在をはじめ、水深や底質などもわかる情報機器だ。

　魚探の基本的な原理は、海の中に向けて音波を発射し、なにかに当たってはね返る時間や強さを測定するというもの。

　さらに、高精度なGPSや海底地形図と表示を組み合わせたり、発射する音波の種類を増やして解像度を高めたり、音波を広く発射して広範囲の情報を集めたりなど、このところ急激に魚探が進化している。

　これらはプロ用ではすでにあった機能だが、エレクト

ねらうはヒラメ、ベイトはイワシ

　時期は寒さ厳しい2月の上旬。場所は大洗マリーナから30分ほどのひたち沖。ヤマハUF-29Ⅰ/B

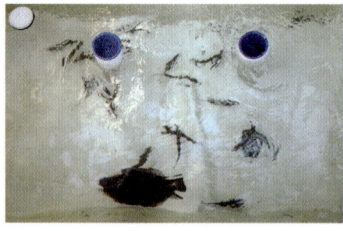

エサの生きたイワシは釣具店で購入し、イケスに入れている。イケスの排水口側にこのように網をかけたパイプを取り付けておくと、排水口に引き寄せられずイワシが傷みにくい

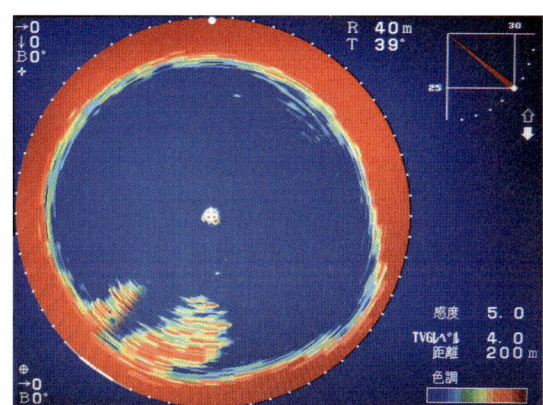

一般的なソナーの基本的な画面表示。円の中央が自船の位置で、赤い円が周囲の海底。一方、音波を発射する海面との角度を直観的にわかるように図示したのが画面右上の「ティルトインジケーター」だ。6時から7時の方向の、この角度の先にベイトがいると判断できる

フルノのCH250はサーチライトソナーといって、レーダーのように音波を360度回転させて反応を得る。画面右下の表示は、過去の反応を魚探のように連続的に示したもの。ベイトがフネと海底の間のどのあたりにいるかがわかりやすい

〈NatsutoⅢ〉のキャプテンである黒澤直人さんと釣友の木村勇太さんのこの日のメニューは、生きイワシをエサにする泳がせ釣りである。

生きイワシをエサにしていることからもわかるように、基本はイワシに付くヒラメをねらうという。いわゆるベイトフィッシュパターンだ。

「なので、ポイントはベイトであるイワシがいるところです。ソナーと魚探でイワシの群れを探して仕掛けを入れます」と黒澤さん。

黒澤さんはハリにエサを付け終えると、サオを舵に持ち替えて、ソナーを見つつフネを走らせた。

ヒラメはあたり一帯にいる可能性がある。その中で、イワシがいるところで仕掛けを投入するわけだが、もし魚探だけしかないなら、あてどなく走り回るしかない。けれど、黒澤さんは〈NatsutoⅢ〉の舵をあえてまっすぐに保っていた。

ソナーと魚探は別の場所を見る

ここでソナーが広範囲を探る仕組みを説明しておこう。

ソナーが海中の様子を探る手立てが魚探と同じ音波である点は変わらない。魚探と異なるのは、それを真下ではなく、広い範囲に向けて斜めに発射することだ。バウに向ければ前方の様子が、舷側に向ければ横の様子が、周囲360度に向ければ全周の様子がわかる。

黒澤さんが使っているソナーはフルノのCH250というモデルである。これはサーチライトソナーといって、レーダーのように、音波を送受信する振動子を周囲360度に回転させ続けて探るタイプだ。

この場合、ソナーの画面には円が描かれる。

この円は周囲の海底を示している。海底がフネからどれだけ離れているかは、電波を発射する角度による。

ソナー・上下装置について

ソナーの送受信装置の取り付け穴。横方向の全周へ音波を発射するため、海の中に送受信装置を出っ張らせる構造になっている。これは送受信装置が格納されている状態

CH250の送受信装置はボタン一つで自動で上下する。左が格納したときで、右が使用中

BOAT FISHING BIBLE | 実釣ケーススタディー
BOAT FISHING CASE STUDY

ソナー画面の上部右寄りの図がそれだ。

したがって、ベイトの反応も、その音波が発射された方向に存在している。海底付近であれば円の外周近くに出るし、浮いていればそれだけ円の内側になるが、決して真下ではない。ソナーが探るのは円錐状(すい)の部分であり、真下はほぼ拾わない。そこは魚探の領域だ。

ベイトのキワへ
ソナーで先回り

時折ソナーにベイトが映るものの、黒澤さんは反応を追いかけることなく、しばらく一定のコースにボートを走らせていた。

「最初はソナーの音波の角度を浅くして広く探って、ある程度見つかると、角度を深くして範囲を絞るんです。

ソナーを駆使して黒澤さんがヒットパターンにたどりついた。ベイトの群れの規模や移動方向がわかるのは、ソナーの絶大なアドバンテージだ。「今日は魚探だけではヒラメは釣れなかったと思います」と黒澤さんもその威力を認めていた

そのうえで、ベイトの量や動き方、動く速さや向きなどを見ています」

黒澤さんによれば、ヒラメがヒットするのはベイトの群れのキワ。群れの中は期待薄だという。そのため、ベイトの動きを把握してから、潮や風でボートが流される分を考慮しつつ、有望な群れの先回りをするのがセオリー

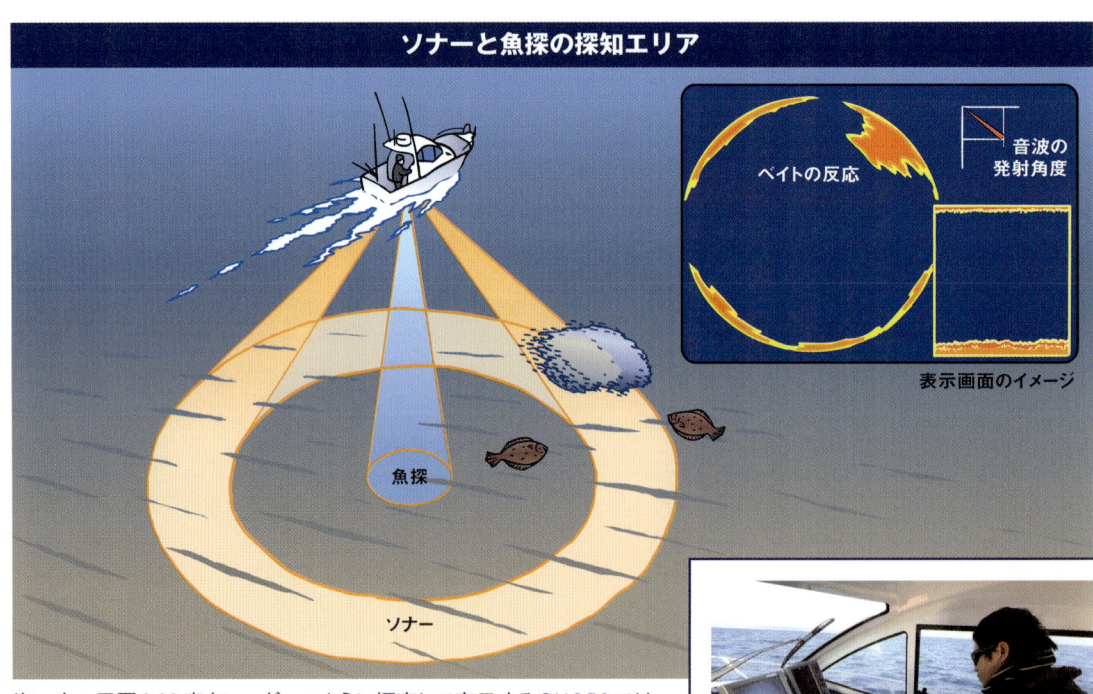

ソナーと魚探の探知エリア

海の中の周囲360度をレーダーのように探索して表示するCH250では、ソナーの音波を斜めに回転させながら発射するので、反応を見ているところは円錐の表面部分のようになり、海底は画面に円形に描かれる。ここで例としたソナーの画面に映っている魚群の反応は、ボートから見て2時の方向の斜め先の海底付近にいるわけだ。また、発射する音波の角度は自由に設定でき、海面との角度を浅くすれば広い範囲を、深くすれば狭い範囲を探れる。音波が斜めに発射されるせいで、ボートによほど近くて浅いところ以外、真下の反応は拾わない。真下を見るのは基本的に魚探の役割だ。したがって、海の中全体のイメージを得るには、ソナーと魚探を併用する。

ヒラメやアジ、青ものなどをねらってソナーを駆使してきた黒澤さん。ヒラメのヒットチャンスは、ベイトの群れのキワで、魚探には反応が出ないスポットだという。ソナーでしか知り得ない場所だ

良型のヒラメをキャッチした黒澤さん。本アタリを見切ってしっかり掛ける腕前も見事。ポイント選びから釣りの腕まで、オールマイティーなアングラーだ

だ（30ページのイラスト参照）。

　真下を見るだけの魚探では、当然こんな芸当は無理だ。それ以前に、ベイトが移動する方向や動き方がわからない。ちなみに、ボートがベイトの群れの上を通過するときは、まずソナーに出た反応が少しずつ中心に移動し、いったんソナーからは消える。その後、魚探に反応が出るという具合になる。

　魚探だけなら、反応が出ている間をチャンスと思うだろう。ところが、黒澤さんの経験では逆。魚探にベイトの反応が出る前と、反応が消えた後がビッグチャンスだ。

エリア一帯にいる
ベイトの量もわかる

　ポイントの水深は30メートルほど。何度か仕掛けを下ろして、風と潮によるボートの流れ方を見極めたあと、いよいよソナーを使ってベイトへの先回りが始まった。

　ベイトはあまり動かないときもあれば、よく移動することもある。特にベイトに落ち着きがないと、ソナーがあってもしっかり先回りできるとは限らない。それでも、ベイトが泳ぐ方向はわかるため、迷子にならずに済み、先回りできる確率はとても高い。

　最初のアタリは黒澤さんに来た。黒澤さんが言う通り、魚探の反応が出る前だったのには驚いた。

　いきなりサオ先を引き込んだ強いアタリに首を傾げて

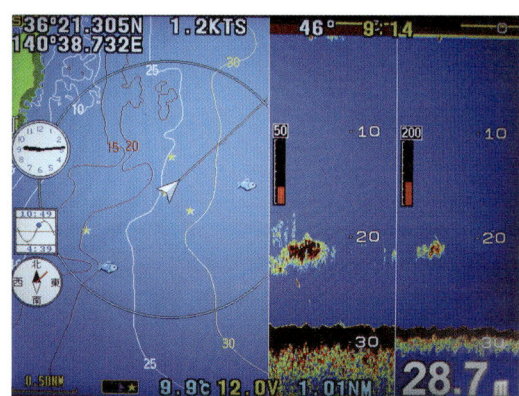

ベイトの群れのキワは、ソナーと魚探の反応の間だ。ちょうどソナーの反応が消え、魚探に反応が出るぐらいがチャンスのため、両方を併用するとそのタイミングはより明確。また、ベイトがいる水深はやはり魚探のほうがわかりやすい

BOAT FISHING BIBLE | 実釣ケーススタディー
BOAT FISHING CASE STUDY

うれしいゲストのホウボウ。おまけに、このサイズならかなり引く。それでも掛けた瞬間に「これはヒラメじゃないですね」と言って釣り上げたのはさすが

木村さんがムシガレイをヒットさせた。生きイワシで釣れるだけあって、なかなかお目にかかれないサイズ。しかも、連続ヒットにびっくり

ソナーを駆使したボートポジション

ヒラメがヒットするのは、ベイトの群れの中ではなくキワだと黒澤さんは言う。そのキワをねらうには、群れを直接追いかけず、ソナーでベイトの動きを見極め、風と潮でボートが流れる状況を考慮したうえで、ベイトに先回りできる場所にボートを寄せるのがベスト。もし先回りに失敗しても、ソナーがあれば群れが動いた先がわかるため、見失わずに済み、かなりの確率で先回りできる。これは魚探では決してできない芸当だ。ただし、ベイトの去り際のキワであれば、魚探でもねらうことはできる。

いると、姿を見せたのは小さなソゲ（ヒラメ）。これにはなるほど、という表情を見せる黒澤さん。ほどなく、黒澤さんがホウボウをキャッチし、木村さんがムシガレイを連続ヒットさせた。

やがてベイトの動きが落ち着き始め、アタリが増えてきた。

しかし、ヒラメらしきアタリは逆に遠のいてしまった。そのため、黒澤さんはポイント移動を決断する。

次に向かったのは、ヒラメの回遊コースになる根周りだった。ここでも黒澤さんはまずソナーを駆使してベイト

先回りをする操船のために、アフトステーションで手前船頭をするときも、当然ソナーと魚探がちゃんと見えるようにレイアウトされている

木村さんに超大物がヒット！重々しいヒキに緊張が走る。ゆっくりと海面まで寄せ、タモを手に黒澤さんがのぞき込むと正体はなんとサメでこの表情に

この日のラストを飾ったのは70センチクラスのヒラメ。低水温時の厳しいコンディションの中、ソナーの威力をまざまざと見せつけられた1日だった

黒澤さんのこれまでの釣果は多彩。ヒラメのシーズンは12月～3月、春～秋はタイラバでのマダイに加えて、夏にはアジと青ものもねらうという。ソナーはアジと青ものでも活躍するが、青ものの場合は群れを直撃するスタイルとのこと

の動きをチェック。すると、イワシの動きがとても速かった。

これではイワシの先回りをするのは厳しそうと判断し、今度はソナーの反応からイワシの回遊コースをさらに絞り込み、サオを出すことに。これはベイトの動きが速いときの対応の一つだと黒澤さんは言う。

「動きは速いですが、イワシはたくさんいるし、回遊するコースもソナーでわかります」と黒澤さんが補足する。「点」から「面」に情報が増えることで、エリアにいるイワシの量もわかるわけだ。

黒澤さんの読みはずばり的中した。すぐに黒澤さんと木村さんともに良型のヒラメを続けてキャッチする。長く続く小さな前アタリから、強い本アタリで合わせる泳がせ釣りの醍醐味を満喫した2人は、この日はここでサオを納めることにした。

黒澤さんがソナーを使ってねらうターゲットは、ほかにアジやワラサなどがいる。これらの青ものでは、シンプルに反応を直接ねらうそうだ。

デジタル技術が発展するにつれて、魚探やソナーは今後も進化を続けるだろう。リアルタイムに海底の様子を3Dで表示するアイテムも登場し始めている。後で紹介するアイパイロットなど、操船をサポートするテクノロジーもしかり。こうしたハイテク機器のおかげで、ボートフィッシングのハードルはどんどん下がってゆくのだろう。そして、未来のボートフィッシングは今より絶対に楽しいに決まっている。

〈NatsutoⅢ〉の艤装

バウスラスター。離岸着岸のほか、スパンカーの流し釣りにも使える

レーダーアンテナ。このクラスなら、万一の備えにレーダーは付けておきたい

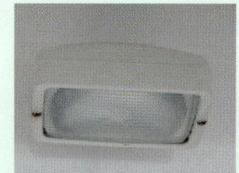

デッキライト。出航準備や片付けでも活躍する

フネの前方を照らす強力なサーチライトも設置

ステップラダー。レジャーから落水者の救助まで、なにかと重宝する

トローリングで使うバトルステーション。スタンディングファイト用だ

BOAT FISHING BIBLE　｜　実釣ケーススタディー
BOAT FISHING CASE STUDY

TATSUJIN FILE
#005
九鬼正憲さん

深場釣りの達人

「幻の魚」深場のアラを釣る、大自然が相手の推理ゲーム

月刊誌『ボート倶楽部』に連載をもつ九鬼正憲さん（左）と、釣友の草訳 悠さん（右）。九鬼さんは気象予報士の資格も持つ探求心旺盛なベテランアングラーだ

風立ち性能にすぐれ、流し釣りが快適に楽しめるヤンマーEX30B〈アドリブ号〉。九鬼さんが「ずっとアルビンに憧れていた」というのも納得のノルディックなスタイリング

ロッドはオモリ負荷に見合った標準的な7：3調子の深場用。電動リールにはPE2号が800メートル巻かれている。ロッドホルダーはリガーマリンのパワーホルダーシリーズとボートベース

エサはサバとイカの切り身と、ホタルイカを用意した。釣り方や仕掛けにはあまりこだわらないが、エサと、タコベイトなどハリに付けるギミックは重視するのが九鬼流

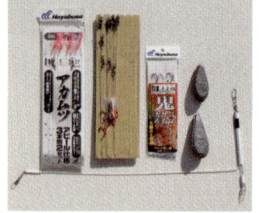

当日ねらう水深は約300メートルまで。潮流もさほど速くなかったので、オモリは150号を使用した。仕掛けはドウヅキ、片テンビンのどちらも使用。オニカサゴの場合、水深150メートルでオモリ100号が基本とのこと

ボートフィッシングをとことん楽しむ達人

アラという美味な魚をご存じだろうか。

大相撲の九州場所のちゃんこ鍋に欠かせない食材としてよく紹介されるが、実は、アラという名の高級魚は2種類いる。

釣り好きならどちらも知っているかもしれない。けれど、知らない人のために紹介しておくと、ちゃんこ鍋に使われるアラ、つまり、有名なほうの標準和名はクエ。東日本以南の沿岸に生息し、100キロを超えることもある巨大魚だ。

一方、標準和名がアラのほうは基本的に水深およそ100メートルより深い沖合を好む。クエほどではないがこちらも10キロを超える大型種だ。

いずれも海ではだいぶ減ってしまったせいで、「幻の魚」と呼ばれている。ただし、クエでは完全養殖が実現し、数は少ないながらも安定して流通するようになってきた。対して、深い海に棲むアラは依然として激レアだ。クエと比べれば知名度が低い点も含め、「幻」という称号がふさわしいのはアラのほうだろう。

大阪府泉南の関空マリーナを出港することおよそ3時間。紀伊水道の南に浮かぶヤンマーEX 30 B〈アドリブ号〉で、この幻の魚をねらっているのは、月刊ボート雑誌で「ローカル釣り便り」という人気コーナーを担当して

ポイント選びの目安

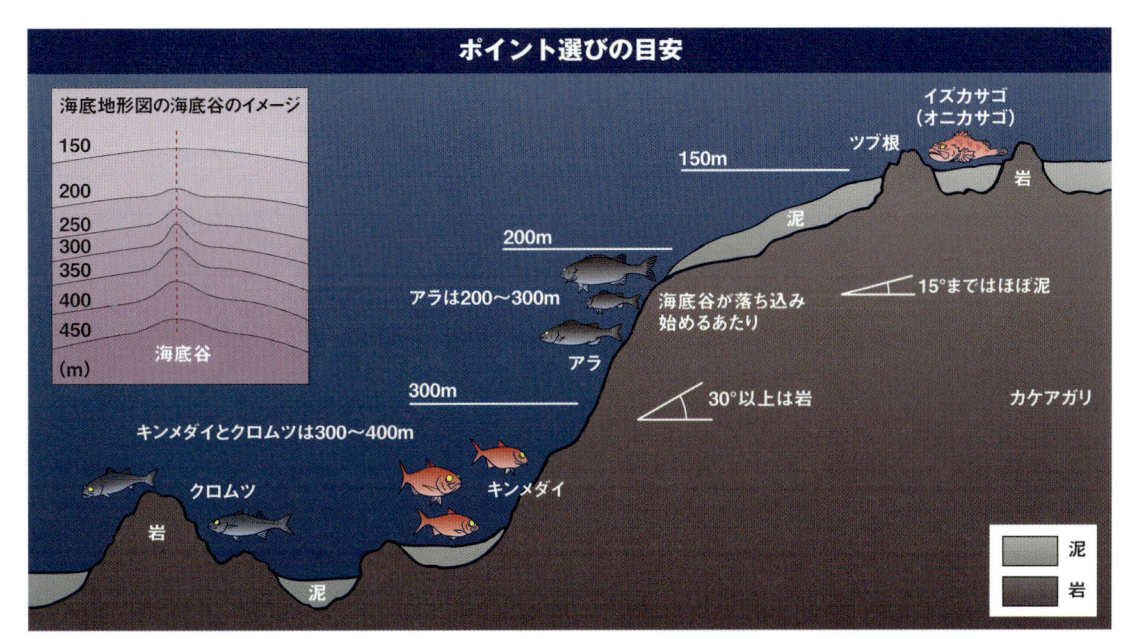

海底地形図の海底谷のイメージ
150 / 200 / 250 / 300 / 350 / 400 / 450 (m)
海底谷

キンメダイとクロムツは300～400m
クロムツ 岩 泥
キンメダイ
アラは200～300m
アラ
海底谷が落ち込み始めるあたり
150m
ツブ根
イズカサゴ（オニカサゴ）
岩
15°まではほぼ泥
30°以上は岩
カケアガリ
泥／岩

ボート釣りの醍醐味はピンポイントを見つけること。大自然について調べながら、それを推理するのが面白いという九鬼さんは、いつも釣行前にポイントの目星をつけた地図を用意する。深場釣りで九鬼さんが最も重視するのは底質だ。また、海底の傾斜も目安になり、傾斜が15度以下ならほぼ泥、30度以上なら岩場だという。アラの場合は岩場を好むため、この日は海底が崩落してできた海底谷のなかでも、起伏がある急斜面にねらいをつけた。まだ研究段階だが、キンメダイとクロムツも岩場を好み、アカムツは比較的泥底に多く、オニカサゴは根混じりの泥底にいるという。

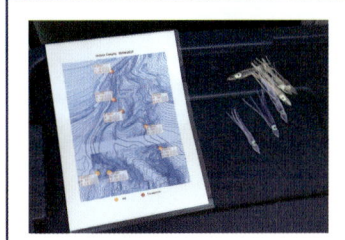

九鬼さんが用意したポイントマップ。潮や風の状況にもよるので、複数選んでおく。ちなみにタコベイトはハリに付けるもので、色はケイムラだ

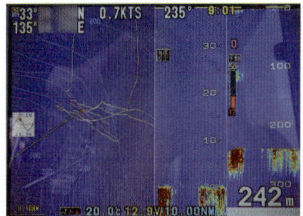

GPSプロッターと魚探ももちろん参考にするが、用意したポイントマップのほうがずっと詳しいのは一目瞭然。それでも緯度経度があればきっちり確認できる

いるエキスパートアングラーの九鬼正憲さんだ。

九鬼さんが本格的にアラをねらい始めたのは2017年から。まだ始めて日の浅いこの釣りを取り上げるのにはわけがある。九鬼さんが新たなターゲットに挑戦してゆく過程に、ボートフィッシングのエッセンスがたっぷり詰まっているためだ。

深場で重要なのは「地質」
岩石の種類まで調べる

九鬼さんが初めてアラを釣ったのはまったくの偶然だった。
「水深300から400メートルまでの間でキンメダイとクロムツをねらっていたら、たまたま釣れて。食べてみたら、こんなうまい魚がおるんやなと（笑）」

アラをねらうのは「うまいから」と九鬼さんは胸を張る。年間スケジュールを聞けばそれも納得だ。冬の深場のキンメダイ、クロムツ、アカムツ、イズカサゴ（オニカサゴ）などに始まり、春からは大阪湾のキジハタ、イワシが近くに差すとブリなどの青もの、夏は暑いので「少しゆるめ」にシロギス、マゴチをやり、秋は脂が乗り切ったサバとアジをショットガンでねらう。いずれも負けず劣らずおいしい魚たちだ。

ただし、これは「なにを釣るか」であって、「どう楽しむか」はまた別の話になる。

ボートフィッシングの醍醐味はピンポイントの探求にある、と九鬼さんはきっぱり。

この点については、おそらく読者の多くがうなずくに

BOAT FISHING BIBLE | 実釣ケーススタディー
BOAT FISHING CASE STUDY

ヒットしたポイントもタイミングもぴたりと的中し、してやったりの1尾に思わずガッツポーズとこの笑顔

違いない。ボートフィッシングに限らず、魚を見つける喜びはさまざまな釣りに共通する大きな魅力だ。

とはいえ、ボートフィッシングならではの一面もある。

それはスケールの大きさだ。ボートアングラーが相手にする海はあまりに広く複雑である。おかげで、毎日海に出ている漁師でさえ魚を見つけられないこともしばしば。でも、だからこそ面白いとも言えるし、九鬼さんも「大自然を調べながらピンポイントを推理するのが面白い」と強調する。

では、具体的になにを調べるのか。

「釣りごとに違うんですが、深海の場合は、海底の地形、潮の流れ、それと地質ですね。特に地質はとても大事で、ほとんどそれで決まるんじゃないかと思います」

海底の地質とは、要は砂か泥か岩かといった話だが、九鬼さんはそれにとどまらない。海底に積もった砂や泥が固まった堆積岩なのか、あるいは、火山活動によって生じた火成岩なのか、そして、それが何万年前のことなのかといったレベルまで調べている。

事前に海底の地質を知る方法として役に立つのが、日本水路協会が発行する「海底地質構造図」だ。エリアによっては産業技術総合研究所の海洋地質図(海底地質図と表層堆積図)などもある。

ただし、これらの図には古い物も少なくない。そこで九鬼さんは、なるべく新しい情報をインターネットなどでも探しつつ、やはり日本水路協会が発行する「海底地形図」の「傾斜」も参考にするという。

「よくねらうのは、堆積した地層が崩落してできた海底谷(かいていこく)の急斜面です。勾配でいうと、15度ぐらいまではほぼ泥。30度を超えると岩ですね。経験を重ねるうちに、そういう傾向もわかってくると思います」

深海探査のデータを使いゲームプランを構築する

逆にいうと、泥がたまりやすい場所はフラットで海流が弱い。対して、岩がむき出しになっているのは、傾斜や起伏がきつく、海流が強い傾向がある。

また、谷の斜面や底には、より硬い地層がむき出しになっている場所がある。そういうところは起伏が激しいなど、地質の違いが地形に現われるので、地質を詳しく知っているとポイント選びに有利に働く。

こうした傾向を踏まえて、九鬼さんは釣行前には常に

序盤にアラが続いたあとは、ゲストが増えた。アカイサキも岩礁帯を好む魚

岩場の定番ゲストのユメカサゴ。さまざまなゲストが釣れるのも深海釣りの面白いところ。釣れる魚によって地質をはじめポイントの情報も増える

草訳さんにタマガンゾウビラメが。これがいるということは、ポイントが岩場から外れて泥底になったと推理できる

　ポイントの目星を書き入れた詳しい海底地形図を用意するという。
　目星をつけるためには、もちろんねらう魚がどんな場所を好み、なにを食べるのかなどといった習性を知らなければならない。この点についても九鬼さんは徹底的だ。
　「同じエリアに遊漁船がいるとわかりやすいんですが、自分が行くところにはほとんど出ていないんです。なので、水深や地質など、図鑑程度の基本的な情報を調べますけど、最近は深海探査の情報がけっこうネットで出てきますよ」
　確かに今はインターネットでさまざまな研究機関が調査結果を発表しているが、深海調査の結果まで調べる人はなかなかいないだろう。九鬼さんおすすめのサイトは有人深海潜水艇〈しんかい6500〉を所有しているJAMSTEC（海洋研究開発機構）のもの。同機構の国際海洋環境センターが運用する「BISMaL」などのデータベースで情報を入手しているそうだ。ちなみに、学術的な記録や文献を探すときは、たとえばアラなら「Niphon spinosus」というように、学名も併記するとより絞り込みやすい。
　なお、九鬼さんのエリアでは、アラは水深200〜300メートルの岩場、キンメダイ、アコウダイは300〜400メートルの岩礁を好み、アカムツは比較的泥の多い場所にいることが多いという。一方、オニカサゴは水深150メートル前後のツブ根混じりの砂泥地が主なポイントだ。
　それからもうひとつ、九鬼さんがよく参考にするのが「海洋台帳」だ。海上保安庁のサイトにあり、地形や地質は専用図ほど詳しくないものの、海底地形や沈船の場所、漁業権区域、水温、潮汐などが地図に集約され

九鬼さんオススメ‼ 海底情報参考サイト

日本水路協会　海底地質構造図・海底地形図	http://www.jha.or.jp/shop/
産業技術総合研究所　海洋地質図	https://www.gsj.jp/Map/JP/marine-geology.html
JAMSTEC（海洋研究開発機構）データベース	http://www.jamstec.go.jp/j/database/
海上保安庁　海洋台帳	http://www.kaiyoudaichou.go.jp/

BOAT FISHING BIBLE | 実釣ケーススタディー
BOAT FISHING CASE STUDY

九鬼さんが右舷から2本出していたサオの一方に大きなアタリが！海況もよかったので、アラとみて手持ちでのファイトに切り替えた

姿を現したのはやはりアラだった。この日、船中2尾目。調査と推理のたまものだ。さすが！

ていて大変便利。まだご覧になったことがない方はぜひチェックしてみてほしい。

こうして事前に調べあげ、しっかりとゲームプランを用意して臨むのが九鬼流の楽しみ方である。

釣り方や仕掛けは なるべくシンプルに

穏やかな快晴の下、入念な下調べのおかげで、取材当日はまっしぐらにポイントへ。目指すピンポイントに到着した九鬼さんは、スパンカーを揚げ、仕掛けを投入した。ベテランアングラーだけあり、このあたりは手慣れたものだ。

徹底したポイント選びと比べると、釣り自体は対照的だった。

仕掛けは市販のものを使用。釣り方はサオをロッドホルダーにかけたまま、ボートの揺れでオモリが自然に底をたたくいわゆる「底トントン」の状態をキープするだけ。とてもシンプルである。

「釣り方にも仕掛けにも、あまり力は入れません。たくさん人が乗っていて、誰の仕掛けに食うんや、というたらそれなりにアピールが必要でしょうけれど、おったら食う

絶好調の草訳さんはなんと2尾目のアラを追加した

やろということです（笑）」
　あくまで相手は大自然であり、同乗者ではない。こういう部分もボートフィッシングならではのスタンスだ。
　ただし、同乗者との競争以前に、魚の食いを大きく左右するエサやハリに付ける飾りなどは重視する。これまでの経験では、深場の釣りではケイムラ（蛍光ムラサキ）が効果的とのこと。「光の透過性を考えると理にかなってますよね」とやはり理論派だ。
　「アラは1投目が勝負ですよ」と九鬼さんが言ったのと、同行した草訳 悠（くさわけ ゆう）さんのサオが深海から激しいアタリを伝えたのはほぼ同時だった。
　ロッドキーパーにサオを掛けて電動リールのスイッチを入れる。深場釣りの取り込み時間は長い。いったいなにが掛かっているのか。なんでもいいからバレるなよ……そんなドキドキもこの釣りでは楽しみのひとつ。
　はたして、ヒットしたのは九鬼さんの言葉通り、本命のアラだ。
　九鬼さんほど調べなくても、この1尾にはたどり着けるのかもしれない。だが、大自然を相手に、スケールの大きな釣りを楽しめるのは、ボートフィッシングならでは。とことん推理してみれば、そこにはひと味違う喜びがきっとある。

〈アドリブ号〉の艤装

キャビンの中もご覧のとおり整理整頓が行き届いていた。写真にはないが、塩水がかかるとまずい電動リールのケーブルを掛けて干せるようにもなっている

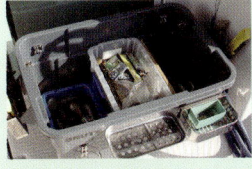

道具の収納、整理をはじめ、フタをかぶせれば小物が置けて、エサ台も付いているこの箱はとても使い勝手がよさそうだった

アフトステーションの足元に清水と海水の蛇口が。両方に同じホースをセットでき、便利に使い分けられるようになっている

BOAT FISHING BIBLE | 実釣ケーススタディー
BOAT FISHING CASE STUDY

TATSUJIN FILE #006 後迫正憲さん
ドテラ流しの達人

"いちばん簡単"でよく釣れる、ドテラ流しによるタイラバ釣法

後迫正憲さん(右)と今回のボート〈クリリン〉(愛犬の名前から)のオーナーの元原 潤さん(左)。よく一緒に釣りに行くという2人は、息の合ったコンビネーションを見せてくれた

豊富なアイデアがコンパクトに凝縮され、トータルバランスにもすぐれたヤマハSR-X。瀬戸内海のタイラバゲームにぴったり

後迫さんが当日使用したタックル。(右)ロッド・紅牙 EX AGS K67HB-SMT、リール・紅牙100L。(左)ロッド・紅牙 EX AGS N65MB THRILL GAME、リール・エアドレッドチューン100SH-L(タックルはすべてDAIWA)。ラインはともにPE0.8号に、FGノットでフロロカーボン4号1.5メートルを接続

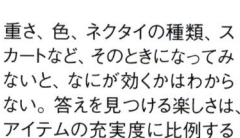

重さ、色、ネクタイの種類、スカートなど、そのときになってみないと、なにが効くかはわからない。答えを見つける楽しさは、アイテムの充実度に比例する

よく釣るために
積極的になにもしない

　いちばん簡単で、よく釣れる。それが「ドテラ流し」の本領だ。
　ドテラ流しとは、ボートを風や潮に任せて流すこと。なぜ"ドテラ流し"と呼ぶのかは定かでないものの、要は放置するだけだから、いちばん簡単であることは間違いない。
　もちろん、なにもしないので、ボートも選ばないし、艤装も不要。そうなると、ボートコントロールのノウハウはなにもなさそうだが、決してそんなことはない。
　「いちばん簡単」な一方、「よく釣れる」かどうかは状況や釣り方次第。つまり、本領を発揮させるには、その

特徴を釣りに生かせるかどうかがカギになる。
　そこで、今回は広島湾を拠点に釣具メーカーのフィールドテスターとして活躍するボートアングラーの後迫正憲さんに、ドテラ流しを活用したタイラバ釣法を披露しつつ、解説してもらおう。
　ご存じのように、瀬戸内海にある広島湾には大小の島々が点在し、海底の地形や潮の状況も複雑で、マダイのポイントは多い。
　この日、後迫さんが釣友の元原 潤さんとともに向かったのは江田島の周辺だった。もっと南下したほうが有望なポイントはあるのだが、あいにくの天気のせいで近場をねらうことに。それでもマダイはいるそうで、限られた状況への対応として、むしろ参考になりそうだ。

魚に警戒心を与えない
浅場では特に有利

　ボートが止まったのは、タイラバをキャストしたら島に届くほどの岸際だった。それでも魚探の水深は42メー

トルを示している。この急なカケアガリで、後迫さんはDAIWAのタイラバ、紅牙ベイラバーフリー 45グラムを投入し、エンジンと魚探を切った。

「ドテラの長所の一つは静かに釣れることです。基本、ボートのほうが仕掛けより先に流れていくので、特に30メートルより浅いところでは効果的ですよ。物音を立てると魚に警戒心を与えてしまいますから」

タイラバ釣法の釣り方は、タイラバを底まで落として巻くだけと簡単だ。それだけに、その面白さは「やりながら答えを探していくプロセスにある」と後迫さん。

タイラバを構成するヘッドの重さやネクタイのタイプなどに、絶対はない。いろいろ試してみるしかないが、ただし、釣り方としては着底がわかることが大前提になる。したがって、慣れなければ確実に底を取れる重さが必要条件だ。

巻くスピードについても、ゆっくりだったり、高速だったりと、その日ごとにパターンを見つけるしかない。とはいえ、後迫さんは目安として1秒間にハンドルを1回転から始めて調整している。

アタリは巻いている途中に出るが、そのまま合わせずに巻き続け、重さがしっかり乗ったらサオを起こして、ゆっくり巻き続けるだけ。バランスのとれたタックルを使い、ドラグの調整ができていれば、ファイトも難しくはない。

無風かつ潮が動かなくなったタイミングで、シャローに向けてタイラバをキャストするとマゴチがヒットした。ボートが流れない状況では、キャストしたり、投入後に少しボートをズラしてイトをナナメにするのも手だ

ドテラ流しのメリット

タイラバ釣法やティップランエギングに向き、場合によってはジギングにも効果的

ボートが流れる方向

タイラバやエギをヨコ方向に動かせるため、ナチュラルな動きを演出でき、ターゲットがいるタナから仕掛けが外れにくい

ドテラ流しでは、このイラストのように、ボートのあとから仕掛けが追いかける形が基本になる。すると、広範囲に仕掛けをトレースできると同時に、仕掛けにヨコ方向の動きが加わる。タチウオなど一部の魚を除けば、ベイトフィッシュであれフィッシュイーターであれ、魚はタテよりヨコ方向の動きが得意であり、ヨコ向きの動きを演出できるのは有利だ。また、魚のいるタナから仕掛けもより外れにくい。こうした特徴から、ピンポイントで真下に仕掛けを上げ下ろしするタテの釣りと比較して、ドテラ流しを「線の釣り」と、後迫さんは言う。ほかにも、エンジンや魚探を切って浅場の魚を音で驚かさないことや、操船や特別なアイテムが不要であることもメリットだ。一方で、風や潮などへの対応力が低く、サオを出せる状況は限られる。

BOAT FISHING BIBLE　実釣ケーススタディー
BOAT FISHING CASE STUDY

当日の状況

マダイはイワシの群れとともに移動していると判断

ボートが流れる方向

ベイトフィッシュのイワシに合わせ、シルエットが小さいタイラバを選択

ヘッド、ネクタイ、スカートのセッティング例。上から下へとシルエットが大きく、ヘッドは重くなる。なお、ヘッドの紅牙ベイラバーフリーTGタイドブレイカーHは、前後の向きを変えて使用可能（写真は逆付けの例）

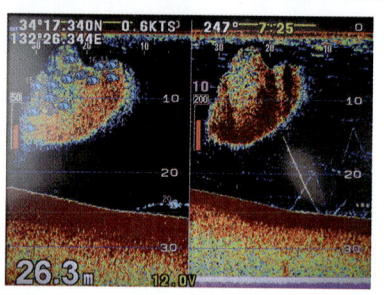

ヒットエリアでの反応。赤い固まりはおそらくイワシ。このイワシにマダイが付いているとにらみ、タイラバのシルエットを小さく、軽くした

1ノット程度の潮が微風と逆に流れる状況で、ボートは潮の方向に流れた。その向きで見ると、地形は水深約20メートルから約30メートルまでのカケサガリ。マダイはベイトフィッシュの小さなイワシに付いて回遊していると魚探画面から判断し、シルエットの小さい軽めのタイラバを選択。軽いウェイトには、ヨコ方向の動きを演出しやすくする意図もあった。ベイトフィッシュが魚探に映る少し上流側にボートを回してタイラバを投入すると、ねらいが的中。マダイがヒットした。

ポイントを長く探りヨコ方向の動きも演出

　風はほぼ無風。島の形に沿うように潮が流れ、GPS魚探のプロッター画面を見ると、ボートは等深線をなぞるように流れた。後迫さんの言う通り、ボートがタイラバより先行して、ミチイトが後方に置き去りにされるようにナナメになってゆく。
　「ドテラ流しは『線の釣り』なんです」と後迫さんは言う。
　これには二重の意味がある。
　「まず、ポイントを長く探れること。そして、ルアーにヨコ方向の動きが加わることです。マダイをはじめ、浮き袋の調整が苦手な魚は水深の変化に弱いから、ヨコに動くルアーのほうが追いかけやすいし、アタリも多い。タテに巻き上げるのと比べれば、タイラバがタナにある時間も長くなりますよね。これはエギングでも同じです。逆に言えば、根に付く魚をピンポイントでねらったり、タテの動きで誘うような釣りには向きません」
　ボートはいい感じでトロトロと流れていたが、アタリは訪れなかった。後迫さんは早々に見切りをつけ、江田島と似島（にのしま）の間にある別のカケアガリに移動。
　水深は20メートルほど。魚探にはベイトとおぼしきイワシ玉の反応も出ている。こちらのほうが状況はよさそうだ。

元原さんが良型のマダイをキャッチ！ ベイトの状況を見てスカートを外していた。ポイント選び、流すコース、ルアーの選択など、さまざまな要素がそろった末の1尾だ

左：ワームを付けたタイラバにカサゴがヒットした。根魚にも強いタイラバ。ピンポイントにステイするのは無理だが、「線」の途中に根があれば、当然、根魚もヒットする
中：ホウボウもタイラバ釣法では定番のゲスト。潮が動く間、さまざまな魚が続けてヒットするのは、広く探る線の釣りの楽しいところでもある
右：こちらはチダイ。ハナダイともいう。マダイと同じく、イワシに付いていたようだ。やはりシルエットの小さいタイラバが効果的だった

BOAT FISHING BIBLE　実釣ケーススタディー
BOAT FISHING CASE STUDY

ボートを放っておくだけだから、対応できる状況は限られるのは確かだが、長所を生かせば、ドテラ流しはいちばん簡単でよく釣れるボートコントロールだ

　それを見て後迫さんはタイラバを30グラムに、また、小さなイワシに合わせるようにネクタイを細くし、スカートを間引く。
　風が少し出始めた。一方、タイラバを投入すると、潮は風とは反対に流れている。
　基本的にボートは風に流され、仕掛けは潮に流される。そのため、このように風と潮の向きが反対だったり、そうでなくても風や潮が強かったりすると、ドテラ流しはできないことが多い。
　また、イトがナナメに入るので、サオを出す人数も限られがちだ。流れる方向に対してボートが横を向けば片舷に並んでサオを出せるが、遊漁船ならともかく、プレジャーボートでは決して多くは並べない。この日は2人だったので問題はなかったが、ほったらかしのドテラ流しでは、当然、風と潮への対応はウィークポイントである。
　ただ、幸いにして当日は微風で、ボートは風に逆らって潮の方向に流された。これなら釣りはできる。

　むしろ、潮がしっかりと1ノットほど流れていて、状況はますます悪くなさそうだった。今度は等深線に沿うのではなく、潮がカケアガリの深いほうへと流れてゆく。
　マダイのポイントなどでは、カケアガリの潮がぶつかる側をねらえ、とよく言われる。なので、いまひとつなのかと思いきや、
「ここはどちらの方向からでも釣れる場所なんですよ」
と後迫さんは言った。「ベイトもいるし、釣れそうです」
　直後、ガツガツとかじるようなアタリが元原さんにあり、サオ先が絞り込まれた。サオをたたくようなヒキはいかにもマダイだ。その後は慎重にファイトし、見事、グッドサイズを手にした。

タイラバ釣法における強みを生かすアプローチ

　魚に警戒心を与えない「線の釣り」という強みはわかったとしても、風と潮まかせのドテラ流し。できることは限られているのも事実だ。では、ドテラ流しの強みを最大限に生かすにはどうしたらいいのだろうか。そこで一例として、初めての海におけるタイラバ釣法でのアプ

マゴチが食ってきたのはマダイとは異なるポイント。ネクタイが太めでボリューム感のあるマゴチねらいのセッティングで、ねらって釣った1尾

〈クリリン〉の艤装

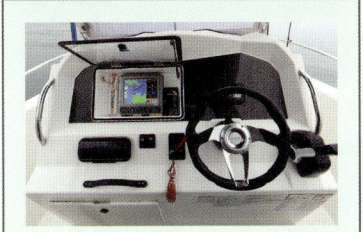

すっきりと洗練された、必要十分なヘルムステーション。そこからバウカディにかけてのデザインは、ヤマハSR-Xの特徴の一つだ

高さがありホールド感にすぐれたスターンレイル。バウレイルとともに純正オプションが設定されている。タイラバ釣法をはじめ、立って釣りをするには便利かつ安全な艤装

オープンボートのSR-Xにエンクロージャーが。取材当日のように、特に雨の中を走るときには重宝するし、保管時にはコクピットへの浸水も防げる

元原さんがまたマダイを釣り上げた。今度は、潮が遅くなったのを見計らって、スカートをセットしていた。取材は乗っ込みシーズン中で、おそらく産卵後の個体

ローチを後迫さんに聞いてみた。

タイラバでねらうポイントは、等深線が込んでいるカケアガリや、すり鉢状のくぼみ、逆に丘になっているところなど、変化があるところ。さらに、深場が近くにあると有望だ。海底地形図などでそういう場所に目星を付けた上で、次のように考えるという。

「初めての場所では、どういうふうに潮が流れるのか、どこに魚が付いているかわかりませんよね。であれば、どこにフネをつけるかというと、ポイントの『ど真ん中』。例えばすり鉢状の地形なら、いちばん深いところです。そうすれば、潮がどちらに動いても確実にカケアガリになる。その上で、急なのか、なだらかなのか、どのぐらいの傾斜で反応があるのか、そして、何メートルの水深なのかを見ておいて、次に流すときの参考にする。そういうことを意識しながら、タイラバのタイプや巻くスピードをいろいろ試しつつ、ポイントや流すコースを絞り込んでいくのがドテラ流しでのタイラバ釣法です」

ボートを放っておくだけと侮ることなかれ。漫然とサオを出していても確かに釣れるが、ドテラ流しは「積極的になにもしない」ボートコントロールである。そう考えて、ほかにない強みを釣りに生かせば、1尾を手にする確率は格段に高まるはずだ。

BOAT FISHING BIBLE | 実釣ケーススタディー BOAT FISHING CASE STUDY

TATSUJIN FILE #007 加藤淑彦さん
バウモーターの達人

ボートコントロールの革命児、バウモーターの実践的活用法

キャプテンの加藤淑彦さん(右)と釣り仲間の手持知也さん(左)。手持さんは本物の漁師さんだが、釣りをするならアイパイロットが絶対有利とのこと

加藤さんの愛艇〈森本建装号〉は30フィートのヤマハUF-30 I/B。スパンカーがよく効くフネだが、今やスパンカーは使わなくなってしまったそうだ

30フィート、重量3トン超の加藤さんのボートには36ボルト仕様、出力112ポンドの最もパワフルなモデルをセット。当初は出力不足を心配したそうだが、特に風立ち性能については小型のボートよりいいという

アイパイロットのリモコン。ボタン一つですべての操作を行える。2017年モデルからはブルートゥース接続になり、本体とリモコンのソフトウェアの更新にも対応

アイパイロットの実力と活用法は？

　アンカリングや流し釣りの操船を行えたり、低速で意のままに岸沿いを流せたりするなど、多彩な機能を誇るおかげで、目下、全国津々浦々にユーザーを広げているミンコタのバウモーター「アイパイロット」。

　なかでも愛好者が多いエリアのひとつが富山湾だ。

　富山湾といえば、相模湾や駿河湾と並ぶ、日本でも有数の深い湾である。浅場のシロギスやアオリイカから、氷見の名物としても有名なブリ、深場のタラ、アカムツまでターゲットは豊富。アイパイロットが実力を発揮するにはふさわしい海に違いない。

　はたして、アイパイロットはどれほど使えるのか。今回はアイパイロットを搭載したヤマハのインボード艇〈森本建装号〉(UF-30)で、富山湾のさまざまなメニューをこなす加藤淑彦さんのフネに乗せてもらいつつ、生の声を聞いた。

どんな水深でも素早く「アンカリング」が可能

　取材当日、加藤さんのボートを見て驚いた。アイパイロットは当然としても、スパンカーに加えて、ヘルムステーションで操作できるアンカーウインチもある。これだけの釣り艤装があったら、アイパイロットはいらないのではというほどの充実ぶりだ。

　その点を加藤さんに質問すると、

　「スパンカーもアンカーもすっかり飾りですよ。カッコい

※スポットロックとスポットロックジョグについては48ページのイラスト参照

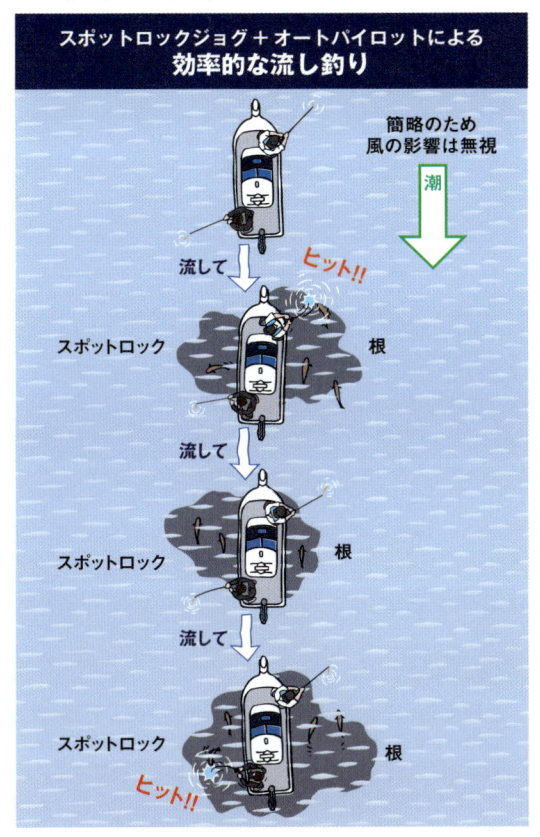

**スポットロックジョグ＋オートパイロットによる
効率的な流し釣り**

簡略のため
風の影響は無視
潮

流して
ヒット!!
スポットロック　根
流して
スポットロック　根
流して
スポットロック
ヒット!!　根

アイパイロットで効率よく探る流し釣りの一例。オートパイロットで流し釣りをして、釣れたらその場所でいったんスポットロック。そこでしばらくやってみて、釣れなくなったらまたオートパイロットで流す、と書けばとても簡単だが、特にスポットロックなしには実質的に無理な操船だろう。こんな操船がリモコンのボタン一つでできてしまう。もちろん、スポットロックからスポットロックジョグを使ってもいい。ちなみに、オートパイロットのモードはノーマルでもアドバンストでもOK。

加藤さんが「アンカリング」と呼ぶスポットロックで素早くジギングを始め、手持さんがすぐ青もの2尾をキャッチした

いから残してるんです（笑）。今はアイパイロットしか使っていません」

と衝撃の言葉が返ってきた。

その一例を、さっそく青もののジギングで見せてくれた。

ポイントは水深約30メートルから一気に深くなるカケサガリだ。魚探で魚の反応と地形を確認しながらエンジンで走り、反応が濃く出ていた60メートル付近に目星をつける。

そこで行き足を止め、アイパイロットを下ろし、加藤さんはリモコンの錨マークのボタンを押した。「スポットロッ

ク」という機能だ。

「簡単でしょ？ ぼくはこの機能を『アンカリング』と呼んでいます。だって、ポイントにぴたりと止まりますからね」

同船した釣友の手持知也さん（なんと本職の漁師さん）とさっそくジギングを始め、イナダ（ブリの若魚）など青もの2尾をキャッチ。なんという早業！これがどれだけのハイペースかは、ボートアングラーなら痛いほどわかるはずだ。

実際にアンカリングをするとしたら、あらかじめポイントの風と潮の状況を調べる必要がある。風はともかく、潮は仕掛けを入れてみなければわからない。それには当

BOAT FISHING BIBLE | 実釣ケーススタディー
BOAT FISHING CASE STUDY

スポットロックとスポットロックジョグを駆使した
細かいポイントチェック

ジギング
1.5メートル
1.5メートル
潮

ある位置から
きっちり1.5メートル単位で
移動可能

2回ボタンを押せば3メートル、
3回なら4.5メートル移動できる

スポットロックでポイントの明確な基点ができることに加え、最新モデルでは、スポットロックジョグで微調整が可能になった。しかも、水深を選ばない

水深を選ばず、素早くかつ正確に、ある1点(緯度経度)にボートを固定できるのは絶大な強みだ。潮流は当然あるとしても、イトの太さやオモリの重さを調整することで、仕掛けを届けるポイントはコントロールできる。その基準となる「確かな1点」を手に入れるメリットは本当に大きい(GPSのズレは発生する)。おまけに、その1点から4方向に1.5メートルずつ移動できるスポットロックジョグがあれば、碁盤の目のようにボートを移動させる緻密なコントロールもでき、根を細かく探るのも簡単だ。なお、スポットロックジョグの移動距離は、ボタンを押す回数×1.5メートルなので、長い距離も移動できる

然、時間がかかる。

さらに、風と潮の分を考慮し、ポイントの上手に移動してから、アンカーを投入。着底までしばらく待って、底に着いたらロープを結び、アスターンでしっかりアンカーを底にかける、というのが一連の動作だ。

それでも、一発で思い通りの場所にボートポジションが決まるとは限らない。また、実際のアンカリングでは風や潮に振られるため、2丁アンカーにしない限り精度も低い。

対して、スポットロックは極めて正確だ。GPSの誤差はあるとしても、感覚的にその位置は「まったく動かない」と加藤さんは言う。

この速さと正確さはかつてない武器だ。正確さはポイント攻略の基点となり、速さはチャンスを逃す恐れを一気に減らすだろう。おかげで、加藤さんはアンカリングが定番だった完全フカセ釣法まで、今はスポットロックで行うようになった。

30フィートのフネでも
強風をものともしない

ところで、アイパイロットは潮と風にどの程度対応できるのだろうか。

加藤さんの30フィート艇では、36ボルト、出力112ポンドのモデルを搭載し、速度は2ノットほど出るという。すなわち、2ノットの潮流までは対応できる。

スポットロックでアオリイカをねらう加藤さん。従来はスポットロック中にフネの向きまでは制御できなかったが、ヘディングセンサーが登場したおかげで、フネの向きもとどめられるようになった。これはありがたい

　一方、風は風速毎秒10メートル前後でも問題なく使えるとのこと。

　これらの数値はもちろんボートのタイプにもよる。適合するボートの目安は一応カタログに示されているが、実をいうと、加藤さんのUF-30のサイズは、36ボルトのモデルでもオーバースペックだ。にもかかわらず、風立ち性能は十分。さらに、釣り仲間のほかのボートと比較すると、風立ち効率はUF-30のような大きなボートのほうがよいという。

　この点については、加藤さんも意外だったらしい。理由は推測になるが、ボート固有の風立ち性能や慣性（重さ）が関係するのではないかとみている。いったんボートを風に立ててしまえば、風にくるくるとすぐ頭を振られる軽いボートよりは、なかなか振られない重いボートのほうが微調整だけで済み、アイパイロットにとって負担が少ないのでは、という見立てだ。

なにより「よく釣れる」
画期的アイテム

　水深を選ばずにボートの位置を固定できる「スポットロック」によって、釣りの可能性は大きく広がるに違いない。オモリの重さや仕掛けを工夫すれば、それこそ完全フカセから深場釣りまで、ほとんどあらゆる魚を攻略できるのではないか。これはアンカリングの革命だ、などと感心していたのだが、アイパイロットの実力はこんなものではなかった。

　次に加藤さんが見せてくれたのは、水深200メートルを超えるマダラジギングでの操船だ。

　ポイント選びからスポットロックまでは青ものと同じだった。ところが、少しして釣れないとみると、そのままイトが立つようにボートを平行移動させたのだ。

　これは「スポットロックジョグ」という上位モデルの機能で、スポットロックで固定した位置から、ボートの姿勢を変えずに、前後左右の4方向に1.5メートル単位でボートを平行移動できるという。

　平行移動できるのは、船の船首船尾線を認識できる

本体のパネルではバッテリーの充電状況が表示される。「ちゃんと充電できないと楽しさが減る」と加藤さん。特に発電機の性能には余裕がほしいところ

30フィート、重量3トン超の加藤さんのボートには36ボルト仕様、出力112ポンドの最もパワフルなモデルをセット。当初は出力不足を心配したそうだが、特に風立ち性能については小型のボートよりいいという

BOAT-FISHING BIBLE 実釣ケーススタディー
BOAT FISHING CASE STUDY

上：設定した方角に自動で流せる「アドバンストオートパイロットモード」を応用し、ボートを風に対して真横に向けドテラ流しをする加藤さん
下：スポットロックによるブイねらいと、アドバンストオートパイロットを応用したドテラ流し（ティップランエギング）を使い分け、加藤さんはアオリイカを連発した

「ヘディングセンサー」のおかげだ。逆にいうと、ヘディングセンサーがないモデルでは、ボートの向きがわからないために、こうした移動は不可能だ。

さらに、これでも釣れなかった加藤さんは続けて「オートパイロット」機能を使い、イトが立つように流し始めた。もちろん、操作はリモコンのボタンを押すだけ。

しっかり根を探るときは、このように、スポットロックの位置を基点としてスポットロックジョグとオートパイロットを使って流し釣りをするのが加藤流である。

「例えば、いったんスポットロック後、水深240メートルで流しているうちにいいポイントに入って、タラが釣れたとします。そうしたらそこでボートをまたロック。そこで釣れなくなったら、スポットロックジョグでもオートパイロットでも、ボートを移動させて釣れたらまたロック。これを繰り返したらびっしり探れますよ」

あいにく時季外れの取材時は顔を見られなかったものの、このアイパイロット活用術によって、加藤さんは今シーズン、飽きるほどマダラを釣っている。

簡単にボートの位置を固定できるだけでも相当な強みだが、そこを基点に1.5メートルずつ流すようにしたら、丹念にポイントを探れるのは想像に難くない。加えて、潮に沿う流し釣りも自由自在。これはもうアンカリングどころかボートコントロールの革命と言っていいのではないだろうか。

スパンカーとアンカーウインチがいらなくなったのは当然ですね、と加藤さんに言うと、

「フネが大きいから、風が弱いときだけでも使えればいいと覚悟して付けてみたんですが、強風でもまったく問題ないし、使ってみたら強烈でしたね。実際、あらゆる釣りに使えます。手間のかからなさは専属の船頭を1人雇ったようなものですよ。ポイントから本当に動きませんから、絶対に効率もいいですし、なにより釣果が違う」

とのこと。最後はエギングを楽しんで、この日の釣りを締めくくった。

「時間のロスなくボートが止まるから、自分で漁船に乗って釣りをするより楽しくて、アイパイロットがあるボートがうらやましいですよ。漁船よりよく釣れます」

と手持さんも太鼓判を押す。

とはいえ、アイパイロットにも注意点はある。一つは、取り付けるボートの形状だ。バウに取り付けるスペースがあることに加えて、シャフトの長さが決まっているため、あまり海面から高いと取り付けられない。

もう一つは電装系、特に発電機の能力が重要だ。「ちゃんと充電できないと楽しさが減る」と加藤さんは付け加えた。

そして、やはり電気を使うものだけにトラブルはある。日頃からマメなケアは必須だが、それでも故障する可能性はないとはいえないようだ。革命的ともいえるフィッシング艤装なだけに、ミンコタ社にはぜひ品質の向上と、そして、より安く提供できるように企業努力を期待したい。もしそれが実現できれば、ボートフィッシングの世界はますます広がってゆくだろう。

〈アドリブ号〉の艤装

アイパイロット用のバッテリー。36ボルト仕様を搭載しているので、12ボルトを直列に3基つないで対応している

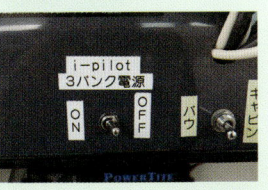

アイパイロット用のバッテリーの充電には、3基のバッテリーを自動で振り分けて充電できる3バンクチャージャーを採用。エンジンの回転数がある程度上がらないと発電機の電力量が足りず、チャージャーがうまく作動しないためスイッチを取り付けた。走行中などエンジンの回転を上げるときにスイッチを入れるという

アイパイロット用のバッテリーを充電するための直流コンバーター（24→12V）。充電時のみスイッチを入れられるようヘルムに設置

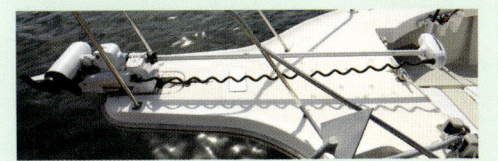

アイパイロットのシャフトの長さが足りるかどうかも重要。36ボルト仕様は72インチでぎりぎりセーフだった

BOAT FISHING BIBLE | 実釣ケーススタディー
BOAT FISHING CASE STUDY

TATSUJIN FILE #008 藤岡清希さん
キャスティングの達人

魚の王者に真っ向勝負を挑む、キャスティングでねらうマグロ

キャプテンである藤岡清希さん（右）と釣友の田中健以さん（左）。田中さんはキャスティング用ルアー「クオーター」のルアービルダーだ

藤岡さん御用達のレンタルボートは、90馬力の船外機を搭載したヤマハ・フィッシングメイト23カディ。機動力が高いプレジャーボートは、この釣りに向いている

藤岡さんのタックル。ロッド・カーペンター ブルーチェイサー84／25R‐パワーマックス・スーパーコブラ。リール・シマノ ステラSW10000。ライン・PE5号＋ナイロンリーダー100ポンドテスト（以下、ポンド）＋フロロカーボンリーダー100ポンド

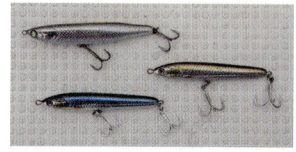

藤岡さんが当日使ったルアー。左上がトップ用のハルシオンシステム いなせRM2。ほか二つはハルシオンシステムのシンキングペンシル、ハルシコ105 35グラム

田中さんのルアー。すべてクオーターで、上からランページ210FH、ランページ175FH、ランページ160FH、そして翌年に発売予定だった細身モデルのプロトタイプ150F

21世紀とともにブレイクしたビッグゲーム

　一羽、また一羽と集まり始めた海鳥が同じ方向へ飛び始めた。ほどなくトリが密集し、同時に海面が沸き立った。
　ナブラだ！ マグロもいる！
　徐々にスロットルを絞り、キャスティングのレンジで停止。フルキャストしたルアーはベストスポットに着水する。と、水面で一瞬、マグロがひるがえり、リールが雄たけびを上げた。ビッグゲームの始まりだ！
　心沸き立つ大迫力のヒットシーン。巨大魚とのパワーファイト。魚の王者に真っ向勝負を挑むキャスティングのツナゲームは、21世紀に入るころから発展し始め、いまや全国規模に拡大しつつある。
　しかも、神出鬼没の相手にいち早くルアーをキャストするには、プレジャーボートの機動力は大きな武器になる。王者マグロといえど、ボートフィッシングでのツナゲームはもう決して夢のターゲットではない。手の届く現実だ。
　神奈川県・三浦半島先端の三崎からオフショアに繰り出す藤岡清希さんは、マグロをはじめ、ヒラマサやサワラなど、キャスティングの釣りに入れ込む達人の一人だ。以前はベイエリアで友人とボートを共同所有していたが、ビッグゲームのとりことなり、わざわざレンタルボート派にくら替えした筋金入りのマニアである。
　10月中旬のある日、藤岡さんはキャスティングの釣りを楽しむべく、「クオーター」というルアーブランドを営む

ルアーキャスティングでねらえる魚は、マグロをはじめ、シイラ、ヒラマサ、サワラ、ブリ、スズキ、ヒラメなど大物ぞろい。表層付近に魚の気配があれば、まずはルアーをキャストしてみよう

田中健以さんと出港した。

　高水温を好むキハダにとっては時季的にやや遅いものの、遊漁船の釣果情報などから、まだキハダが海域にいることはわかっていた。

　藤岡さんによれば、キハダは昼ぐらいからのほうが釣れるという。そこでまず東京湾に入り、好調なイナダやサバなどで手堅く肩慣らしをしてから、オフショアに繰り出す作戦を立てた。

　ところが、これが意外にも苦戦する。湾口から様子を見つつ北上しても、ナブラはおろかトリも数羽ずつしか見当たらない。実績がある走水沖まで入り込み、昼前まで待ってみたが、ナブラの気配は一向に漂わなかった。

　首をひねった藤岡さんは、ボートや遊漁船で釣りに出ている友人に電話をかける。湾内はすっかり沈黙しているとのこと。その一方で、三崎南西沖のパヤオまで行けば、シイラがいるという話をキャッチした。そこで湾内を見切り、一転して南へ向かう。

　神出鬼没の青ものをねらうキャスティングの釣りにおいて、情報は命綱だ。海の状況は1日で大きく変わるため、ボート1艇で魚を探すには限界がある。出航前から情報を集めるのは当然として、こんなふうに、海に出てからリアルタイムに確認できると頼もしい。

本命はマグロでも、港の前にイナダがいるかもしれない。いつ、どんなナブラに遭遇するかわからないので、出航前に各種のタックルをしっかりセットしておきたい

マグロが跳んだ！

　三崎の南西およそ5マイル沖に浮かぶパヤオに到着した。少し西沖にカツオねらいの遊漁船の船団がいる。カツオがいるのはいい兆候だ。

　藤岡さんと田中さんはその船団を遠目に見つつ、パヤオに向かってシイラ用のルアーをキャストする。シイラには表層の物陰に着く習性があり、トリがいなくても釣れることが多い。パヤオのように固定されたストラクチャー（構造物）の場合は、プレッシャーは高くなりがちだけれど、魚がいる可能性はある。目撃情報があればなおさらだ。

BOAT FISHING BIBLE　実釣ケーススタディー
BOAT FISHING CASE STUDY

ナブラへのアプローチ

他船がいるときは周囲に要注意
- 先に見つけたフネは、追い越さないのがマナー
- 同時多発的にナブラが沸くことがあるので、必ずほかの方向にも注意を払う

他船がいないときは「ナブラを育てる」
- 魚を追いかけているトリをフォロー
- 集まり始めたトリ。ナブラが沸く可能性が高い
- エンジン回転数を急に変えない
- エンジンを切るか、一定のスピードをキープし、魚が完全に跳ねてから慎重に近づく

ナブラがいつ現われて、いつ沈むかを予測するのは難しい。さらに、いち早くルアーをキャストしたほうがヒットの確率が高いため、ナブラ撃ちではすぐに駆けつけるのが鉄則。だが、目指すナブラへ先に走り出しているフネがいるときに追い越すのはマナー違反である。つまり、先行者がいる場合はそれだけ不利。そんなときは、ナブラを育てる余裕もないので、ほかの場所でもナブラが立たないか周囲をよく観察しながら走ると、別のナブラに一番乗りできることも。

ベイトを追いかけるトリを深追いすると、ナブラが沸く前に魚を散らす可能性がある。したがって、自分の周囲に他船がいなければ、トリが集まり始めても慌てて追わず、魚が跳ね出すまで待ってからナブラに近づくのも手だ。そのときも、ナブラに接近する間に少しずつ回転数を下げるほうが魚を驚かせずに済み、ナブラが長続きすることが多い。特にプレッシャーの高いエリアでは、ナブラはエンジン音に対してデリケートなので、効果的なアプローチだ。

しかし、ここでもノーヒットだった。

時刻は昼を回っていた。それまでヒットはおろか、ナブラを一度たりとも見ていない。厳しい状況だが、潮目が変わったのはその直後のこと。

「いまマグロが跳ねました！」

カツオの船団の方向を見つめていた藤岡さんが言った。コマセ釣りの遊漁船の周りに海鳥がいるのは当然とはいえ、なかには不規則に飛ぶトリもいる。

「明らかにエサを追いかけてるトリですね」と田中さん。

「なんとなくたくさん集まっているトリの群れよりも、やる気のある一羽のほうが、ナブラが沸く場所の目安になるんですよ」と藤岡さんは言う。

藤岡さんもトリの様子に異変を感じて追いかけてみたところ、やがて文字通り潮目が現れ、少し先でマグロが跳ねた！

ナブラが立つほどではないが、時折10羽ほどのトリがベイトを捕食する周囲で、マグロが散発的に跳ねている。

いる。マグロは確かにいる。

ここから先はエンジン音にデリケートなマグロを脅かさないように、急激なスロットルワークを避けながら、いかにマグロの目の前にルアーをキャストするかの勝負になる。

ボートの強みを生かす
ナブラ撃ちのセオリーとは

幸いにして他船がいなければ、魚が跳ね出すまで

上：予想？ 期待？ に反して、湾内にはナブラがまったく立たなかった。イナダやサバはある程度地形に着くとはいえ、ナブラを見つけるにはトリに注目するのが早道だが、そのトリさえも見当たらず、「これは困った」と藤岡さん
右上：急に方向転換をしたり、速さを変えたりするトリに注目していたら、その先でマグロが跳ねた。さっそく駆けつけてみると潮目があり、ベイトもいて、打って変わって魚の気配が濃厚に
右下：ほどなく、トリが集まり、群れでベイトを追いかけ始めた。ついにナブラが沸くか？ いよいよ期待に胸が高まるシーンに遭遇。マグロやベイトを脅かさないよう、緩やかな操船を心掛けるべし

待ったほうが好結果につながると藤岡さんは言う。ナブラがまとまる前にあわててトリを追いかけると、魚を散らしがちだ。走らず、待機中にボートの周囲でナブラが立ったりしたら、それこそビッグチャンスである。

　もし他船がいるなら、先行するフネは追い越さず、決して割り込まないこと。2番手以降でも、そのときに見ているナブラの周辺にも注意をしていると、別のナブラを一番に見つけることも多いという。

　ナブラが沸いたら、ルアーをキャストするのはナブラの中心ではなく、周辺がいい。そしてアクションは「放置」が基本だ。

「イワシ団子のど真ん中には、マグロはあまり出ません。小さいベイトのときは、1カ所に集めて、周りからまとめて食べていく。しかも、同じナブラなら、一度出たところにもう一度出る確率が高いです」

　と田中さんは言う。なお、シンキングペンシルのときは放置すると沈む一方のため、一定のタナをトレースするようにスローリトリーブを行う。

　ただし、サンマなどの大きなベイトは1尾ずつ追いかけているので、ルアーにアクションを加える。こんなときは食わせるのは比較的簡単だが、半面、マグロを追いかけるのが難しくなるという。

ナブラは沸かなかったが、魚が跳ねたあたりにキャストすると、藤岡さんにようやくヒット！ 思わず笑みがこぼれる

キャッチしたのはシイラだった。マグロねらいのタックルだったので、あっさり寄せられたとはいえ、どんなときもその日の1尾目はうれしいもの

BOAT FISHING BIBLE 実釣ケーススタディー
BOAT FISHING CASE STUDY

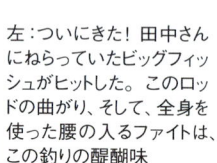

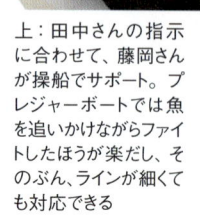

左：ついにきた！ 田中さんにねらっていたビッグフィッシュがヒットした。このロッドの曲がり、そして、全身を使った腰の入るファイトは、この釣りの醍醐味

上：田中さんの指示に合わせて、藤岡さんが操船でサポート。プレジャーボートでは魚を追いかけながらファイトしたほうが楽だし、そのぶん、ラインが細くても対応できる

　また、ナブラが沸かなくても、やる気のあるトリがうろうろしているときは、「誘い出し」といって、数秒間隔のジャークを繰り返すとヒットすることがある。ルアーはトップでもシンキングペンシルでもOKだ。

　この日、ついに田中さんがヒットさせたのも、ベイトを追いかけていたトリの下にシンキングペンシルの「モーゼ」をキャストし、15メートルほど沈めてからトゥイッチした直後だった。

　ドラグに悲鳴を上げさせたファーストランのあと、一進一退の攻防になった。水面下30メートルぐらいから浮きも沈みもしない状況を見て、藤岡さんが操船して魚を追いかける。

　田中さんは腰を落とし、ロッドを高くリフトして魚にプレッシャーを与え続けた。渾身のファイトはこの釣りの醍醐味だ。

　ファイト中の注意点としては、派手なポンピングはバラシの元になる。常にロッドが曲がった状態を保つのがコツ。それから、腕の力に頼りすぎるのも禁物だ。田中さ

ナブラへのプレゼンテーション

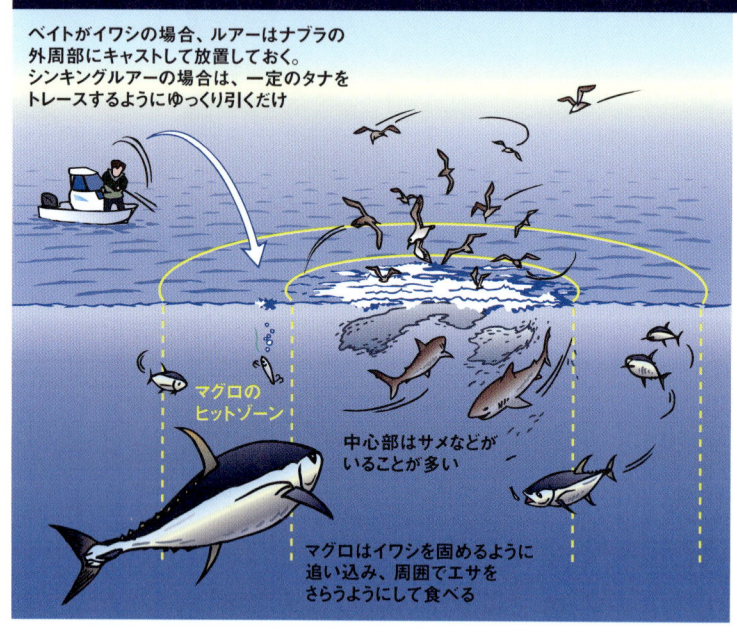

ベイトがイワシの場合、ルアーはナブラの外周部にキャストして放置しておく。
シンキングルアーの場合は、一定のタナをトレースするようにゆっくり引くだけ

マグロのヒットゾーン

中心部はサメなどがいることが多い

マグロはイワシを固めるように追い込み、周囲でエサをさらうようにして食べる

　ひと口にナブラといっても、ベイトによってマグロが追う状況は異なる。イワシなどの比較的小さなベイトの場合、マグロは海面にベイトを追い込んで密集させてから、何尾かまとめて周辺からさらうように捕食することが多いという。そんなときはルアーをナブラの真ん中ではなくやや周辺にキャストし、放置しておくとヒットしやすい。逆に、ナブラの中央にはサメやトリが集まり、かえってヒット率を下げる結果になりがち。ベストスポットにキャストできれば、ルアーサイズはベイトよりずっと大きくてもOKだ。一方、ソウダガツオやサンマなど、ベイトがある程度大きいと、マグロは1尾ずつ追いかけて食べる形になる。そんなときは、ルアーにアクションを加えると口を使わせやすい。半面、ベイトの逃げ足も速いため、ナブラに追いつくのが難しくなりがちだという。

ようやく姿を見せた魚はなんとサメだった。マグロでは定番のゲストだ。魚を見てからファイトを交代して、最後はギャフでリリース。ファイトタイムは45分に及んだ

んのように、体全体でロッドを曲げるぐらいの感覚でいいだろう。したがって、ジンバル（ファイティング）ベルトはこの釣りには必須である。

それでも魚はなかなか寄らなかった。そこで、田中さんは相手が弱ったのを見計らい、ドラグを少し増し締めすると、徐々に間が詰まっていった。そして、およそ30分が経過したころにようやく姿を見せた魚は、なんとサメ！しかもデカい。どうりで引くわけだ。

マグロの場合は、ビッグゲーム用のネットを使って取り込むのだが、サメはさすがに危険なため、ギャフでフックを外してリリースした。

ファーストランとファイトの挙動から、田中さんはサメの可能性も予想していたそうだ。だが、マグロも似たようなファイトを見せることがあり、確信には至らなかったという。

あいにく今回はサメだったものの、サメもマグロも、アプローチの基本は変わらない。数が釣れる魚ではないけれど、情報さえあれば、それほど確率が低いわけでもない。活性の高い群れに出会えれば、ヒットに持ち込むのに高度なテクニックは不要。むしろ、簡単と言ってもいいぐらいだ。

あえて繰り返そう。マグロはもはや夢の魚ではない。

上：7月に相模湾の江の島沖でキャッチした25キロ級のキハダ。遊漁船が帰った後にナブラを見つけ、ダイビングペンシルのランページをキャストしてヒットさせた（写真提供：藤岡清希）

左：この35キロのキハダを釣り上げたのは10月下旬。ジギングからの帰り際に偶然出会ったナブラだった。着岸したボートから魚を降ろすところを撮影（写真提供：藤岡清希）

第1章

Go Out on the Sea
海に出よう

ボーティングは素晴らしい遊びだが、
ひとつ間違えば命にかかわることもある。
ボートの所有スタイルを決めるところから、
万一のときに役立つ便利グッズまで、
海に出る前に準備をしっかり整えておこう。

BOAT FISHING BIBLE

BOAT FISHING BIBLE

第1章 海に出よう
Go Out on the Sea

ボートを持つということ

　海に出るにはボートと免許が必要だ。免許は次の章で詳しく紹介するとして、まずはボートを持つための予備知識に触れておきたい。フネはただ単にお金を払って買えば済むものではない。事前に準備すべきこと、用意しておくものがあるからだ。

　いざ船を買うとなったら、ほとんどの人が「どんなボートにしようかな」と夢を膨らませるに違いない。ひとくちにボートといってもいろんな種類がある。どういうタイプを選ぶべきかはとても大事なことなので、別の章を立てて解説した。ボート自体について興味がある人は第3章を先にご覧いただきたい。

所有スタイル

　個人所有のほか、共同所有、会員制のクラブ、レンタルボートなどがある。

　共同所有は仲間うちが何人かで集まって購入、管理する形式のこと。コストを低く抑えられる点が最大のメリットだ。個人でボートを所有するのが無理な場合に限らず、自分だけでは手の届かない高価なボートを持つ手段でもある。

　気の合う仲間がいれば共同所有は一歩でも二歩でもボートライフを身近にできる賢い選択肢だ。個人所有のようにすべてを自分ひとりで決める自由はないものの、仲間に経験者がいれば心強いだろうし、知人の輪も広がりやすい。なお、共同所有ではメンバー間で使用頻度に差が出ることが多いので、保管やメインテナンスなどの細かいルールをあらかじめよく相談して決めておくことが成功の秘訣だろう。

　厳密に言えば「所有」ではないが、会員制のクラブもボーティングにエントリーする有効な方法である。メリットは、複数の艇種に乗れること、クラブによっては複数の場所から出航できること、メインテナンスをクラブサイドに任せられるといったハード面に加えて、ボーティングに精通したスタッフのケアやアドバイスが受けられるソフト面も見逃せない。デメリットは予約のバッティングの可能性、利用時間が限られること、艇種を自由には選べないことなどだろう。いつ、どこで、どんなボートに乗れるかについては、クラブによって異なるので一概には言えないが、所有する場合より大幅に安価なケースがほとんどだ。

　さらに手軽にボーティングを楽しむ方法がレンタルボートである。近頃は会員制をとらず、フリーのユーザーにも貸してくれるところが増えてきた。レンタルボートの場合は艇種も値段もピンきり。入会金や年会費などもなく、費用はもっとも安い。ある意味でいちばん自由なボーティングの楽しみ方である。ただし、レンタルボートの多くは小型艇で、20フィート以上を貸すところは少ないようだ。

ボートの世界で共同所有はごく普通のやり方だ。ボートに限らず、個人では手の届かないボートを持つ妙案でもある。自分ひとりでは無理な場合

レンタルボートはもっとも手軽かつ安価にボーティングを楽しむ方法だ。高額艇を貸す場合は会員制のところが多い

保管場所

ボートの保管場所は主に2通りある。すぐに出航できるマリーナやボートパークのような専用の施設と、自宅や駐車場などの海辺から離れた空きスペースだ。後者は必然的に可搬型のボートになり、サイズが限られる。車載ボートはだいたい12フィートまで。トレーラブルは17フィート程度である。

マリーナ係留艇か可搬型にするかは、単にサイズだけの問題ではない。マリーナは確かに便利だが、どうしても1カ所に縛られてしまうので、いろんな場所で釣りをしたい人には可搬型のボートが向いているだろう。

費用の問題も当然ある。たいていのマリーナでは、保管契約を結ぶときに保管料に加えて賃貸住宅の敷金と礼金のような「保証金」と「契約金」がいる。また、保管形態によっても費用が変わる。陸上置きだと「上下架料」がかかることがある一方、海上係留では船体が傷みやすく、貝や藻類の付着を防ぐために、

自動車でボートを運ぶスタイルなら、駐車場や空き地といった自宅近くの陸上にも保管可能

年に1〜2度「船底塗装」も行わなければならない。空きスペースに置く場合、これらの費用はかからない分、安上がりなことは確かだ。

なお、川や海に勝手にボートを放置する「不法係留」はもってのほかである。

その他のコスト

ボートを購入するときは艇体の金額だけに目を奪われがち。だが、フネを所有するにはそれ相応の諸費用がかかる。これを甘くみると、満足の行くボートフィッシングライフが送れないだけでなく、あとで痛い目に遭う恐れもある。ボートを所有するにあたってはもろもろのコストも大切なチェックポイントだ。

まず、購入時にかかる「納艇時諸費用」。これはボートのセッティング代や、車検と同じような船舶検査代、船舶登録料など。その額はサイズによって大きく異なるが、数万円では済まないのが普通。

フィッシングボートの場合、それよりも「オプション」や「艤装」、「法定備品」などに支払う金額のほうが大きいはず。GPS魚探を取り付けようと思ったら数十万円は下らないし、係船具や法定備品等もほとんどがオプションになる。また、ボートという乗り物はあとから手を加えたくなるもの。新艇を購入するときは、1、2シーズン後の追加艤装も視野に入れて資金に余裕を持たせたほうが賢明だ。

万が一の事故に備えて「保険」には必ず入っておこう。プレジャーボートの保険は車とほぼ同じで、車両保険にあたる船体保険とその他の保険に大きく分かれている。

上：保管施設といえばまずはマリーナ。保管形式には陸上と海上の2通りがある
下：保管場所のなかには、商業目的ではなく、港湾環境を整えるための簡易施設もある

BOAT FISHING BIBLE　第1章 海に出よう
Go Out on the Sea

ランニングコストで大きなウェイトを占めるのが「燃料代」だ。エンジンを高回転で回し続けるボートは車よりもはるかに多くの燃料を食う。他にオイル交換や部品交換等の「メンテ費用」、定期的に訪れる「船舶検査代」も忘れずに。

マリーナでの諸費用はすでに述べたが、それに加えて自宅からマリーナまでの「交通費」も必要だ。マリーナを選ぶときは、自宅からマリーナまでの交通費、マリーナからポイントまでの距離なども同時に考慮すべきだろう。

自損でも他損でも、ボートの事故は命にかかわることがある。保険には必ず入っておこう

ずっと高回転でエンジンを回し続けることの多いボートは意外に多くの燃料を食うものだ

航海計画を立てる

ボートと免許が揃ったらいつでも出航できるとはいえ、ボーティングは命にかかわる遊び。不用意のまま出航すると、文字通り命取りになる恐れもある。入念な航海計画はボーティングの常識であり、絶対に不可欠だ。

安全航行のための基礎知識は免許を取得するときに身につけたはず。したがって、ここでは出航前のチェック事項のうち、特に重要な2点、「気象・海象」と「ローカルエリア事情」に的を絞る。といっても、原理や仕組みといった教科書のような話をするつもりはない。天気予報やインターネットなどの情報をどうやって活用するかという内容が中心なので、ぜひとも目を通して実際のボーティングに役立ててほしい。

なお、危険な風速や波高のレベルはボートによってまちまちなので割愛した。それから、魚を釣るための情報収集については第6章にまとめたので、そちらをご覧いただきたい。

気象・海象

■予報の"ズレ"に注目する

ボーティングの大敵といえば強風と大波。また、視界が利かない霧も大いに危険だ。気象・海象は航海の安全に直結する最重要事項のひとつである。

最近は予報精度の向上とインターネットなどにより、詳しい気象データや市町村レベルの天気予報まで入手できるようになった。そのおかげもあって、天気予報はよく当たるようになってきてはいるものの、局所的な天気は予報とズレることもしばしば。また、海上の予報が出るエリアも限られている。安全な航海のためには、天気予報を鵜呑みにするのではなく、悪いほうに外れることを十分に考慮してプランを立てるべきだろう。

そこで注目すべきは天気の"ズレ"である。気象学のプロが総力を結集して出した予報が素人の判断より信頼できるのは当たり前。天気予報が外れるといっても、たいていは時間や場所が多少ズレる程度にすぎない。それをいかに見抜くかが天気予報を上手に活用するコツといえる。

■天気予報を活用するには

おすすめの天気予報の情報源はテレビ、インターネット、電話の3つ。テレビは概況の直観的な把握に向いており、インターネットはより詳細な予報を入手できる。意外に使えるツールが「局番+177」の電話の予報。どこからでも簡単に詳しい天気予報を聞ける

のが強みで、エリアによっては海上の風速や波高、干満の時間を教えてくれる点もありがたい。ちなみに、予報の違いも判断材料になるので、天気予報は複数当たったほうがいい。

さて、出航予定日が決まったら、1週間前から毎日釣行エリアの「週間予報」をチェックしよう。週間予報を1週間前から見続けていると、晴れと雨を周期的に繰り返したり、雨雲が停滞気味だったりなど、おおまかな天気の傾向と変化のスピードがつかめるはず。週間予報は時間的なズレを判断するベースになるので、出航日が近づいても1週間先までの予報を気にかけるクセをつけたい。

出航日の前々日になったら今度はいわゆる普通の「天気予報」もチェックする。気象庁の予報は毎日5時、11時、17時の3回発表され、11時と17時には翌々日の分が含まれる。出航前々日のこの予報と、前日になってからのものを比べると、時間的なズレがよりはっきりする。予報が悪くなったときや、内容がコロコロと変わる場合は要注意。週間予報をにらみつつ、予報を逐一チェックして慎重に判断すべき。

一方、地域的なズレをみるには「天気分布予報」が便利。これは日本全国を20km四方のマス目に分けて、24時間先までの予報を表示した地図で、アメダスの予報版のようなものだ。インターネットでしか見られないのが残念だが、この地図を見れば、同じ「曇り」でもどれだけ雨の地域と離れているかがひと目でわかる。もし雨雲の境界付近であれば、雨になる可能性はより高い。

海に出てから少しでも不安があるようなら、天気予報とともに「船舶気象通報」を聞こう。「船舶気象通報」は全国の主要な灯台などにおける風向、風速、波、うねり等の現況を伝える情報サービスで、無線、電話、インターネットなどさまざまな手段に幅広く対応しており、携帯電話があればボートの上でも簡単にアクセスできる。もちろん、海に出る前にも大変参考になる。

以上、簡単な天気予報の活用法を紹介したが、最初にお断りしたように、このようなやり方が活きるのも、天気図の見方や四季折々の天気のパターンなどの基礎知識があればこそ。気象・海象はボーティングの必修科目である。自信がなかったら、復習を忘れずに。

気象庁の「数値予報」を地図上に表示する「GPV気象予報」のサイト。特に「気圧・風速」が参考になる。詳細情報では39時間後まで1時間間隔で、広域情報では84時間後までは1時間間隔、以降264時間後までは3時間間隔で予測が表示され、天気の状況と変化がとてもわかりやすい。なお、スマートフォンに対応した「SCW」も2017年6月から公開された（一部有料）
http://weather-gpv.info/

エリアの注意事項とローカルルール

干出岩や暗礁、急潮流のある場所。定置網やのり棚などの漁具。そして、定期船や漁船の運行状況といった航行の安全にかかわるローカル事情も出航前の大事なチェックポイントだ。事情通のマリーナスタッフに教われる人はいいが、そうでない場合は自分で積極的に調べるしかない。以下にローカル事情を調べる主な方法を挙げておく。

自然地形や航路などの基本的な注意個所は「海図」のほか、「ヨット・モータボート用参考図（Yチャート）」と「プレジャーボート・小型船用港湾案内（Sガイド画像）」で確認できる。前者はプレジャーボートオーナーにも使いやすいように目標・浅瀬・避泊地などをカラフルにわかりやすく表示した地図。一方、後者は海図では詳しく記載されていない小さな港湾やマリーナ周辺の様子を図と文章で示したPDFファイルで、小型船がよく利用する港の目標・針路・障害物・マリーナ情報などが細かく取り上げられている。

航行にあたっては、「海図」に加えてなるべく「参考図」あるいは「港湾案内」を併用したい。これらは日本水路協会のHPや各地の水路図誌販売所で購入できる。詳細は同協会のHPまで。

漁具の設置や漁船の操業については、都道府県

BOAT FISHING BIBLE

第1章 海に出よう
Go Out on the Sea

「海図」は航海計画を立てるための大黒柱。自然地形や航路、底質なども記載されている

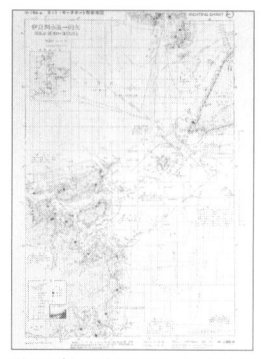

地区ごとに海図よりローカルな情報が記載されている「ヨット・モータボート用参考図」

小型船舶の沿岸航行に役立つSガイド画像は紙での提供(写真)を終了し、現在はPDFデータとしてエリアごとに提供されている

参考HPリスト

「気象庁 天気予報」
https://www.jma.go.jp/jp/yoho/

「ウェザーニューズ」
https://weathernews.jp/

「GPV天気予報」
http://weather-gpv.info/

米国海軍台風情報
https://www.nrlmry.navy.mil/TC.html

「海上保安庁 海の安全情報(MICS)」
https://www6.kaiho.mlit.go.jp/

「海上保安庁 船舶気象通報」
https://www.kaiho.mlit.go.jp/soshiki/koutsuu/kisyou.html

「日本水路協会 海図ネットショップ」
https://www.jha.or.jp/shop/

「水産庁 遊漁の部屋」
https://www.jfa.maff.go.jp/j/enoki/yugyo/

や市町村の水産課および地元の漁協が把握している。わかりやすく情報を用意しているケースはあまり多くはないが、忘れずに事前に確認しておこう。

　実をいうと、水産課や漁協に問い合わせることは漁具の設置状況だけではない。釣りをする場合は、「禁漁区」「禁漁時期」「禁漁魚種」「魚の体長制限」「まき餌の制限」などのローカルルールがかかわってくる。日本の沿岸には多かれ少なかれこうした取り決めが必ず設定されている。海はみんなのものだけれど、漁師にとっては生活の場。ローカルルールをしっかり守り、漁師をはじめ、ヨット、サーフィン、ダイビングなど、あらゆる人たちと共に喜びを分かちあってこそ、ボーティングが楽しめることを肝に銘じておこう。

快適ボーティングのための便利アイテム

　雨が降らなくても、ひとたび風が強く吹けばたちまちシブキでずぶ濡れに。かと思えば、真夏のナギの日にはまるでフライパンで焼かれるように暑くなる。当然、万一のトラブルにも備えておかなければならない。ボート上の環境は陸の上と大違い。それだけに、万全の態勢を整えて、安全かつ快適にボーティングを楽しみたい。

法定備品

　安全な航行や万一の事態に備えて、小型船舶には法律で定められた備品がある。法定備品を搭載しない船は航行できないので、出航前には必ずチェックすること。法定備品の一例:係船ロープ、救命胴衣、赤バケツなど。

法定備品を搭載していないと罰則の対象となる。積み忘れのないように毎回チェックしよう

服装

■レインウェア

ボートフィッシングに求められる要素は一にも二にも防水性。次に動きやすさとムレにくさが挙げられる。ボーティングの運動量は意外に多い。したがって、ムレて内側から濡れることのない防水透湿素材が向いている。ボーティングのレインウェアは、これらの条件を満たすマリン用か釣り用で、なるべくハイスペックなものがおすすめだ。オールシーズン出航するのであれば、暑い時期に使う通気性のよい薄手のものと、秋から春まで活躍するヘビーデューティー仕様の2種類があると便利。

■ライフジャケット（救命胴衣）

ボーティングにおける命綱である。法定備品のひとつであり、着用が義務化されているが、あえてリストアップしたのはそれだけ重要なアイテムだから。何よりも自分の命を守るために、出港時から帰港するまで必ず身に着けよう。近頃は商品のバリエーションも増え、デザインが向上している。コンパクトな膨張式が邪魔にならず使いやすい。腰に巻くタイプもある。なお、法定備品のライフジャケットには国土交通省の承認が必要だ。

万が一、ボートから落水した場合、ライフジャケットの有無が生死を分ける

■帽子・サングラス・日焼け止め

照り返しもある海の上は紫外線がとても強い。帽子・サングラス・日焼け止めの3点セットはボーティングの必需品である。夏の熱中症予防にも帽子は必携。釣りの種類によっては、海面の反射を抑え、水中の見やすい偏光グラスが重宝する。

■フットウェア

濡れたデッキでも滑らないことが第一条件。そのうえで、ボーティングに適した履き物は主に2つのタイプに分かれている。まったく水が入らないブーツタイプと、濡れても水はけがよく乾燥しやすい高機能フットウェアだ。

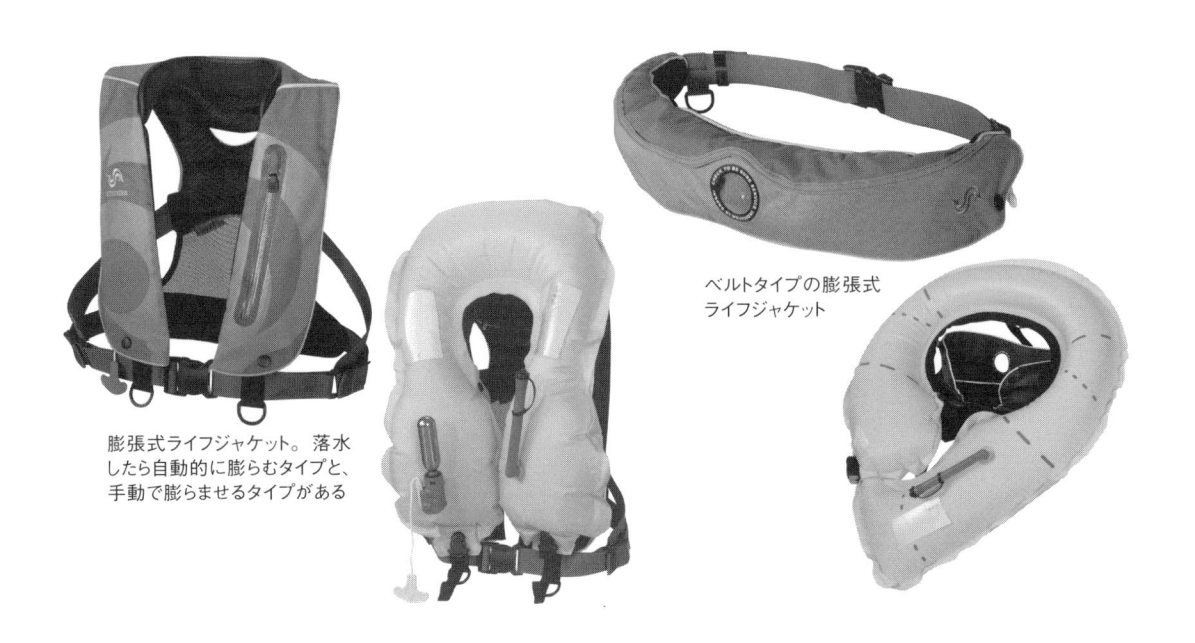

膨張式ライフジャケット。落水したら自動的に膨らむタイプと、手動で膨らませるタイプがある

ベルトタイプの膨張式ライフジャケット

BOAT FISHING BIBLE | 第1章 海に出よう Go Out on the Sea

　前者はいわゆる長靴である。購入するときはサイズやデザインに加えて、硬さにも気を配ろう。硬すぎても柔らかすぎても履き心地が悪いが、少し柔らかめのほうが疲れにくい。

　これとは逆に、靴は濡れるものと考えて、排水性と乾きやすさを優先して快適さを追求した履き物が後者。その代表格がデッキサンダルである。シューズタイプでは、ハイテク素材を使ったスニーカータイプが多く、デッキシューズあるいはボートシューズなどという商品名で売られている。また、排水性や乾きやすさなどは二の次でも、独特のテイストのあるデッキシューズの人気も依然として根強い。

■予備の防寒着または毛布

　落水やシケなどでずぶ濡れになったときに、冷たい風に当たり続けると、体温が奪われて激しく体力を消耗してしまう。ボートの上ではいつ濡れネズミになるかわからない。予想外に寒くなったときはもちろん、不測の事態に備えて、予備の防寒着や毛布くらいは載せておきたい。

便利グッズ

■携帯電話＋防水パック

　118番で海上保安庁に助けを求められることは知っていても、携帯電話が使えなければどうしようもない。ボーティングでは何があっても携帯電話を濡らさないようにすべき。防水パックに入れた携帯電話を身に付けていれば、落水した場合でも救助を求められる。電波が届かなければ当然連絡はできないので、いつでもどこでも使えるものでないが、救命胴衣と同じくらい重要なマストアイテムだ。

■ナイフ

　プロペラにロープが絡まっただけで、ボートは航行不能になる。そんなときの強い味方がナイフである。もちろん、釣った魚をシメたり、身エサを作ったりするときにも使える。できればスプライスをほどくためのスパイキや、ロープカッターの機能があるものがよいだろう。これもボーティングの必需品だ。

携帯電話は海でも必携の通信手段。防水パックに入れて身に付けよう

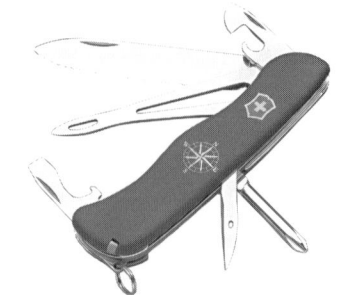

ロープカットしやすい波刃ナイフを中心とした、多機能のマリン用ナイフ

安全航行（他船の動向や危険物の確認）と釣りの双方に役立つ双眼鏡

■双眼鏡

　視程が長い海上では、「遠くのほうに何かが見えるけれど、なんだかよくわからない」ことがしばしばある。双眼鏡は出番の多いアイテムだ。トリヤマやナブラの様子、さらには他の船の釣果を確認するときなど、釣りにも役立つ。場所を取るものではないし、船に忍ばせておいて損はない。

■ゴミ袋、チョークバッグ、携帯灰皿

　ゴミを海に捨てるのは言語道断。タバコのポイ捨てなどはもってのほかだ。マナー以前の問題ともいえるけれど、ボートの中に適当に捨てておくと、すぐ海に飛ばされてしまったりするので、細やかな環境対策も忘れずに。

第 2 章

Getting a Boat License
免許を取る

陸で自動車を走らせるのと同じように、
推進機関が付いたボートを操縦するには免許が必要だ。
ボートを航行させるための免許や自動車の車検にあたる船舶検査、
登録制度について解説する。

BOAT FISHING BIBLE

ボートには免許が必要

免許の要・不要はボート次第

　モーターボートをはじめ、水上オートバイやエンジン付きヨットなど、動力が付いた小型船舶を操縦するには基本的に免許がいる。通称「ボート免許」と呼ばれるもので、正式には「小型船舶操縦士」の免許である。

　基本的に、と書いたのは免許がいらない場合もあるからだ。免許がいるかどうかはボートによって判断する。人力だけで動かす手漕ぎボートや、風力を利用するヨットなど、機関を持たない船に免許は不要。これは陸における自転車と同様だ。また、以下の要件をすべて満たす場合も法律の適用外になり、免許は不要である。
①登録長（概ね「船の全長×0.9」）が3m未満であるもの
②推進機関の出力が1.5kW（約2.04馬力）未満であるもの
③推進機関が電動機であるもの、またはそれ以外の船外機で巻き込み防護用のプロペラカバーや、直ちにプロペラの回転を停止できる装置（非常停止スイッチ、中立ギアなど）が付いているもの。

　具体的には、非常停止装置付きの2馬力以下の船外機あるいはエレクトリックモーターが付いた3m未満の船なら不要。だが、出力が2馬力以下でも、長さが3mを超えれば免許は必要になる。そのため、登録長が3m未満のミニボートは「免許不要艇」というカテゴリーに分けられることがある。

操縦できるボートのサイズ

　一方、ボート免許で操れる上限は小型船舶に収まる「総トン数20トン未満」まで。これがどのくらいかというと、全長で15m、45フィートほど。個人所有のプレジャーボートとしては十分な大きさだろう。しかも2003年から特例が設けられ、以下の要件をすべて満たすボートも小型船舶に含まれることになった。
①1人で操縦を行う構造であるもの
②長さが24m未満であるもの
③スポーツまたはレクリエーションのみに用いられるもの（漁船や旅客船等の業務に用いられないもの）

　24mといえば75フィート以上。普通の家一軒分より大きなキャビンを持つものもある。

　なお、「総トン数」は船の容積に一定の係数を掛けた値。つまり、デッキ（甲板）やキャビン（船室）も含めた全体のボリュームを表している。「総トン」自体がひとつの単位であり、重さの「トン」とは別物だ。

　総トンの"トン"は15世紀にフランスからイギリスへ運んだボルドーワインの酒樽を叩いたときの音と言われている。日本でもかつては米の量を表す「石」が船の大きさの単位として使われていたように、積荷である酒樽の大きさが船の大きさを表す単位になったわけだ。船が昔から生活に密着してきた証である。

3m、2馬力未満のボートには免許も船舶検査も不要。こうしたボートは「免許不要艇」とも呼ばれる

条件を満たしたフネなら、総トン数20トン以上でもボート免許で操縦できる

ボート免許は「船長の資格」

　ボート免許は自動車のような運転免許ではなく、船を運航する責任者に対する資格免許である。だから、ボートを航行させるときに免許所有者が乗船していればOK。無免許の人間が操船をしても違反ではない。
　ただし、港内や航路など交通のふくそうする水域では船長（あるいは船長の指示した有資格者）が操縦しなければならない。また、水上オートバイに関しては、有資格者の直接操縦が義務づけられている。
　大型船の船長や航海士だからといって、小型船舶の船長にはなれない点も自動車免許と異なる点である。小型船舶操縦士は大型船の資格である海技士の下位ではない。大型船舶では船長以下、航海、機関、通信などの資格が細分化されているのに対し、小型船舶ではすべてを1人でこなさなければならない。それぞれに必要な技能の質が異なるため、小型船舶操縦士と海技士は独立した資格として別の法体系で規定されている。
　たとえ舵を握っていなくても、航行全般を指揮する船長は船の最高責任者だ。その時々に応じた的確な指示を操縦者あるいは同乗者に出し、常に安全を確保しなくてはならない。その責任は非常に重いことを肝に銘じておこう。

大型船用の海技士の免許があるからといって、小型船舶を操縦できるわけではない。大型船と小型船舶の操縦資格は別物である

免許の種類と取得資格

ボートの免許は3種類

　2003年の制度改正によって、以前は細かく分かれていたボート免許の内容が「一級」「二級」「特殊」の3種類に整理された。それぞれの内容（資格）は次のとおり。
■**一級小型船舶操縦士**……総トン数20トン未満の船舶（水上オートバイを除く）で、すべての海域を航行できる操縦免許
■**二級小型船舶操縦士**……総トン数20トン未満の船舶（水上オートバイを除く）で、平水区域（河川、湖、湾内など）と沿岸区域（海岸から5海里≒9km以内の海域）を航行できる操縦免許。ただし、18歳未満は5トン未満の船舶に限定される（若年者5トン限定）。また、航行区域を湖川等、出力を15kW（約20.4馬力）未満に限定する免許（湖川小出力限定）もある。
■**特殊小型船舶操縦士**……水上オートバイ専用の操縦免許。
　一級と二級の区切りは「海岸から5海里」で、5海里を超えて航行できる一級は「外洋免許」、5海里までの二級は「沿岸免許」と位置づけられている。もちろん一級免許があれば5海里以内の水面も走れる。ただし、一級、二級の免許で水上オートバイの操縦は

ボート免許の種類

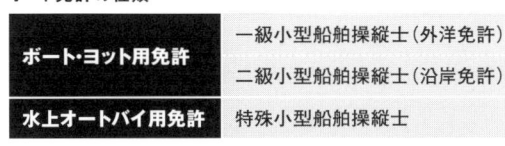

ボート・ヨット用免許	一級小型船舶操縦士（外洋免許）
	二級小型船舶操縦士（沿岸免許）
水上オートバイ用免許	特殊小型船舶操縦士

ボート免許の資格区分

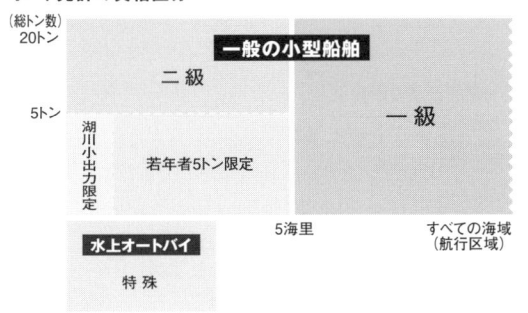

BOAT FISHING BIBLE
第2章 免許を取る
Getting a Boat License

資格別の乗船基準

資格	技能限定	航行区域	船の大きさ等
一級小型船舶操縦士		すべての海域	特殊小型船舶を除く総トン数20トン未満(※)
二級小型船舶操縦士	無	湖川・平水・海岸から5海里(9.26km)以内	特殊小型船舶を除く総トン数20トン未満(※)
	若年者5トン限定		特殊小型船舶を除く総トン数5トン未満
	湖川小出力限定	湖川・一部の海域	特殊小型船舶を除く総トン数5トン未満 出力15kW未満
特殊小型船舶操縦士		操縦する特殊小型船舶の船舶検査証書に記載された航行区域に準ずる	特殊小型船舶(水上オートバイ)

※総トン数20トン以上の船であっても、一定の条件を満たすプレジャーボートについては、小型船舶操縦士の免許で操縦できる場合がある

不可。別に特殊免許を取得する必要がある。また、一級免許に航行区域の制限はないものの、ヨット以外の船で海岸から100海里を超える海域を航行する場合には、六級海技士(機関)以上の資格を持った機関長を乗り組ませなくてはならない。

ボート自体の航行区域

免許の航行区域とは別に、ボートにも固有の航行区域が定められている。これは後述する船舶検査制度に基づいている。船の航行区域は、平水、沿岸、沿海、近海、遠洋区域の5種類だ。

同じ船でも遠くの区域へ行けるようにするには、より多くの安全備品を搭載しなければならない。そのため、小型船舶では沿海区域の一部に限定した「限定沿海」や、2004年に新設された「沿岸」(海岸から5海里以内)にするケースが多い。

船の航行区域の種類

平水区域	河川、湖沼や港内と、東京湾など法令に基づいて定められた51カ所の水域
沿岸区域	おおむね我が国の海岸から5海里以内の水域
沿海区域	おおむね我が国の海岸から20海里以内の水域
近海区域	東経175°、東経94°、北緯63°、南緯11°の線で囲まれた水域
遠洋区域	すべての海域

免許を取得できる条件

免許を取るには一定の年齢と身体検査基準をクリアしていなければならない。

まずは年齢から。

一級……18歳

二級……18歳

二級(若年者5トン限定)……16歳

二級(湖川小出力限定)……16歳

特殊……16歳

ただし、試験開始期日の前日(もしくは小型船舶教習所の受講開始の前日)までに次の年齢に達していれば、国家試験を受験(もしくは小型船舶教習所を受講)できる。

一級、二級……17歳9カ月

二級(若年者5トン限定)、二級(湖川小出力限定)、特殊……15歳9カ月

なお、二級(若年者5トン限定)の場合は、18歳に達すると自動的に総トン数5トン未満の限定が解除される。

身体適正は試験のときにチェックされる。合格基準の概略は各免許共通で以下のとおり。

■視力

両眼とも0.5以上(矯正可)。一眼の視力が0.5未

小型船舶操縦免許証の見本

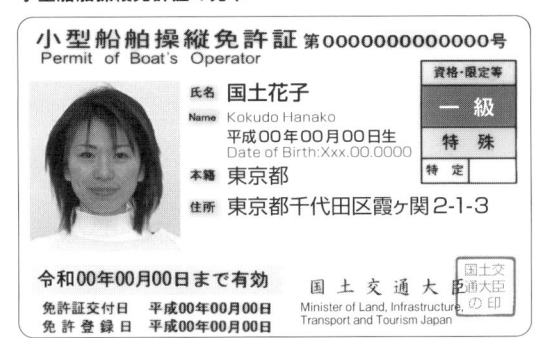

※免許証は5年ごとに更新が必要

満の場合は、他眼の視野が左右150度以上であり、視力が0.5以上であること。

■弁色力

夜間において船舶の灯火の色を識別できること。
※灯火の色が識別できない場合は、日出から日没までの間において航路標識の彩色を識別できれば、航行する時間帯が限定された免許を取得できる。

■聴力

5mの距離で話声語（普通の声）が聴取できること（補聴器の使用可）。

■疾病および身体機能の障害

軽症で小型船舶操縦者の義務に支障をきたさないと認められること。
※身体機能の障害の程度に応じ、免許に「設備限定」や「航行目的限定」が付されることがある。
※設備限定免許とは、免許の条件として、小型船舶操縦者（船長）として乗り組む船舶の設備その他の事項について限定することをいい、必要な設備（補助手段）のない船舶に小型船舶操縦者（船長）として乗り組むことができない。
※航行目的限定免許とは、免許の条件として、小型船舶操縦者（船長）として乗り組む船舶の航行する目的について限定することをいい、旅客を運送する業務目的で航行する船舶に小型船舶操縦者（船長）として乗り組むことができない。

なお、身体機能の障害の程度が試験船の乗り降りなど実際の動作確認を必要とする場合には、身体機能検査を実施する必要がある。この検査が必要と思われる人は、あらかじめ試験機関である（一財）日本海洋レジャー安全・振興協会の各地方事務所に問い合わせておこう。

免許を取る方法

受験コースと教習所コース

ボート免許を取る方法は主に2通りある。ひとつは国家試験を受験するコース。この場合、自分で勉強していきなり受験もできるが、民間のボート免許スクールに通うのが一般的だ。もうひとつは自動車のように国家試験免除の教習所に通う方法である。

免許取得までの流れ

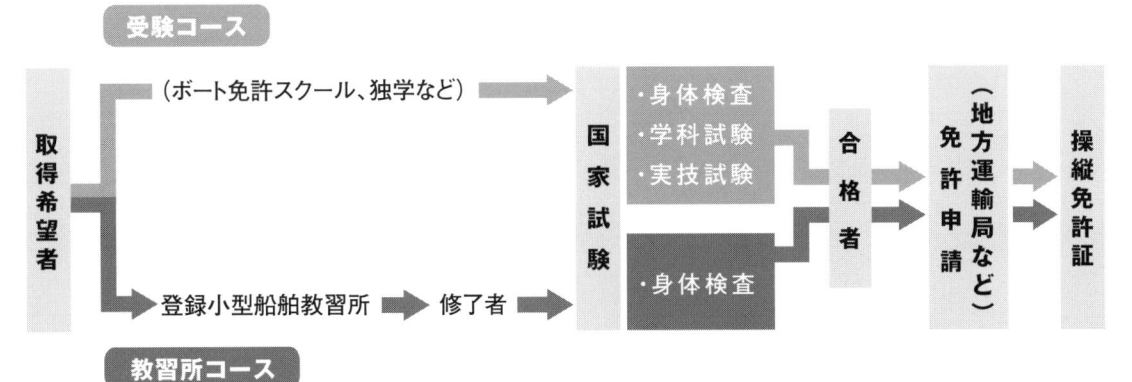

BOAT FISHING BIBLE　第2章 免許を取る　Getting a Boat License

受験コースと教習所コースの主な違いは費用と日程である。

一発受験がいちばん安いのはもちろんのこと、免許スクールの受講代と国家試験の受験料を合わせても、普通は受験コースのほうが安あがりだ。しかし、バカにならないのが国家試験の受験料。免許スクールに通った人間が試験に落ちたという話はあまり聞かないけれど、受験料が意外に高いので、再受験となったらかえって高くつく場合もある。どちらが安いかは一概には言えないところもある。

むしろ、ネックになるのは日程と場所だろう。必要な知識と技術をその場で修得する教習所では、学科と実技と合わせ、二級で24時間、一級で36時間ほどかかる。通いにしろ合宿にしろ、忙しい人にとっては時間のやりくりが難しいはず。あるいは、受験勉強や試験のプレッシャーが負担という人もいるに違いない。

『ボート倶楽部』や『KAZI』といったボート雑誌に教習所やボート免許スクールの広告がたくさん掲載されているので、料金、時間、場所等をいろいろ見比べて、自分に合った方法を選ぶとよいだろう。

小型船舶操縦士の国家試験では身体検査のほか、学科試験と実技試験が行われる。写真は一級と二級の実技試験に用いられるモーターボート

船舶検査と登録制度

車は「車検」、船は「船検」

第1章の「航海計画を立てる」の項で、「ボートと免許があればいつでも出航できる」と書いた。しかし、実際にはボートと免許があれば航行できるとは限らない。車と同じように、船にも種類に応じた「検査」や「登録」が必要だ。これらの手続きをしていない船舶は原則として航行できないことになっている。

このうち、船の安全性をチェックする制度が船舶検査。通称「船検」である。検査には船体やエンジンの構造・良否をはじめ、最大搭載人員、法定備品なども含まれる。合格すると船舶検査証書が発行され、船舶を航行する際は免許証に加えて船検証と法定備品を搭載しなければならない。もし船検証を持っていなかったり、指定された航行区域を越えてしまったりしたら、「1年以下の懲役、または50万円以下の罰金」という厳罰が課せられる。免許証、船検証、法定備品の3点セットは絶対に忘れないこと。

エンジン付きの船舶はすべて船検の対象だが（動力がなくても船検を要する船もある）、いくつか例外

船検証には船名や船検済票番号をはじめ、航行区域、最大搭載人数なども記されている。航行するときに絶対に忘れてはならないもののひとつ

がある。「長さ3m未満で、エンジンの出力が1.5kW未満の小型船舶」、すなわち、免許不要艇もそのひとつ。免許不要艇は船検も不要なのだ。

なお、総トン数20トン未満の小型船舶については、日本小型船舶検査機構（JCI）の支部が検査を行っている。

船検の種類と時期

船検には定期検査、中間検査、臨時検査、臨時航行検査の4種類がある。

小型船舶の基本となる検査が定期検査で、有効期間は6年間。中間検査は文字通りその中間の時期に設定される。したがって、たとえば定期検査に合格したばかりの新艇は、まず3年後に中間検査を受け、さらにその3年後に定期検査を受けることになる。また、船体や舵などの改造・修理等を行った場合はそのつど臨時検査を、定期検査に合格していない船を臨時に航行させるときには臨時航行検査を通さなければならない。

定期検査に合格すると、「船舶検査証書」「船舶検査手帳」そしてステッカー方式の「船舶検査済票」が交付される。船検証と船検手帳は法令により船内に置き、船検済票は両側の見やすいところに貼る。

免許の種類のところでも触れたように、船の航行区域は船検に基づいて決定し、船検証に記載される。航行区域の種類は「平水区域」「沿岸区域」「沿海区域」「近海区域」「遠洋区域」だ（さらに限定されるケースもある）。

船検を受けるときはボートの所有者か代理人が立ち会わなければならない。日本小型船舶検査機構では支部が地区ごとに日程を定め、マリーナや漁港を巡回しているので、その日を利用すると便利だろう。船検の手数料は船のサイズや定員によってまちまちだ。

ボートの登録制度

放置艇や不法投棄、売買におけるトラブルなどを防ぐために、小型船舶の登録制度がスタートしたのは2002年。船検が自動車の車検に当たるとすれば、船の登録は車両登録制度である。ナンバープレートのない自動車が走れないように、未登録の船舶も航行はできない。

登録の対象になる船舶は総トン数20トン未満で、次のいずれかに該当するもの。
・長さ3m以上の船舶
・20馬力以上の推進機関を有する船舶
・長さ12m以上の帆船
・推進機関を有する長さ12m未満の帆船

登録の種類は新規、変更、移転、抹消の4種類。登録後は船検の検査済票とセットになっている船舶番号のステッカーを船体に表示しなければ航行できない。

船検・登録制度の詳細は日本小型船舶検査機構のHP（www.jci.go.jp）を参照のこと。

船検の時期

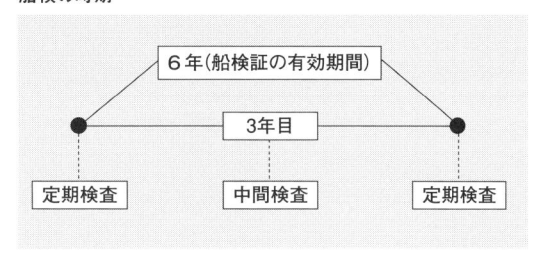

6年（船検証の有効期間）／3年目
定期検査 — 中間検査 — 定期検査

船検の種類

定期検査	初めて船を航行させるとき、または船検証の有効期間が終了したときに受ける検査
中間検査	定期検査と定期検査の間に受ける検査
臨時検査	改造、修理等を行ったときに受ける検査
臨時航行検査	定期検査に合格していない船を臨時に航行させるときに受ける検査

小型船舶登録の種類

新規登録	最初に行う登録
移転登録	所有者の変更があったときに行う登録
変更登録	登録事項に変更があったときに行う登録（移転登録を除く）
抹消登録	船舶が沈没、行方不明等になったときに行う登録

第 3 章

Selecting Your Boat
ボートを選ぶ

ひと口にフィッシングボートといっても、大きさも種類もさまざま。
釣法によっては向き不向きがあるし、スタイルや走行フィーリングも大事な要素。
趣味の世界だからこそ、納得ゆくまでじっくり選びたい。

BOAT FISHING BIBLE

ボート選びの基本

目的をはっきりさせよう

　ボートとサオは似ている。なんていうと、「どこが？」と思うだろう。だが、共通点はちゃんとある。どちらもターゲットや釣りのスタイルによって使い分け、しかも、感性が大事ということだ。

　万能ザオがないように、万能なボートもありえない。どんな魚をどんなふうに釣りたいかによってボートも変わる。乗り物だから、乗り心地とかスピード感とかのフィーリングも絶対重要。これってやはりサオに似ていないだろうか？

　さすがに魚によって乗り分けるほどボートは細分化されていない。逆に言うと、ボートには玉虫色の部分が多いということ。自分に合ったボートを選ぶのはそれだけ大変かもしれない。ボートを購入するときは、湾内でボトムフィッシングをやりたいのか、それとも外洋までカッ飛んでジギングをやりたいのか、仲間たちとわいわい楽しくサオを出すのが一番なのかなど、まず自分がどこで、どんな釣りを、どんなふうに楽しみたいのかをしっかり考えることが先決だ。それから自分の好みに合うボートを調べて、なるべくたくさん試乗して決めるのがおすすめである。場合によってはマリンクラブなどのレンタルボートを利用してみるのも手だろう。安い買い物ではないから、失敗しないように念には念を入れ、しつこく調べて、たくさん試乗して選ぶ。そのくらいの姿勢でちょうどいい。

　と言い切りたいところだけれど、そこは趣味の世界。理屈はわかっちゃいるが、好きなものは好きという割り切り方もある。ひとめボレも大いにけっこう。

　要は、納得のゆくボート選びが肝心ということだ。

どんなボートがあるのか

　ひと口にフィッシングボートといっても、簡単には済まないことがおわかりいただけただろうか。では、実際にどんなタイプのボートが存在するのか。その分け方もいろいろだが、サイズ、エンジンレイアウト、上部レイアウト、生産国など、基準となる要素がいくつかある。

サイズ

　ボートの大きさは、価格と耐航性とほぼ比例するため、ボート選びの大きな目安になる。自宅保管なのかマリーナ保管なのかも関係してくる。ごく大雑把に分けてみると、サイズによる傾向は次のとおり。

■ミニボート（〜12フィート）

　車で運んで釣り場へ行くスタイルが主流。航行区域は沿岸3海里もしくは5海里以内。詳しくは第5章のミニボートの項目を参照のこと。

■トレーラブルボート（12〜17フィート）

　主に湖や内湾用。釣りのスタイルとしてはミニボートの延長線上にある。バスフィッシングやベイエリアのシーバスなど、ルアーフィッシング用に作られたものも多い。ストレスなく釣りができるのは2〜3人まで。

■小型フィッシングボート（18〜25フィート）

　最もバリエーションが豊富なカテゴリーがこのサイズ。ボート市場の最激戦区といえる。マリーナ保管が主流で、内湾で使用するものがメインだが、大きいサイズでは外洋に強いモデルもある。釣りができる人数は大きさにもより3〜6人程度。小さいところでは船外機艇だが、大きいほうはディーゼル仕様も登場する。

■中型フィッシングボート（25〜30フィート）

　サオを出せる人数は5〜6人までと小型とさほど変わらないが、耐航性はぐっと上がる。主流はディーゼルエンジンだ。このサイズは微妙なレンジで、小型フィッシングボートがサイズアップしたものか、30フィート以上のビッグボートの小型版といった趣のものがわりと多い。

ミニボート

トレーラブルボート

小型フィッシングボート

中型フィッシングボート

大型フィッシングボート

■大型フィッシングボート（30フィート～）

　外洋に強く、大勢での釣行にも対応。エンジンはディーゼルで、漁船タイプではスパンカーを使える本格仕様がほとんど。外国艇では本格的スポーツフィッシャーがメインである。

エンジンレイアウト

　エンジンにはガソリン、ディーゼルの2種類があるが、フィッシングボートではエンジンの配置によって種類がほぼ決まってしまう。そのため、エンジンの種類も含めて分類した。一般的にガソリンエンジンは速く、ディーゼルは燃費にすぐれる点は車と同じ。

■船外機（アウトボード）

　エンジン、ドライブ、プロペラまでが一体になっており、トランサムにセットして使用。船外機はほぼ100%ガソリンエンジンで、2ストロークと4ストロークの2種類がある。一体型でコンパクト、かつ、船内を広く使えるため小型艇向きだが、大きいものでは300馬力クラスまである。重心が船尾寄りに来るので高速走行向き。舵角もチルト角も船外機自体を制御でき、操作性（マニューバビリティ）が高い。

■スターンドライブ
（インボードエンジン・アウトボードドライブ）

　エンジンを船内船尾に置き、ドライブが船外に飛び出した方式。したがって構造上、船尾の船内にエンジンボックスが必要になる。フィッシングボートの場合

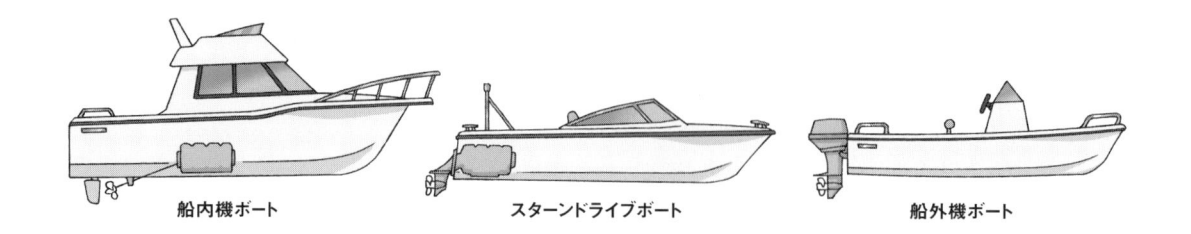

BOAT FISHING BIBLE

第3章 ボートを選ぶ
Selecting Your Boat

船内機ボート　　　スターンドライブボート　　　船外機ボート

はディーゼルエンジンがほとんどで、エンジンルームにスペースがあれば船外機より大きな発電機が設置可能。船外機と同じく、舵を切るとプロペラの方向が変わるので操作性は高い。重心位置も船尾寄りにあり、高速走行に向いている。

■船内機（インボード）

　船内にエンジンを置き、シャフトを介してプロペラを回す。こちらもほとんどがディーゼルエンジンだ。エンジンを配置する自由度が高く、大型艇に多い。重心が中央寄りにあるおかげで揺れが少なく、いわゆる「座り」のよいボートになるが、高速滑走には不向き。浮力の中心と重心が近いため、本来は低速での運動性にすぐれているものの、漁船タイプのようにエンジンが1基だと、舵に当たる水流が弱いので舵利きがやや遅れる感じになる。一方、左右のプロペラの回転数を制御できる2基仕様は操作性が非常に高い。トローリング用のスポーツフィッシャーはこのタイプだ。

上部レイアウト

　操船ポジション、キャビンの有無、釣りスペースの広さなどのアレンジによってボートのキャラクターが大きく異なる。もちろん、フィッシャビリティにとっても重要な要素だ。

■センターコンソーラー

　フラットな床（ソール）の中央にコンパクトなコンソール（操船台）を設けただけのタイプ。波しぶきや雨は被りやすいが、船首・船尾ともに釣りスペースを広くとれるのが最大の特徴。船室は存在しないものの、コンソールを大きく設計してその中に荷物用のスペースを確保したものもある。ちなみに、コンソールを両舷に振り分けたレイアウトはデュアルコンソーラーという。

■バウカディ

　カディとはキャビンほどは大きくない船室のこと。バウは船首だから、船首に小さな船室があるアレンジのボートをこう呼ぶ。バウカディは波よけデッキも兼ねており、耐航性にすぐれるが、その分船首の釣りスペースは狭くなる。一方、船尾の釣りスペースは一番広いので、トローリングやアンカリングには有利。

■ウォークアラウンド

　バウカディやパイロットハウスのあるボートで、船首までぐるりと通路を通した造りのこと。耐航性や居住性と、広い釣りスペースの両立をねらったアレンジ。日本製の中型フィッシングボートではこのタイプがもっとも多い。

■コンバーチブル

　船尾のフィッシャビリティと、キャビンで寝泊まりもできる高い居住性を両立させるアレンジで、基本的にはトローリングをする大型艇用の名称。釣りやすさを追求してさらにキャビンを簡素にしたものはオープン、エクスプレスなどとも呼ばれる。

センターコンソーラー

バウカディタイプ

ウォークアラウンドタイプ

コンバーチブル

ハルの形状と名称

　ハルとは上部構造物を除いた船体のこと。日本語は「船殻」。いわゆる「お椀」である。

　エンジンレイアウトとともに、ハルはボートの走行性能のカギを握る部分であり、凌波性、操作性、乗り心地などはハルの形状で決まると言っても過言ではない。走行中にハルが水に接する部分は速度によって大きく、しかも連続して変わるため、一概には論じられない。とはいえ、いまのフィッシングボートにおけるハルの形状は、主にV型と和船船型の2種類である。

■V型船型

　Vボトムとも言い、スターン（船尾）からバウ（船首）までV型の断面が続く形状である。Vがきついほど凌波性にすぐれるが、滑走しにくいためパワフルなエンジンが必要になり、また、静止時の横揺れが大きくなる。一般にメーカーがV型船型を強調する場合は、高速走行中の波切りがよい、耐航性にすぐれるという意味合いが強い。

　VボトムにはさらにストレートV、コンベックスV、コンケーブV、オメガ船型などのバリエーションがある（次頁の図参照）。ボートの船底と水平面とのなす角度を「デッドライズ」、船尾最後部のそれを特別に「トランサム・デッドライズ」と言う。デッドライズは船の走行性能に関わる重要な値であり、カタログにしばしば掲載されている。

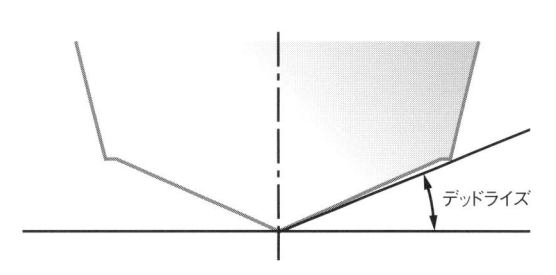

ボートの船底と水平面とのなす角度をデッドライズ（船底勾配）と言い、船尾最後部のそれをトランサム・デッドライズと言う

BOAT FISHING BIBLE

第3章 ボートを選ぶ
Selecting Your Boat

V型船型のボート

和船船型のボート

［ストレートV］　［コンケーブV］

［コンベックスV］　［オメガ船型］

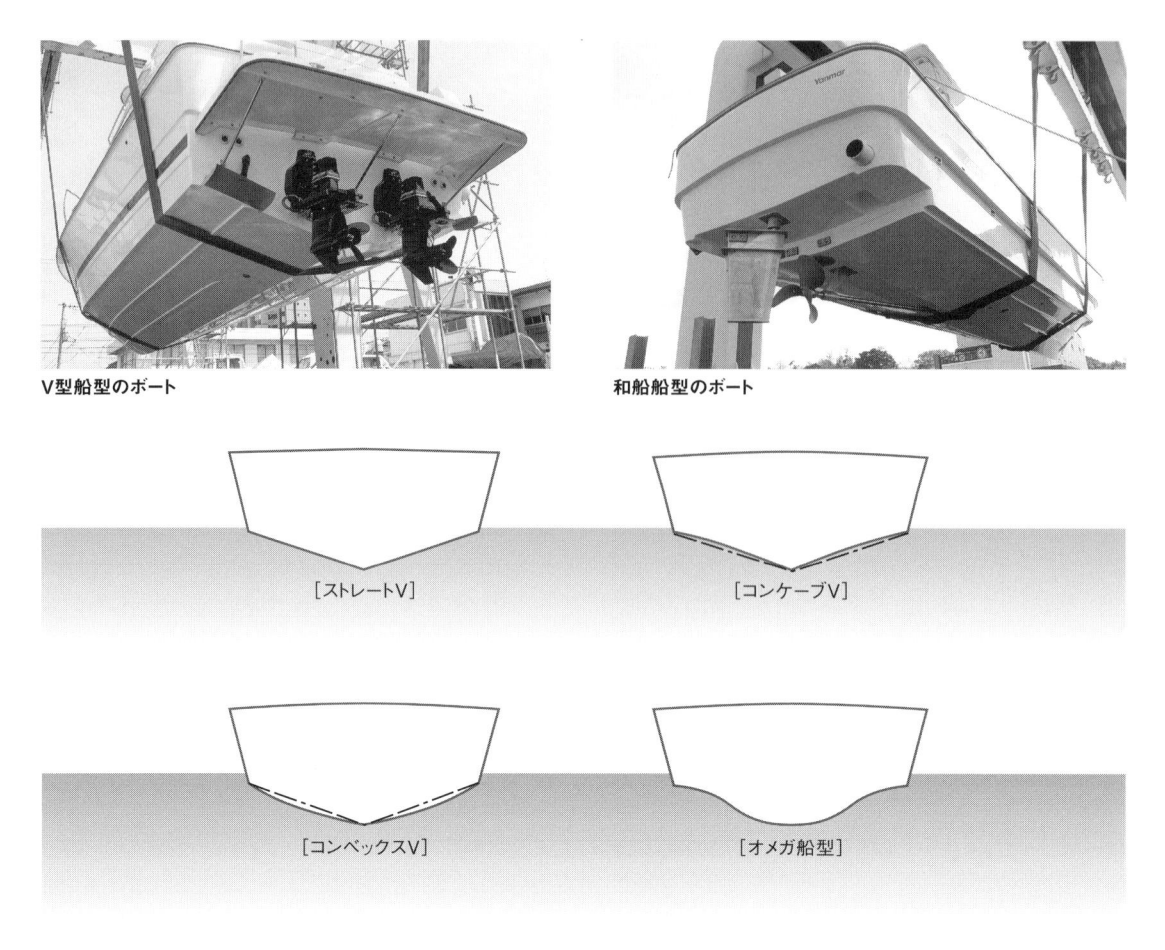

Vボトムのバリエーション

■和船船型

　そもそも板張りの細長い木造船から派生した形で、船首から船尾まで底がフラットなハル形状を指す。しかし、今は底が真っ平らというボートはほとんどない。現在、和船船型のボートというと、船尾部分が比較的フラットという程度で、そのために低い馬力でもプレーニングしやすかったり、静止安定性にすぐれたりする。また、和船船型という言葉は上部レイアウトにも使われることがある。

付加物

　基本形状のほかにも、ハルには機能を付け加えたり、補ったりする造作も施されている。次にこれらの付加物（アペンデージ）を見ていこう。

■チャイン

　船底とフリーボードの境目のカドのこと。チャインのある船型をハードチャイン型と呼ぶ。チャインは横方向の安定性に大きく貢献する。チャインのないボートはラウンドボトム、すなわち丸木舟のようになり、ローリング（横揺れ）が激しくなることは簡単に想像できるはず。釣りでは静止時の横安定性が重要なので、チャインのないフィッシングボートは極めて稀。むしろ、チャインをはじめ、静止安定性をいかに高めるかが工夫のしどころといえる。

■ストレーキ、ストリップ

　船底の前後方向に走る三角断面の筋である。フラット面で船底からはい上がってくるスプレーを落とし、揚力アップにも貢献する。

■スケグ、キール

　船底の最下部にあるヒレのような出っ張りがスケグだ。ボートの保針性を向上させるほか、垂直方向の安定板としてローリングの防止にもなるが、大きすぎると抵抗が増えたり、旋回時に引っかかりすぎたりする。後述するように、船首部分にスケグがあると、流し釣りの艤装であるスパンカーの効果が高くなる。

　ちなみに、スケグをキール（竜骨）と呼ぶこともある。キールは本来、船底の中央に渡した船の構造材（柱）であり、FRP一体成型のボートには不要なもの。だが、スケグに構造材としての役割がないとは言い切れないし、習慣的にもキールという名称はなじみが深く、しばしば使われる。

■パッド、フラットキール、ボックスキール

　スケグとは逆に、船底中央部を平らにした造作。パッドがあると、滑走効率がよくなり、出力の低いエンジンでもプレーニングしやすいが、当然、凌波性は下がる。また、静止安定性や浜に揚げたときの「浜座り」がよく、パッドを採用した形状を和船船型と呼ぶ場合が多い。

船底中央の平らな部分がパッド（フラットキール、ボックスキール）

■シアー

　側面から見たときに、ハルの上端が描くカーブのこと。そのカーブが描くライン全体をシアーラインという。シアーラインには、風や波の打ち込みの影響など、機能的な意味ももちろんあるのだが、ボートのスタイルを

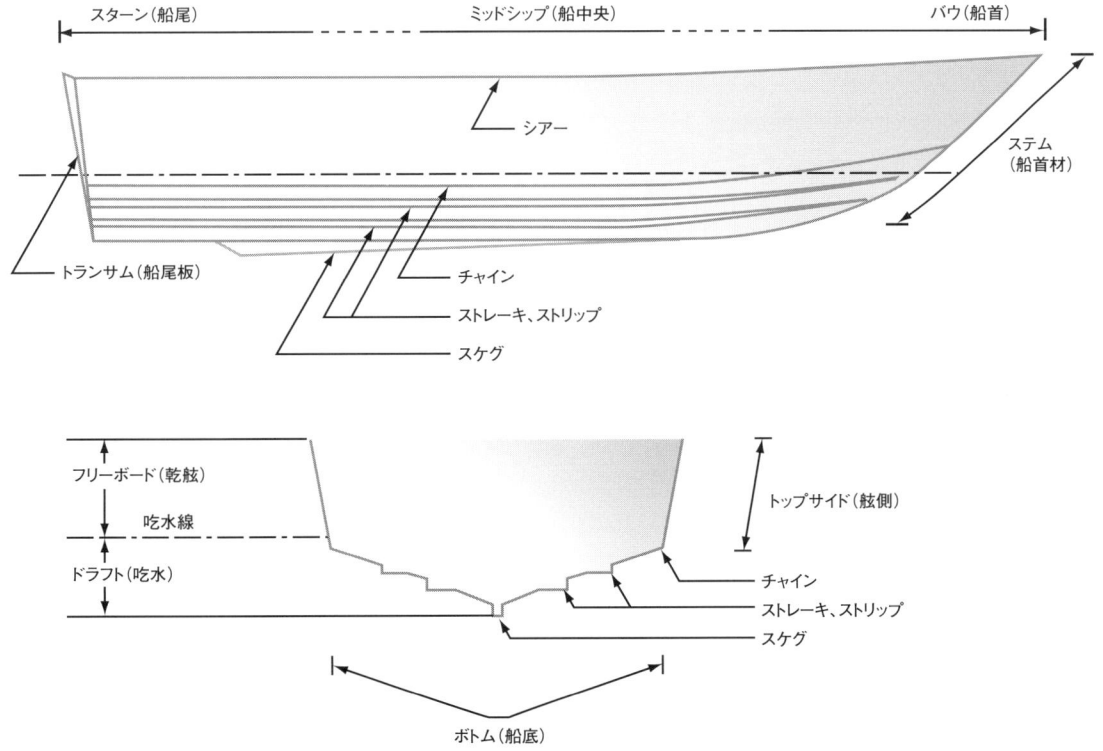

アペンデージ

BOAT FISHING BIBLE | 第3章 ボートを選ぶ Selecting Your Boat

強く印象づけるものとして、デザイン上、極めて重要な要素である。船首と船尾が高い伝統的なコンベンショナル・シアー、その逆に中央部が盛り上がったリバース・シアー、船尾は低くてバウが高くなるレイズド・シアー、さらに途中に段差のあるブロークン・シアーなど、さまざまな種類がある。

生産国

日本車と外車が大きく異なるように、国産艇と輸入艇ではそもそも設計思想やテイストが違うし、輸入艇といってもいろんな国のボートがある。こればかりは実際に見て、試乗して肌で感じ取るのが一番だ。ひとつ言えるのは、日本風のボトムフィッシングに向く輸入艇は少ないこと。逆に、ルアーフィッシングやトローリングに適したボートは多い。

チェックポイント

ボートのここに注目

ボートをタイプ別に分類しても、実際はそう明確に色分けされるわけではない。したがって、フィッシングボートを購入するときは、サイズやパワーといった基本スペックのほかに、個々のチェックポイントを当たってみるべきである。これを読むと、ボートは「あちらを立てればこちらが立たず」とよく言われるのがわかるはずだ。だからこそ、自分が何を求めるかが大事なのだ。

■低速での操作性

釣りでは高速時の走行性能よりも低速での操作性のほうが重要。どんな釣りをするかにもよるが、風流れの姿勢と大きさ、低速域の吹き上がり具合、コントローラーの使いやすさ、ドライブの形式などによって、釣りでの使い勝手が変わってくる。自分の釣りのスタイルに合った判断が必要だ。風流れについてはボートコントロール編（第5章）の流し釣りのところ（115頁）で詳しく解説する。

■ヘルムステーション（操舵席）のデザイン

手前船頭をしたいアングラーは操船しながらでもサオを出せることが必須条件。操舵席でサオを出せなくても、船尾スペースにもうひとつコントローラーを設置できるボートもある。また、立って操船するのか座って操船するのかも大きな違いだ。

■静止安定性

ボートが止まっているときにローリング（横揺れ）が大きいと、釣りにくいし疲れるもの。また、サイドから魚を取り込むときに大きく傾くようでは危険なケースもある。フラットな海面で片舷に何人かが乗ってみてどのくらい傾くか、また、ボートを波に対して横に向けたときにどの程度揺れるのかをチェックしてみよう。基本的にフラットなハルほど静止安定性は高い。

■ブルワークの高さ

船内をぐるりと包む壁がブルワークだ。これが低いと立って釣りをするときに寄りかかれないが、逆に高いと座って釣るときに邪魔になる。立って釣りをするのが不安ならレイルを取り付ける手もある。どれくらいがベストかは、エリアの平均波高や釣りのスタイル、アングラーの身長にもよる。

船室後部に設置されたアフトコントロールステーション

静止安定性、ブルワークの高さは釣りやすさに影響する

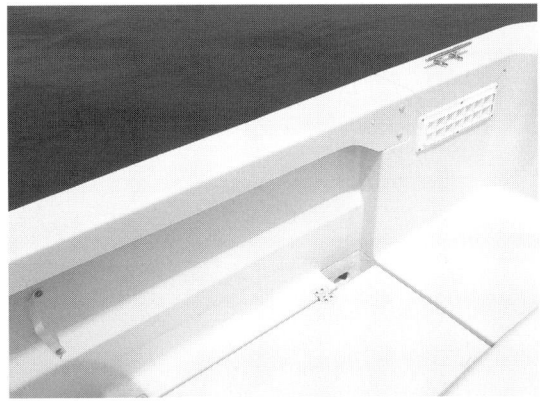

オープンタイプのブルワークトップは後付け艤装がしやすい

■ブルワークトップの艤装のしやすさ

ロッドホルダー、ロッドポストなど、何かと艤装品を取り付けることが多い場所。まずは艤装品が取り付けられる幅があるかどうか、平らかどうかなどが重要。直接内側に手を入れられるオープンブルワークタイプなら、自分でも簡単に艤装品を取り付けられる。オープンタイプでない場合は、手を入れられるように穴を開けて、あとからインスペクションハッチでふさぐことになる。

■イケス

生きエサを生かしておくにはイケスがあると便利。だが、ほとんどのプレジャーボートのイケスは走ると水が抜けてしまうので、水量調整パイプなどを取り付けて使いたい。イケスのチェックポイントは、大きさよりも水が入ったときの深さ。イケスがない場合は後付けのベイトタンクを取り付けるが、けっこうかさばるので、設置スペースがあるかどうかを確認しておこう。輸入艇の場合はイケスではなく、最初からベイトウェルがある場合も多い。なお、釣った魚はイケスに入れず、すぐに締めてクーラーボックスに入れておくのがおすすめ。そのほうがおいしく持ち帰れる。

■釣行スタイルと上部レイアウト

単独釣行がメインなのか、それともゲストを招いて大勢でサオを出すことが多いのかなどによって、適した上部レイアウトが異なる。流し釣り、アンカリング、ルアーフィッシングなどにもよる。単に広さだけの問題でもないので、釣行スタイルと併せて考えよう。

■居住性

荷物を置くスペースや、ある程度の居住性が欲しいのであれば、パイロットハウスやキャビン、カディ（小船室）の造りも重要。ゲストをよく招く人には大事な要素かもしれない。また、遠征釣行や早朝出航時にボートに泊まれるのはけっこうありがたいもの。マリントイレがあるかどうかは、とりわけ女性にとって大切なようだ。

イケスはフィッシングボートでは人気のアイテム

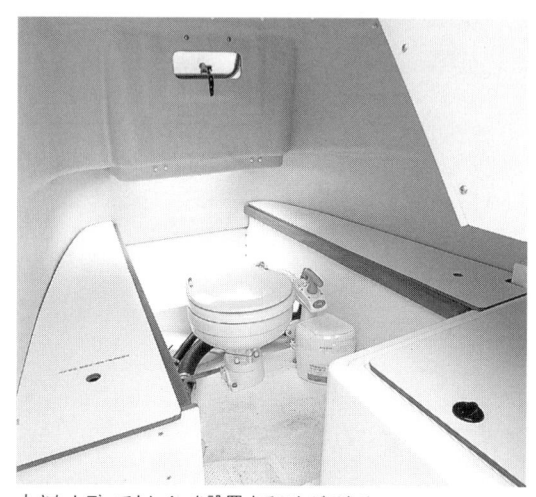

BOAT FISHING BIBLE | 第3章 ボートを選ぶ Selecting Your Boat

小さなカディでもトイレを設置することができる

■燃費

　ガソリンよりもディーゼルエンジンのほうが燃費にすぐれ、1リットルあたりの燃料代も大幅に安い。だが、同馬力だとエンジンの単価はディーゼルの方が高いので、自分がどのくらいのペースで釣行するかによって採算分岐点が異なる。なお、ガソリンの船外機の場合、2ストロークよりも4ストロークのほうが圧倒的に燃費がいい。

■耐航性

　外洋や平均波高が高いエリアの場合、ちょっと波が出ただけで走れなくなるようでは出航回数が極端に減ってしまう。ハルの設計や構造にもよるが、一般にボートが大きいほど、また、乾舷が高いほど耐航性は高い。シケに強いかどうかはボートの重要なコンセプトのひとつなので、メーカーや営業マンに聞いてみよう。

■巡航速度

　スピードが出るほどポイント移動にかかる時間が少なく、釣りにとっては速いほうが有利。マリーナからポイントが遠い場合はなおさらだ。似たような艇体であれば、当然、エンジンの馬力が大きいほうが速い。また、同サイズ、同馬力であればディーゼルよりガソリンのほうが上。フラットな海面だけでなく、波があるときにどれだけスピードを出せるかもチェックしたい。

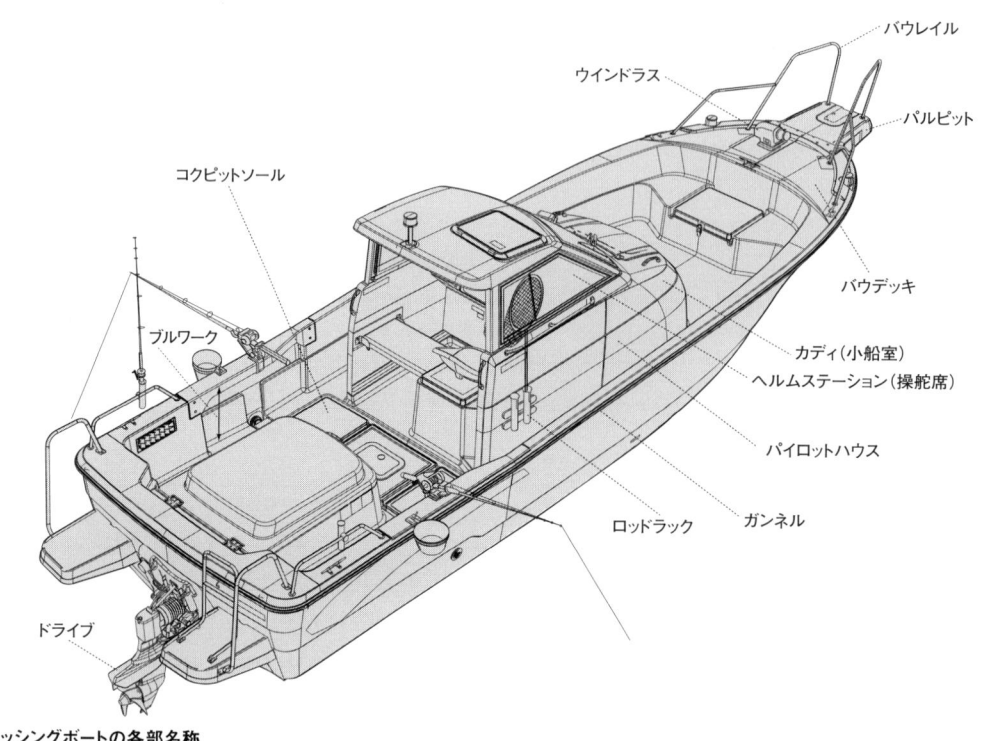

フィッシングボートの各部名称

第4章

Outfitting a Fishing Boat
艤装に凝る

フィッシングボートを手に入れても、まっさらな状態で釣りに行くのは無茶というもの。
いまやポイント探しに不可欠の魚探やGPSをはじめ、
正しい艤装なくして快適な釣りはありえない。
理想のフィッシングボートを手に入れるために、まずは艤装の基礎を理解しておこう。

BOAT FISHING BIBLE

BOAT FISHING BIBLE

第4章
艤装に凝る
Outfitting a Fishing Boat

艤装とは

エンジンもイケスも艤装

　艤装とは船体以外の装備のことである。エンジンやプロペラ、舵、操舵装置といった航行に必要なものから、イケス、ロッドホルダーなどの釣りに便利なものまで、船体でない部分は基本的にどれも艤装の一部。つまり、フネという乗り物は水に浮かぶ船体とそれ以外の設備に分けられ、船体以外はすべて艤装扱いなのである。

　このように船体とその他の装備で線を引く考え方はフネの生いたちと関係がある。長い目で見ればエンジンが登場したのはごく最近に過ぎない。それまでは風力、人力、潮力などで進んでいたわけだし、大昔はそれこそ丸木ブネだった。

　フネの製造工程も関係している。

　フネを作るときの流れは、まず人数や用途に見合う船体を設計し、それからエンジンや舵といった航行に必要な装備を決める。さらにキャビンやスパンカーなど、用途に応じた品々を盛り込んでいくといった具合。一般のプレジャーボートではある程度仕様を統一してコストダウンを図るのが一般的なため、上部構造やエンジンまでセットアップされたモデルが多いが、本来、フネにとっては船体が先決。他は二の次というわけだ。

　余談になるが、車や列車、飛行機、果ては宇宙船の製造においても艤装という言葉が使われている。それはフネの用語を単純に流用したため。フネでの意味と変わってしまっているが、飛行機、自動車のコクピットや列車のデッキなども、もとはといえばフネ用語。フネは人類が発明した最古の乗り物のひとつ。他の乗り物よりも圧倒的に歴史が長いのである。

"あれもこれも"は失敗のもと

　船体以外が艤装だから、実質的に艤装をしないプレジャーボートはありえない。大手メーカーが量産するボートでは、先に述べたように基本的な造りがほぼ決まっているため、艤装といっても現実的にはより細かい装備、フィッシングボートでいえば釣りに関するものが中心になるだろう。

　釣りの艤装では自分のスタイルに合ったトータルコーディネートが重要だ。

　こんな話がある。

　遊漁船での沖釣りは大好きだったけれど、知らない人と隣り合ってサオを出すのが苦手なAさんは念願のマイボートを手に入れた。釣りが目的だったから、当初は漁船タイプを購入するつもりだった。しかし、実際に買ったのは船室の広いバウキャビンタイプ。どうせなら家族やゲストを呼びたいと考えてのことだった。

　ゴールデンウィーク前に進水式を済ませ、さっそく釣りに行ったAさん。だが、潮や風の影響で思ったようにポイントを流せず、ストレスはたまる一方。そんなときに目にしたのが同じマリーナのシーバスボートに取り付けられたバウモーターである。いかにも機能的な風貌のハイテク兵器を使えば、思いのままにボートを操れそうに思えてすぐに取り付けた。

　やる気満々で釣行したAさんだったが、ポイントに着くとまたもや失敗を痛感することに。Aさんのボートは風の抵抗が大きなうえ、ポイントの潮が速くてバウモーターがパワー不足だったのだ。しかも、あとからウインドラスを付けようとしてもバウモーターが邪魔になってあきらめざるを得ない

　よし、それなら最後の手段と意を決したAさんは、自分のボートに似合わないだろうと躊躇していたスパンカーを艤装してみたものの、結局これもダメ。Aさんのボートはそもそもスパンカーが有効なタイプではない。途中、流し釣りが無理ならトローリングでもやってみるかと艤装したダウンリガーも含めて、Aさんの愛艇はすべてが中途半端なまま、あれもこれも身にまとったチンドン屋みたいなフネになってしまったのである。

　一方、こんな例もある。

　Bさんも沖釣りからボートフィッシングにエントリーしたクチ。ボートもAさんと同じバウキャビンタイプだ。しかしBさんが違ったのは、まずどんな釣りをしたいのかをよく考えたことだった。

86

Bさんの場合、メインは単独釣行である。手前船頭の釣りは大変そうだし、ポイントの水深はさほど深くないから、アンカリングの釣りを主役に据えた。とはいえ、せっかくのマイボートだからトローリングもぜひやってみたい。すると、ボートはアフトコクピットが広いタイプが釣りやすいはず。ときには流し釣りもやるだろうけれど、スパンカーはアンカリングとトローリングの邪魔になりそうだから断念。その分、バウで釣ることはないのでバウに広いキャビンのあるタイプにすれば、多少荒れても航行が楽だし、船中泊もできる。ゲストを呼んでクルージングも楽しめるに違いない。

　結果、Bさんは広いキャビンのあるボートを購入。これにフルオートのアンカーウインチとアウトリガーを取り付け、トローリングや簡単な流し釣り用にアフトコントロールステーションを装備した。Bさんはこのボートに大変満足しており、今は充実したボートフィッシングライフを送っている。

決め手はスタイルと将来性

　同じタイプのボートなのにはっきりと明暗が分かれたAさんとBさん。その大きな違いは自分の釣りのスタイルをわきまえているか否かである。よく言われるように、ボートの世界は"あちらを立てればこちらが立たず"。しっかりした方針を持たず、将来性も考えずにあれもこれもと欲張ると結果的に何ひとつ満足の行かないものとなってしまう。

　それはボート選びから艤装まですべてにあてはまる。

　ちょっと前までフィッシングボートの艤装といえば、まっさらな船体に自分なりの艤装をするのが当たり前だった。今でも漁船はそうやって発注するのが一般的だ。道路の上を走る自動車と違い、ボートは設計の自由度が高くかつ個性的。さすがにハルデザインまでは無理だろうけれど、スパンカーの有効な船型かどうか、キャビンの有無、ハードトップなのかTトップにするのかといった艤装をトータルに見て、自分流のボートを作り上げるのはフネを所有する大きな喜びのひとつである。

　しかも、オーナーのスタイルを感じさせるボートは見た目も美しい。突き詰めれば艤装は自分のスタイルの表現だ。それがぴたりと決まったフネはひときわまぶしく輝いている。

船選びも艤装も、自分のやりたい釣りのスタイルを考慮することが大切。写真は「実釣ケーススタディー」（9頁）に登場していただいた達人アングラーたちのボート。その姿形から、各人の釣りに対する思いが伝わってくる

BOAT FISHING BIBLE

第4章
艤装に凝る
Outfitting a Fishing Boat

ボート艤装

※アンカー、シーアンカー、スパンカー、エレクトリックモーター、バウスラスターなど、ボートコントロールに関わる艤装は第5章で詳しく解説する。

アフトコントロールステーション

　操船しながら釣りをすることを「手前船頭」という。単独釣行の流し釣りでは必然的にそうなるし、たとえばジギングやイカ釣りなど、手前船頭のほうが有利なケースも少なくない。また、ポイント選びから操船、釣りまでをすべて自分のイメージでこなせるのは大きな魅力だ。快適に手前船頭ができるかどうかはフィッシングボートの大切な要素のひとつである。

　オープンボートならヘルムステーションからサオを出すのは難しくない。しかし、パイロットハウスやキャビンの中で操船するタイプだと、ハードトップやハウスのソデの部分が邪魔になって手前船頭ができないことがある。そんなときはメインの釣りスペースであるアフトコクピットにコントロールステーションを増設する艤装が一般的だ。

　最近はアフトコントロールステーションがオプションで用意されているボートもある。オプションの設定がない場合はステンレスパイプ等をステイにして取り付けることが多い。リモコンを利用することもある。いずれにしろ、釣りをするときはこちらがメインになるので、スムーズにサオを出せるよう、なるべく細かく気を配ってセッティングを考えよう。ステアリングとコントローラーの高さ、コントローラーを左右どちらの手で操作するのか、さらにロッドホルダーや釣り座の設定なども併せて考慮すべき。また、アフトコントロールステーションから魚探が見えるかどうかも重要だ。メインの魚探が見えなければ、近くにもう1台取り付けたほうがストレスなく釣りを楽しめるだろう。

レイル

　本来は体を支える艤装だが、ブルワークが低いボートで立って釣ろうとしたらレイルがないと危険なこともある。また、足の速いナブラを追いかけてはルアーをキャストするようなスタイルでは、突きん棒漁のフネのように、バウデッキやパルピットに下半身を囲うキャスティングレイルがあると大変釣りやすい。釣りに不可欠という点ではレイルも立派なフィッシング艤装である。

　レイルは基本的に自分の体格や釣りのスタイルによって変わってくるもの。オプション設定の場合もあるが、できれば販売店やボートショップなどで特注したいところである。たとえフルオーダーでなくても、ステイの長さなどは取り付けるときに変えられることが多い。

上：釣り座の近くで操船できるアフトコントロールステーションは何かと便利。とくに手前船頭のときには威力を発揮する
右：これは後から増設したもの。パイロットハウス直後の右舷側に、アルミの支柱とステンレスブラケットで取り付けた

上：レイルは立派な釣り艤装。場合によっては邪魔にもなるので、立って釣るのか座って釣るのかなど、取り付ける前によく吟味しよう
左：立って釣りをするキャスティングの釣りではバウレイルが重宝する。これはシーバス用。オフショアの釣りでは下半身を囲むタイプも人気

アンカーを快適に使いこなすには、アンカーロード（ロープ＆チェーン）をはじめ、アンカーローラーやウインドラスなど、トータルシステムが大切

一度設置するとそう簡単には交換できないものだから、取り付け位置や高さなどをじっくり吟味したい。

また、立って釣るには便利なレイルも、座って釣るときにはしばしば邪魔になるものだ。レイルのセッティングに際しては、目的とする釣りに役に立つだけでなく、他の釣り方の邪魔にならないよう総合的な視点が大切である。

アンカー＆アンカーロード

1カ所でじっくりポイントを攻略したり、寄せエサを使ったりする釣り方に効果抜群のアンカリング。その主役のアンカーには実にたくさんの種類がある。アンカー選びの要素は、ポイントの底質、水深、潮流、ボートの性質、釣り方などさまざま。また、アンカーとアンカーロードは一体で効果を発揮するため、アンカーを結ぶアンカーロードはアンカー選びと同じくらい重要だ。

シーアンカー

傘のような抵抗体を海中に沈め、潮流を利用すると同時に、風流れを抑えて船をコントロールするアイテムである。そもそもは荒天用の安全器具だったが、流し釣りに使えることから釣りに使われるようになった。シーアンカーの抵抗体にはアイスクリームコーンのような円錐形とパラシュート型の2タイプがあり、基本的に釣りには抵抗の大きな後者が向く。

上：代表的な釣り用シーアンカー一式。潮を受けるパラシュートのような抵抗体、船体とつなぐロープ、回収用ロープ、ブイなどからなる
下：シーアンカーが海中に展開したところ。潮に同調させる流し釣りでは抵抗体が大きいほうが有利。直径がボート全長の30～50％は欲しい

BOAT FISHING BIBLE

第4章 艤装に凝る
Outfitting a Fishing Boat

スパンカー

　スパンカーとは「ボートを風に立てる」、つまり、船首を風上に向けるために、船尾に取り付ける帆のこと。アンカーやシーアンカーのようにいちいち上げ下げする必要がなく、エンジンの機動力を存分に生かした流し釣りのためのエクイップメントである。漁船や遊漁船でおなじみの艤装だが、最近はプレジャーボートでもこのスパンカーが普及している。

　プレジャーボートの多くは放っておくと船尾を風上に向けてしまう。しかし、風があるときにピンポイントに留まったり、潮に沿って流し釣りをしようと思えば、ボートが風下に押し流される分を推力で相殺しなければならない。そのときにバウが風上に向いていると操船しやすく、しかも、風上からは波も来るから乗り心地も快適。流し釣りでは風に立つ姿勢が理想である。

　スパンカーを取り付ける際にもっとも注意すべきは、そのボートでスパンカーが有効かどうかということだ。スパンカーは単に付ければいいというものではない。スパンカーを使った釣りを楽しむには、まずスパンカーを使えるボートを選ぶ必要がある。自分のボートにスパンカーを付けたはいいが、効果が中途半端だと操船がかえって大変になる。これからスパンカーを取り付けたいというアングラーは慎重に判断しよう。

　水深やターゲットによらず、キンメやアコウダイなどの超深場から足の速いスルメイカやタチウオも難なくこなすスパンカーの流し釣り。スパンカーはもはや流し釣りの定番艤装になった感がある。どんなボートでも有効なわけではないが、アグレッシブな流し釣りを好むアングラーには実に頼もしい助っ人だ。

バウスラスター

　船首部分の船体に取り付けて、横方向にバウを動かす装置。そもそもは大型船の離着岸によく使われる艤装で、小型艇にはほとんど使われなかったが、小型で信頼性の高いモーターが登場したおかげで、ある程度のサイズ以上のプレジャーボートにも取り付けられるようになってきた。釣りではスパンカーを使った流し釣りに活用する。その効果は絶大で、特に舵の

スパンカーを使うにはまずそれが有効なボートを選ぶ必要がある。最近はスパンカーの使用を前提に設計された艇も登場している

船首側の船底にスラスターが見える。バウを左右に動かせるため、スパンカーを使った流し釣りで大活躍する

操作が格段に楽になる。船体に穴を開けるため、しっかりと2次積層のできる業者に取り付けを依頼すること。

補機

　最近はあまり補機を付けたボートにお目にかからなくなった。船外機の信頼性が上がったのと、GPSが普及して漂流の危険が減ったのが主な理由だろう。しかし、補機が意外に活躍するケースがある。

　エンジンによる流し釣りでは風の影響を相殺するクラッチワークが必要になるが、特に風がさほど強くなかったりすると、ボートがふらつきがちになり、ステアリング＆クラッチワークを繰り返すのは大変になってしまう。そんなときにパワーの弱い補機でクラッチを入れっぱなしにすると、いい感じにスピードが合い、しかも常に推力が掛かっているために挙動も安定するこ

流し釣りである程度風が弱い場合、推力の弱い補機を使うとスピードの調整が容易で操船しやすいことがある

バウモーターはシーバスフィッシングから波及した。最近は流し釣りでボートを風に立てるための補助装置としても活躍している

とがある。補機の活用は安全対策に有効だし、メインテナンス上もおすすめなので一考の価値はある。ただし、2ストロークを低回転で回すとかぶりやすいので、補機を流し釣りに使うなら4ストロークを選ぶこと。

バウモーター

　バウデッキに取り付ける電動モーターで、エレクトリックモーター、エレキと呼ばれることもある。もともとはブラックバスフィッシングで発明されたフィッシングギアで、淡水用のバリエーションは豊富だが、ソルトウォーター仕様となると種類は限られる。

　バウモーターの用途は主に2通り。ひとつは風に立てる補助装置として使う場合。もうひとつは岸壁や橋ゲタなどをキャスティングで細かくねらう操船の推力だ。後者のような使い方はシーバスフィッシングで一般的。

フィッシング艤装

［ボトムフィッシング用］

ロッドホルダー&バケツホルダー

　何かと忙しい手前船頭はもちろんのこと、比較的揺れが大きく、スペースの限られたプレジャーボートではロッドホルダーの有無が手返しのよさに直結する。アングラーに専念してずっと手持ちで釣るにしても、仕掛けの上げ下げや小移動のときにはロッドホルダーが欲しくなるものだ。また、サオ休めとしてロッドやリールを不用意に傷めるトラブルも防止できる。ロッドホルダーは是が非でも装備したい艤装のひとつである。

　各社からさまざまなタイプのロッドホルダーが市販されているが、適したロッドホルダーは釣法とタックルによって異なる。大物ねらいやビシ釣り、電動リール

上：舷縁上部だけでなく、舷縁の垂直面やレイルに取り付けるロッドホルダーもある。釣りのスタイルによってアイテム、取り付け方もいろいろ
左：スペースが限られるプレジャーボートにロッドホルダーは欠かせない。バケツホルダーとセットならコマセ釣法の手返しもスムーズ

BOAT FISHING BIBLE

第4章　艤装に凝る
Outfitting a Fishing Boat

を使う場合などにはロッドにアタッチメントを固定する遊漁船でもおなじみの本格仕様がベター。とりわけビシ釣りでは、ホルダーにサオをセットしたまま寄せエサを振り出したり誘ったりできる、仰角を変えられる製品が便利だ。小物ザオやちょっとしたサオ休め用には、いわゆるサオ掛けタイプも使いやすい。手返しにこだわらなければ単にパイプに差し込む方式でも十分だろう。

ロッドホルダーを選ぶときには設置場所にも注意しよう。ブルワークトップ（舷縁上部）に取り付けるものは十分な幅があることが第一条件になる。他にはレイルを利用したり、ブルワークの垂直面に取り付けるサイドマウントタイプがある。取り付け方法はボルトオンが頑丈だが、タッピングネジでも強度に問題はない。

寄せエサを使う釣りにはバケツホルダーも重宝する。なかでも便利なのはロッドホルダーのベースにセットできるタイプ。自分の釣り方に合わせてロッドホルダーと並べて外舷に艤装すれば、手返しがアップすると同時にボートの汚れも抑えられる。

ロッドホルダーはボトムフィッシングの大変重要なエクイップメントである。手返しのよさやサオを置く角度など、その使い勝手は釣果を大きく左右すると言っても過言ではないだけに、自分のスタイルに合ったものをしっかりと選んでおこう。

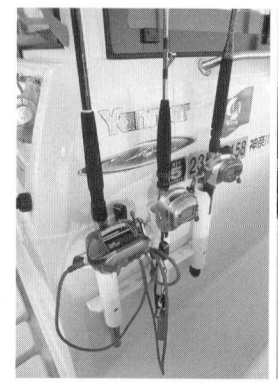

左：サオを収納しておく艤装がロッドラック。プラスチック製で、サオが回転しないよう切り込みのあるこのタイプがポピュラー
右：サオの置き場に困るだけでなく、衝撃や揺れも大きなプレジャーボートでは、少し多すぎるくらいにロッドラックを設置しておくと安心だ

艤装の注意点は、釣りやボート内を移動するときの邪魔にならないこと。サオを差し込むと意外とリールが出っ張ることもあるので気をつけよう。また、釣り座に近いほうが便利は便利だが、あまり近すぎるとサオやラック自体に仕掛けが絡む可能性がある。キャスティングをしたり、長い仕掛けを使う釣りでは特に要注意だ。ロッドホルダーと役割が違うので、無理に釣り座の近くに取り付けることはない。数が多いと助かるのは事実だが、自分の釣りのスタイルに合わせてスマートに艤装したいものだ。

ロッドラック

サオを収納しておくための艤装がロッドラックである。スペースの限られたプレジャーボートでは、ちゃんとロッドを整理しておかないと収拾がつかないばかりでなく、走行中の衝撃でサオやリールが傷むこともしばしば。少し多すぎると思うくらい取り付けておいたほうが安心だ。

ロッドラックは垂直に立てておくタイプが一般的。たいした強度はいらないから、プラスチック製でも十分。人気はリールがはまって回転を防げる切り込みのあるタイプである。こうしたロッドラックには、サオだけでなく、タモやギャフ、ボートフックなども差し込める。ある程度数がいるので、1カ所に何本分かを並べて艤装することが多い。

イケス＆ベイトタンク

釣った魚を生かして保存したり、生きエサを入れておけるイケスはフィッシングボートでは人気の艤装。しかし、プレジャーボートは吃水が浅いので、船底に設置する漁船方式だと走ったときに水が抜けたりかき回されたりして、実はあまり魚に優しくない。しばらく走ったあとに覗いてみたら魚が全部ひっくり返っていた、なんてことはよくある話。釣った魚を入れておくならまだしも、生きエサをキープするなら水量調整パイプなどを取り付けて使うか、海水循環ポンプ付きのベイトタンクを取り付けるのがおすすめだ。ベイトタンクならイワシやサバも生かしておける。ベイトウェルの艤装はけっこうかさばり、しかも水を入れると重いので、設置スペースが課題となる。

魚を傷めない海水循環ポンプ付きのベイトタンクならイワシやサバも生かしておける。難点は設置スペースと、使用時に非常に重いこと

電動リール用電源

　最近は電動リールの小型化が著しく、一段と小型で使い勝手のすぐれた電動リールが毎年のように発売されている。電動リールは操船に忙しい手前船頭の釣りにはとにかく便利。さらに他船を避ける場合など、巻き上げの速さは安全対策上も有効で、最近は水深が浅くても愛用するボートアングラーが増えてきている。

　ボートにサブバッテリーを積んでいる場合は、配線を回して電動リール用の電源を確保しておくと何かと便利である。いちいち専用のバッテリーを持ち込む必要がなく、釣りの途中でのバッテリー切れや、万一のバッテリー忘れもない。電源の端末にはワニ口クリップ用からソケットタイプまでさまざまな商品が市販されている。

電動リールをよく使う場合は電源を確保しておくと何かと便利。ワニ口クリップやソケット用など、さまざまなタイプがある

［トローリング用］

アウトリガー

　スポーツフィッシャーにつきものの、ボートの左右に開いた大きなサオのような装置がアウトリガーだ。これがあるとルアーの間隔を広げられてラインが絡みにくくなり、流すルアーの数を増やせてヒットの確率が高くなる。

　アウトリガーを選ぶ際には注意が必要。というのも、抵抗の大きな仕掛けを使う日本式の曳き釣りと、ロッドとリールでファイトを楽しむトローリングでは適したポール（ロッド）アクションが異なるためである。

　アウトリガーロッドの素材にはアルミ、グラス（FRP）、アルミ＋グラス、カーボンなどがある。アルミはスポーツフィッシング用にアメリカで開発されたもので、軽量で硬く、ルアーアクションが安定している反面、粘りに欠けるので、仕掛けの抵抗が大きな曳き釣りには使えない。逆にFRPは従来曳き釣りに使っていた竹の代用品として生まれ、粘りがあり、比較的曳き釣りに向いて

左右に大きく開いた長いロッドがアウトリガー。メインラインの左右の間隔を広げて、流すルアーの数を増やすためのアイテム

Tトップやハードトップに取り付けるタイプのアウトリガーなら、従来タイプのように釣りスペースを邪魔することがない

いる。アルミ＋グラスロッドやカーボンはその中間的な性格である。仕掛けの抵抗が少ないトローリングでは、使おうと思えばどのタイプも使えるのだが、ロッドのしなりが大きすぎるとルアーのアクションに影響する。トローリングで使いやすいのは軽量で硬調のもの。とはいえ、曳き釣りも可能な兼用タイプもあるので、アウトリガーを取り付ける際には、ビッグゲームにトライしたいのか、それとも曳き釣りもやってみたいのかなど、将来性も含めて考えたい。

アウトリガーを使うには、ロッドのほかにロッドホルダーとラインをセットするリギングキット（ハリヤードライン）がいる。

先にロッドの説明をしたが、順番としてはボートに合うクラスのロッドホルダーを選んでから、それに適合するロッドを選択するのが原則。船体だけでなく、Tトップに取り付けられるロッドホルダーもある。スペースの限られた小型艇には便利なエクイップメントだ。

リギングキットには、魚がヒットするとラインが外れるリリース装置と、ラバーバンド（輪ゴム）を利用するタイプがある。リリース装置はラインの長さを調整できるが、ヒットするたびにリーダーを上げ下ろしする手間がかかる。ラバーバンドではその手間がいらないもの

の、セットしたラインの長さを変えられない。という具合にいずれも一長一短がある。

ロッドホルダー

重いトローリングタックルを手に持ってストライクを待ち続けるのは無理な話。タックルの重さとロッドの角度が違ううえ、ロッドホルダーの底にロッドをしっかり固定できるロックピンも必要だから、基本的にボトムフィッシングと兼用もできない。専用のロッドホルダーはトローリングに不可欠である。

トローリング用のロッドホルダーには、ブルワークに埋め込むもの、レイルに取り付けるクランプ式、ファイティングチェアやリーニングポストと一体型のものなどがある。魚がヒットしたときには大きな力がかかるため、いずれも金属製のしっかりしたものが必須。ヘビータックルを使うビッグゲームでは特に頑丈なものがいる。なお、ロッドホルダーの取り付け位置や角度はコクピットの広さやトローリングシステムによって大きく異なる。魚がヒットしたときのクルーの動線やタックルのさばきやすさを考慮した、自分のボートに合ったレイアウトが大切だ。

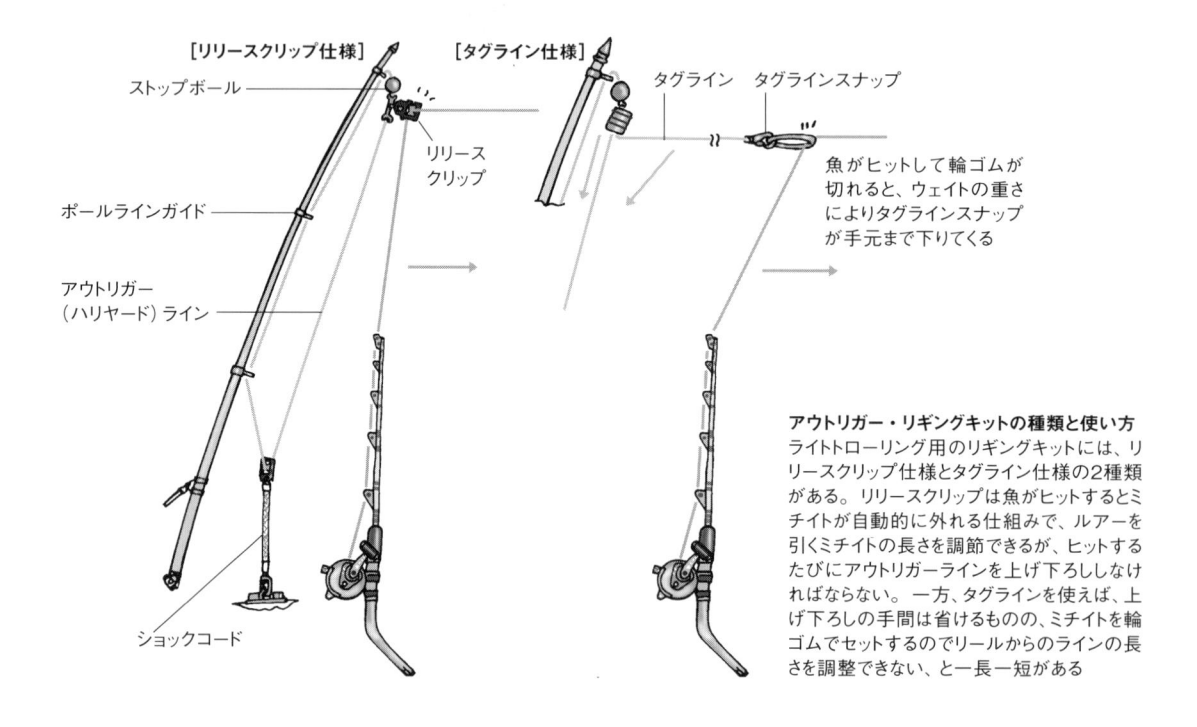

アウトリガー・リギングキットの種類と使い方
ライトトローリング用のリギングキットには、リリースクリップ仕様とタグライン仕様の2種類がある。リリースクリップは魚がヒットするとミチイトが自動的に外れる仕組みで、ルアーを引くミチイトの長さを調節できるが、ヒットするたびにアウトリガーラインを上げ下ろししなければならない。一方、タグラインを使えば、上げ下ろしの手間は省けるものの、ミチイトを輪ゴムでセットするのでリールからのラインの長さを調整できない、と一長一短がある

重いタックルを使うトローリングにはロッドホルダーが不可欠。パイプの底にロックピンのあるものがトローリング用

ロッドラック

トローリングといってもライトからヘビーまで各種のクラスがあり、本格的に臨むようになると、エリアやターゲットのサイズに合わせて何セットかのタックルを使い分けたくなるもの。重くかさばるトローリングタックルは置き場所に困るものだけれど、釣りの間はできればタックルを手近な場所に置いておきたい。そうなると、ある程度の数のロッドを収納しておくラックが必要になる。

ロッドホルダーとの違いはストライクを直接取るかどうか。兼用できるモノはあっても、基本的には取り付け位置が異なるのでロッドホルダーとラックは別に考える。ロケットランチャーをはじめ、ある程度まとめて並べておけるタイプがたくさんのロッドを収納できて便利。ロッドラックのセッティングは釣りの邪魔にならず、十分な強度を備え、さらに航行を妨げない配慮もいる。

ファイティングチェア＆バトルステーション

主にカジキやマグロなどのビッグゲームで使うもの。ファイト用のイスが文字通りファイティングチェアで、スタンダップファイトのときにもたれかかる支えがバトルステーションだ。ファイティングチェアは素材やデザインによってさまざまなタイプがあるが、最も重要なのは強度。普通は50、80、130などチェアもラインと同じようにカテゴライズされており、クラスの上のものほど丈夫で長持ちするので、なるべく強いものを取り付けるほうがいいだろう。バトルステーションの場合もやはり強度が重要。こちらはチェアほど種類が多くはない。

重いトローリングタックルを収納しておくロッドラックにはある程度の強度がいる。ロケットランチャーのように複数並べられるものが便利

一般的にファイティングチェアはラインクラス同様、50、80、130というようにクラス分けされている。大きいものほど丈夫で長持ちする

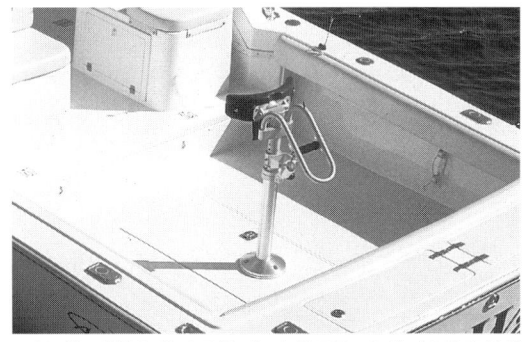

スタンダップ用のバトルステーションはスモールボートにも有効だ。イザというときに壊れたなんてことがないよう頑丈なものを選ぼう

魚探とGPS

［魚探］

魚探は超音波センサー

　ボートフィッシングに絶対欠かせないアイテム、魚群探知機。文字どおり魚群をはじめ、水深、底質、地形の変化など、まるで水の中を見ているかのように豊富な情報を得られる魔法の小箱だ。

　コンパクトで持ち運べる電池式から機能満載の大型ネットワーク対応モデルまで、最近は各社からさまざまな魚探が発売されている。オート機能が充実してきたおかげでだいぶ使いやすくもなってきた。しかし、ターゲットに応じた使い方があったり、ねらう深さによって向き不向きがあったりするから、単にあればいいというものではない。質の高いボートフィッシングを楽しむにはやはりしっかりと仕組みを理解し、自分のスタイルに合った魚探を使いたいもの。漫然と画面を見ているのと、ちゃんと使いこなすのとでは、釣果に大きな差が出て当たり前なのだ。

　まずは魚探の原理から。魚探とは、海底に向かって超音波を発信し、跳ね返ってくるまでの時間を計って画像化する装置のこと。ややこしく聞こえるかもしれないが、要はやまびこと同じ。山に向かって「ヤッホー」と言ったら戻ってくるアレである。

　超音波が水中を伝わる速度は秒速1,500m。すると、たとえばボートから海底に向けて発信した超音波が1秒で往復したのであれば、水深は1,500mの半分の750mである。また、海底に到達する前に超音波が魚に当たればそれも跳ね返される。この超音波を送受信する装置を振動子（トランスデューサー）といい、戻ってきた信号の時間を横軸に、水深を縦軸に、そして跳ね返ってきた信号の強さを色として表示したのが魚探の画面だ（イラスト1、イラスト2）。

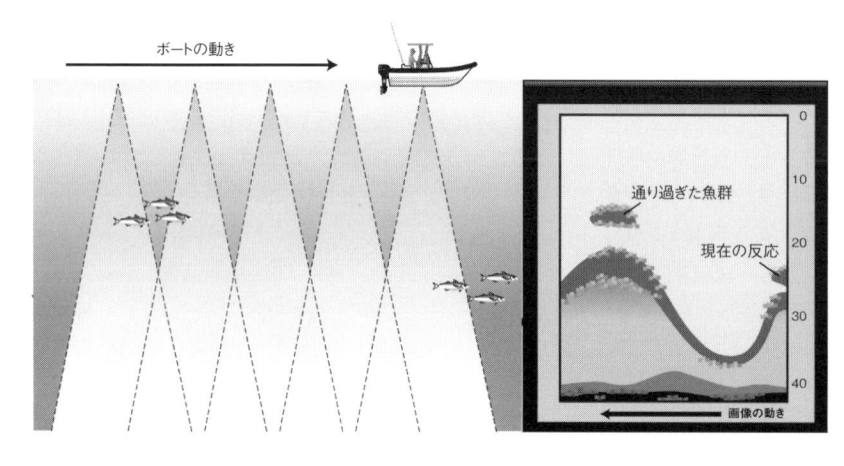

［イラスト1］
魚探の原理は山びこと同じ。魚探の画面表示は海底や魚群から跳ね返ってきた超音波を画像化したものだ。画面はスクロールしているので、リアルタイムの海底の様子は右端だけ。つまり、画像のほとんどは過去の状況であり、中央に魚群が映っていてもボートの真下にいるわけではない

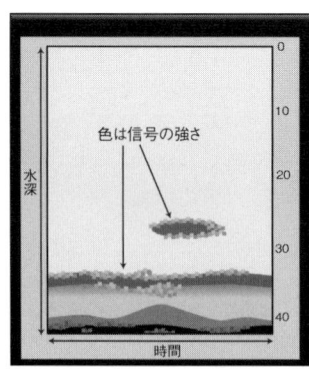

［イラスト2］
画像の色は反射してきた超音波の強弱を表している。メーカーや機種によって異なる場合もあるが、通常は反射が強いほうから赤茶、赤、橙、黄、黄緑、緑、青、藍の8色。硬いもののほうが反射は強く、画面の色は底質や魚種の判断材料になる

測れる深さは周波数で決まる

　魚探の性能は超音波の特性によって大きく左右される。このうち重要なのは、声の大きさにあたる「出力」と、高さに相当する「周波数」。特にカギとなるのが周波数だ。

　音や超音波が波として伝わるのはご存じのとおり。周波数とは1秒間にこの波が何個あるかを示した数字である。魚探では何種類かの周波数を使い分けており、50kHz（キロヘルツ）や200kHzが代表的。ボートフィッシングで使われるのはほぼ30～400kHzの範囲だ。

　周波数がなぜ重要かというと、ひとつには測定できる深さと関係があるためである。声と同じように考えたら、出力が大きいほど深いところまで届きそうに思えるが、実際にはそんなことはなく、測定できる水深は周波数によってほぼ決まってしまう。超音波が水中に吸収される度合いは周波数が低いほど少なく、遠くまで伝わる。ちなみに、プレジャーボートでよく使われる200kHzと50kHzで魚をとらえられる水深を比較すると、200kHzは100m、50kHzは500mくらいまで。これが28kHzになると1,000m以上カバーできる。

　ただし、カタログにはこれより深い水深が書かれていることが多いし、実際にはもう少し深くても使えるはず。それはカタログが魚ではなく、単純にその機械で測定できる水深を示しているからだ。また、測深距離は出力、底質、水温、水圧、塩分濃度などによっても若干変わり、メーカーによっても多少のズレがある。カタログには通常理想的なデータが書かれているもの。そこで、魚探を選ぶときの目安として「魚5割、底8割」と覚えておくとよいだろう。これは魚を画面に表示できる水深がカタログデータの5割、海底の場合は8割ということ。つまり、カタログで測深範囲が500mなら、問題なく魚が映る水深は250m、底質を判断できるレベルは400mという意味だ。

どのくらいの範囲を映しているのか

　ここまでの説明だと、周波数が低いほど有利に思えるはず。だが、話はそう単純ではない。周波数はさらに超音波の「指向角」と「分解能」にも関係している。

　振動子から発信された超音波は円錐状だが、中央部ほど強く、外側に行くほど弱くなり、実際には涙のような形になる（イラスト3）。音波の強さがちょうど半分になるところを「半減角」といい、その合計が「指向角」で超音波の有効範囲の目安となる。

　指向角は周波数が低いほど広い。50kHzではだいたい35～50度。対して、200kHzでは5～15度。つまり、周波数が低いほど広範囲をスキャンできる反面、根や魚群の正確な位置を特定しにくくなる。

　仮に200kHzの指向角が13度で50kHzが50度だとすると、水深100mでそれぞれ直径22mと93mの円をスキャンしている計算になる（イラスト4）。すると、2周波を同時に表示できる魚探では、50kHzでは魚群が表示されるのに、200kHzでは表示されないという現象が起こる。こんなときは50kHzの周波数でしかカバーできない場所に魚群がいる。ボートの下に仕掛けを落としても、魚群に届く確率は低いだろう。

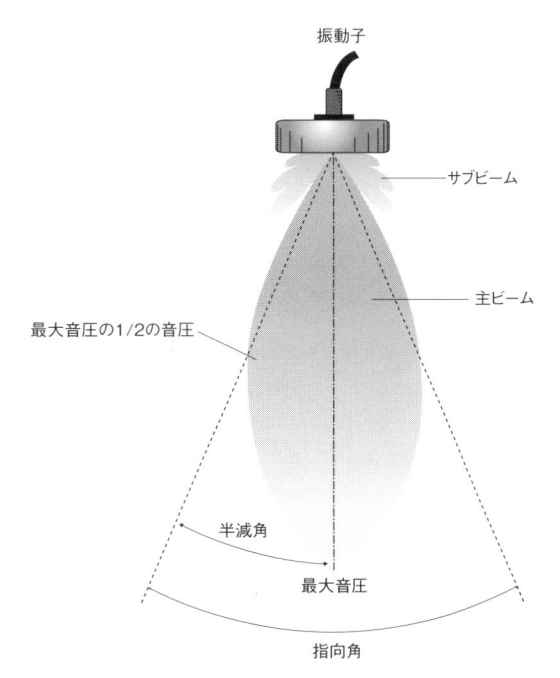

[イラスト3] 魚探の指向角
振動子から発射される超音波の形はグレーの部分のような涙型をしている。音波の強さがちょうど半分になる角度を指向角といい、測定する範囲の目安になる。ちなみに、音波の強さは感度（ゲイン）にもよるので、測深範囲は感度でも調整できる

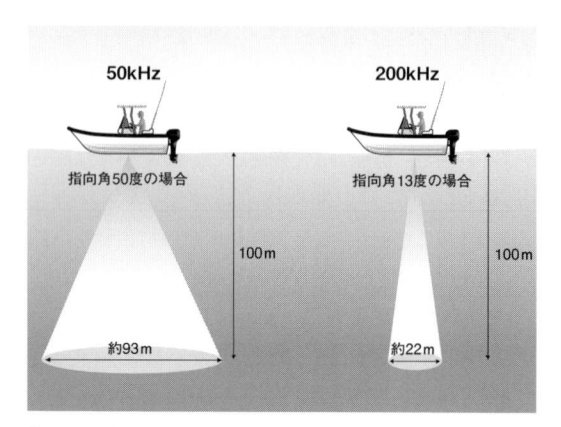

[イラスト4] 周波数による測深範囲の違い
周波数が低いほど指向角は広く、たとえば、50kHzと200kHzとではこんなにも測深範囲が変わってしまう。画面にはこれがすべて1本のタテ筋として表示されるから、ポイント選びの精度にも相当な影響がある

　ちなみに、200kHzで5～15度という具合に幅があるのは、指向角が振動子の面積にもよるため。振動子の面積が大きいほど指向角は狭い。よって、魚群や根の場所をより詳しく知るには振動子が大きいほど有利（その分、高価だが）。また、深くなるほど位置が曖昧になるので、同じ魚探でも深場仕様として、より大型の振動子が用意されている機種もある。

どれだけ詳しく見ているのか

　もうひとつの要素、「分解能」は、たとえばどれだけ魚や地形を細かく見られるかという能力である。底付近にいる魚を海底と分けて表示したり、まばらな魚群を1尾ずつ単体として表示するには高い分解能が求められる。
　分解能は周波数が高いほどすぐれている。周波数が高い、すなわち、波長が短くて指向角が狭いほど、超音波の密度が高く、より濃密で細かい信号を得られるのはイメージしやすいだろう。とりわけ魚は周波数が高いほど超音波を反射しやすく、その差が大きくなる。深くても十数メートルまでしかねらわないバスフィッシングでは、400kHz以上の高周波タイプが一般的だ。また200kHzと50kHzの2周波表示画面で比較すると、たとえばごく小さな魚の魚群だったりすると、200kHzでは映るのに50kHzに映らないケースも

出てくる。ちなみに、硬い骨のないイカが映りやすい周波数は魚と異なり、50～100kHzである。
　分解能を高めるもうひとつの方法は出力アップ。一般には出力を上げるとより深いところまで測定できると思われているようだが、実はそれよりも分解能を高める効果のほうが大きい。
　出力は超音波のパワーのことで、プレジャーボート用の一般的なカラー魚探では200～600W（ワット）、深場用で1～3kW（キロワット）、漁船で使う大型のものは3～5kW程度が主流。特にイカなどの映りにくいモノを見たり、小さなベイトフィッシュや仕掛けのタナなどを見たいときには1kW以上が欲しいところ。

振動子の取り付け方

　高い出力を得るには振動子の取り付け方法も重要だ。振動子が直接海水に触れていないと、魚探のもつ測深能力を100％生かすことはできない。また、「泡かみ」や「泡切れ」といって、振動子と水の間に空気が入ると超音波が減衰して、実質的に画像を表示できなくなる。
　振動子を取り付ける方法は大きく分けて3つある。
　ひとつめはハルを貫通させる「スルーハル」方式。振動子が直接海水に触れていることに加え、ある程度のスピードで走行しても泡かみが少ないなど、高い能力が期待できる方法だ。しかし、船底に穴を開けなければならないので、水密区画に取り付けたり、業者に依頼する必要が出てくる。船底に水平面があるかどうかもポイントだ。
　ふたつめは船外に取り付ける方法。取り付け金具でトランサムに固定したり、ステンレスパイプに付けて使用時に海中に降ろすのが一般的。振動子を直接水中に入れるため、画像は鮮明でも、特に船尾近くに取り付けると泡かみを起こしやすいのが弱点といえる。
　第三は船内に取り付ける「インナーハル」。種類によっては取り付けキットも販売されており、設置は比較的簡単だが、音波がハルによって減衰してしまうので能力は低下する。ハルを通すと超音波は半減すると言われる。超音波は往復するから半分の半分で実

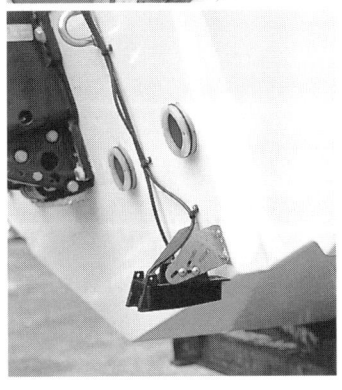

上：インナーハルやスルーハル方式では船内に取り付ける
左：振動子を金具を用いてトランサムに取り付けた例

質的に出力は4分の1。測深距離では約2割が犠牲になる場合もあるという。

魚探の画像から読み取れること

　魚探で知りたいことは水深、底質、魚群の種類、そして地形などだろう。

　水深は数字で表示されるからすぐにわかる。

　底質は海底の反応の色と厚さで判断できる。海底は魚よりも反射波が強いので、ふつうは赤い反応になる。海底が硬いとこれが厚く、軟らかいと薄くなる。

　海底の反応の幅は尾引きといって、よく見ると下のほうの色が黄色とか青になっているはず（イラスト5）。海底が硬いと指向角の外側からも反射波が戻ってくるために、時間差が生まれて尾引きが長くなる。その結果、海底が厚くなるわけだ。逆に、砂泥底のように軟らかいと、反射波は中心付近からしか戻って来ず、尾引きは短い。また、海底に傾斜があると超音波がより多くの面積から跳ね返されるので、幅はやや厚くなる。

　ただし、こうした傾向は相対的なものであり、感度調整（ゲイン）にもよるので、総合的な判断が必要だ。感度が高いときには海底が水深の整数倍のスケールで2重、3重に表示されることもある。なお、50kHzと200kHzとでは、指向角が広くて広範囲から反射波を受け取る50kHzのほうが当然尾引きは長い（イラスト6）。

　気になる魚の種類だが、魚の習性によってある程度の区別はつくものの、残念ながら今のところ魚種を識別する機能はない。こればかりは釣りをしながら経験を積み重ねて慣れるしかない。

　それよりも、ポイントを選ぶにあたって重要なのは地形のほうだ。地形が詳しくわかれば、潮流、魚群（ベイトフィッシュ）の有無、ターゲットの習性などを考え合わせてポイントをより絞り込みやすくなる。

　釣り場に到着したら、サオを出す前にまず周辺をタテ、ヨコ、ナナメに縫うようにして一定のパターンで魚探をかけてみるとよい。このときにGPSの航跡と併せ

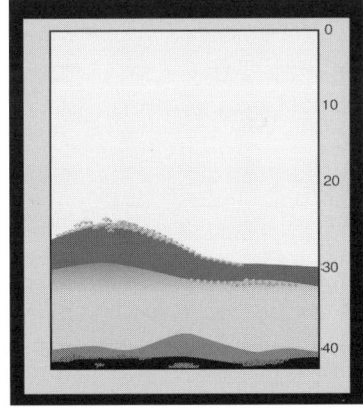

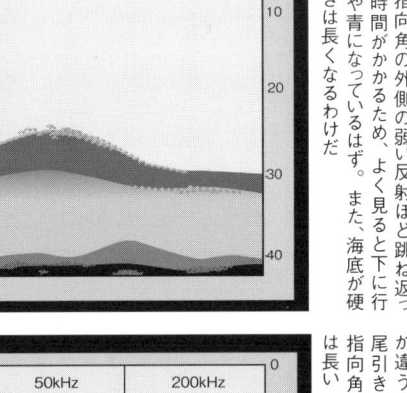

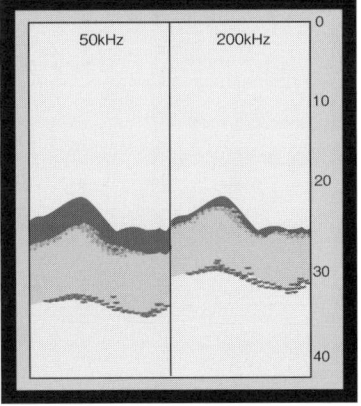

【イラスト5】
海底の厚みを尾引きといい、反射波の時間差を示している。指向角の外側の弱い反射波ほど跳ね返ってくるのに時間がかかるため、よく見ると下に行くほど黄色や青になっているはず。また、海底が硬いほど尾引きは長くなるわけだ

【イラスト6】
50キロヘルツ（kHz）と200キロヘルツを同時に表示する画面では指向角が違うため、2周波の尾引きの長さ、すなわち、海底の厚さが異なる。指向角が広い50キロヘルツのほうが、当然、尾引きは長い

て判断するとよりイメージしやすいだろう。海底の様子を3次元的に頭の中に描ければ理想だが、だいたいの地形を把握したあと、根の頂上や地形の変化、魚群などをGPSにマークすれば確実。

画面を見るときに注意すべき点は、画面中央の反応はボート直下のものではないということ。これは意外にビギナーが陥りやすい落とし穴だ。魚探の画面はリアルタイムの反応を右端に映して右から左へスクロールしている。だから、今現在のボート下の反応は右端だけ。つまり、魚探の映像はほとんど過去のものなのだ。

画像の映り方にはボートの速度と画面を送るスピードも関係している。具体的に言うと、たとえば、アンカリングしてボートが固定されていれば、いくら険しい根の上にいても海底はずっとフラットのまま。小さな魚群でもずっとボート下に留まっていれば巨大な反応になる。逆に、ボートが高速で走っていると、たいして凸凹がない海底も起伏が激しく見えてしまう。ボートとスクロールのスピードもまた相対的な関係にあるため、画像を送る速さをしょっちゅう変えるとスケールがわかりにくい。自分の魚探ではスクロールスピードを固定しておくのがベター。そして、海中の細かい違いがよくわかるように、スクロールスピードは速めに設定しておくのがおすすめだ。

なお、大きな魚の反応はしばしば「へ」の字になって現れる（イラスト7）。たとえば、水深20mにいる大きな魚の上を通りすぎたとしよう。最初に反応が出るのは超音波の指向角のフチに入ったときで、角度がある分、振動子までの距離は20m以上と計測される。そのままボートが魚に近づくと真上を通るときにぴったり20mになり、また少しずつ遠ざかっていくにつれて20m以上になる。その結果、魚の反応は20mを頂点とした「へ」の字になるという具合だ。この現象は指向角の大きな低い周波数ほど顕著である。

釣りのスタイルが魚探を選ぶ

では、どんな魚探がいいのかというと、自分がねらう水深に届くもので、なるべく高周波、かつ出力が高いものということになる。

各社のカタログを見るとさまざまなスペックの魚探が並んでいるが、今のところオールマイティーに使えるのは50／200kHzの2周波タイプだろう。50kHzなら水深500mの深場にも対応し、イカの反応もばっちり。水深100m以内のポイントでは200kHzを使って、より細かい情報を得ることができる。さらに2周波を同時に表示できる機能を駆使して、これまで述べた周波数による特性の違いから、単独周波数の魚探では得られない2次的なデータも入手可能とメリットは多い。

500m以上の深場も釣りたい向きには、50kHz以下で深場用の振動子のあるモデルがおすすめだ。逆に、浅場だけに絞って楽しむのであれば400kHzも選択肢のひとつである。

ただし、エレクトロニクス技術の進歩にともない、低周波数から高周波数までの音波を連続的に変化させて発信、解析する「CHIRP（チャープ）」など、より高度な機能をもった魚探も登場している。底近くの魚を海底とはっきりと分けて表示できるなど、さまざまな周波数からの情報は格段に多い。電子機器の進歩はとても速いので、魚探を選ぶときは常に最新の情報をチェックしたい。

周波数を決めたあとは、取り付け場所、機能、予算などと照らし合わせて自分の釣りのスタイルにマッチした魚探を選ぼう。

[イラスト7] 大きな魚が「へ」の字状に映し出される。これはボート下を魚が通過するときの距離の変わり方に対応している

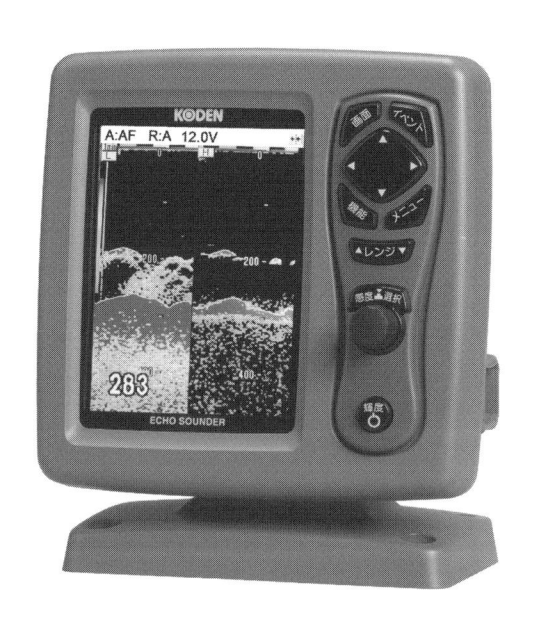

2周波カラー魚探
反射波の強さが色分けされているカラー魚探は底質がわかりやすい。海藻やイカも比較的簡単に見分けがつく。2周波を同時に表示できれば、周波数による特性の違いからさらに情報量が増える

ソナー

魚探の振動子にスキャンニング機能をもたせ、周囲360度から、海底地形の断面画像など、海底の様子を多角的に表示できる高性能タイプの魚群探知機。いわば海中レーダーである。

ななめ下を向いた振動子が周囲の海底を360度スキャンし、自船を中心とした円で画像を表示するので、魚群や根がボートの何時の方向にあるか、さらには魚群がどの方向に移動しているかまでを特定できる。ボートの直下しか見られない魚探では、水平方向の位置情報が得られず、魚群の反応が消えると次にどちらへ向かえばいいかわからない。対して、ソナーなら移動する魚群を追うことができる。

一般の魚探に比べると振動子が大きく、しかも海底に飛び出す格好になるために取り付け場所の確保が難しい。比較的安くなってきたとはいえ、魚探と比べると高価なのも難点だが、特に回遊魚やベイトフィッシュに付いた魚をねらうときには圧倒的な差をもたらす超強力な魚群探査ツールである。

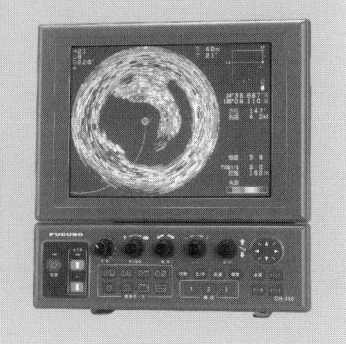

[GPS]

そもそもは航海用の測位システム

いまや海以外でもカーナビや携帯電話などでおなじみだが、かいつまんで説明すると、GPSはグローバルポジショニングシステム(Global Positioning System)の略称で、地上2万キロの上空を飛ぶ衛星からの電波を利用した世界的な測位システムである。空が見渡せる場所であれば、24時間、どこでも緯度、経度、高度、時間を求められ、その精度は平均10m以内と非常に高い。

プレジャーボートに取り付ける一般的なGPSは"GPSプロッター"と呼ばれるもの。本来、GPSは測位システムだから、1次的な情報は自船の緯度、経度などの数値だけで、これを表示する機器を"GPS航法装置"という。しかし、数字だけでは使いづらいので、地図の上に自船の緯度、経度を記録できるようにしたものがGPSプロッターだ。

道路もない海の上では、自分がどこにいるのかがわかるだけでも実にありがたいはず。通常はさらに過去の情報を蓄積できるようになっており、針路の方位や航跡、魚礁などのポイントも表示できる。この航跡と魚探の画像を照らし合わせて使うのがボートフィッシングでは有効だ。地図のタテ・ヨコの情報に魚探の深さを加えれば海底の地形を3次元的にイメージできるし、精度が高いのでメートル単位でポイントを把握できる。また、GPSをはじめとする航行機器と魚探の情報を合わせて、海底の地形を3Dで表示するGPSやPCソフトもある。

より精度の高いDGPS

地域、季節、時間、天候などによってGPSの精度は変動するので要注意。一般に高緯度地帯のほうが精度は高く、季節的には10月と2月を中心に悪くなる。また、午前中よりも午後のほうが不安定だ。その他にも天気等のせいで補足できる衛星の数が減ると精度が下がり、全体として数十メートルの誤差が出る

BOAT FISHING BIBLE

第4章 艤装に凝る
Outfitting a Fishing Boat

GPSプロッター
自船の位置を地図上に表示できるだけでなく、航跡やポイントのマークも記憶できる。魚探と併用すれば3次元的情報が得られる

GPS魚探
ポイントを探すときにはGPSと魚探画面を同時に見ることが多いので、ボートフィッシングではGPS魚探が一般的。コストパフォーマンス的にも有利で、設置スペースが小さくて済むのも人気の理由だ

こともある。

　こうした誤差を補正するGPSがDGPSである。DGPSはDifferential GPSのことで、地上のGPS局の位置情報も受信してより正確な位置を割り出す機能を持っている。その誤差はGPSの10分の1といわれ、実際の精度は数メートル以内というスグレモノだ。これよりも精度の高い方法は2方向の見通し線を重ね合わせるヤマダテしかないが、実際にはDGPSで必要十分。精度の高いポイント選びを求めるのであれば、多少高価だがDGPSのほうがいいだろう。ちなみに、DGPSにはGPSのアンテナに加えて、地上局からの補正電波を受信する長いアンテナがある。

　市販のGPSプロッターには主に3つのタイプがある。ボートアングラーの間でもっとも普及しているのが、魚探と一体化したGPS魚探。もうひとつは単体のGPSプロッター。これはすでに魚探を取り付けてある場合や、深場用に専用の魚探を設置しているボートに多い。最後はハンディ（ハンドヘルド）GPSやスマホアプリなどの持ち運べるタイプで、携帯やミニボートに便利。ハンディGPSのなかには緯度・経度だけを表示するものもある。

　GPS、DGPSの違いだけで、市販のGPSの基本性能はどれもほとんど変わらない。自分のボートに合ったサイズや機能、価格などを基準に選べばOK。オールマイティーに使うのであればやはり魚探と一体になったGPS魚探が設置スペースを節約でき、魚探と同時に見られて使いやすい。

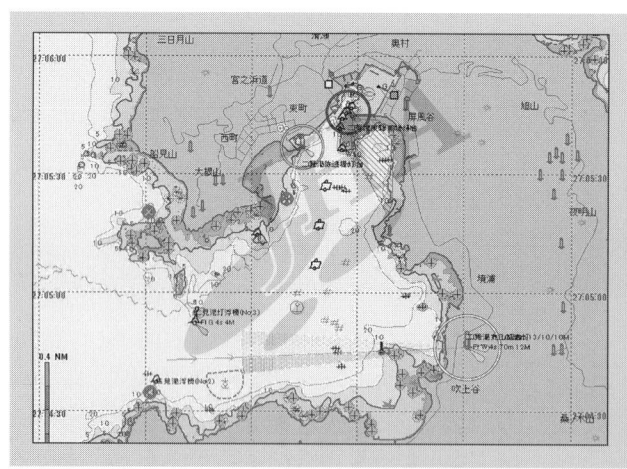

「new pec」表示機能

「new pec」は日本水路協会が発行する航海用電子参考図で、これをもとに1m/2m/5m/10mなどの細かい等深線データや、定置網、漁具、航路標識などを表示する機能があり、PC版での運用のほか、各種舶用機器やモバイルアプリ版など、用途に合わせて選択できる。詳しく等深線が描かれている海底地形図に自船の位置や航跡を描ければ、ポイントを探すうえで強力な武器になるのは明らか。この手の情報ツールが今後ますます充実するのは確実だ。

一般財団法人日本水路協会出版の
new pec（航海用電子参考図）から転載
（一財）日本水路協会承認 第20190107号

第 5 章

Boat Control for Fishing
ボートコントロール

タックルはある。ボートも買った。
だが、いくら釣りのウデがよくてもそれだけじゃ釣れないのがボートフィッシング。
ねらった魚を手にするには、ボートをしっかりコントロールするのが先決だ。
ボートという強い味方も、使いこなせなければ単なる足かせ。
ボートフィッシングで"釣るための"ボートコントロール・テクニックを徹底解説──。

BOAT FISHING BIBLE

BOAT FISHING BIBLE

第5章 ボートコントロール
Boat Control for Fishing

アンカリング

停泊のついでに釣りをするといった、お手軽、ビギナー向けのイメージもあるアンカリング。だが、アンカーを打てば釣りに集中できるうえ、寄せエサの効果も高いなど、釣りにおけるメリットは大きい。魚を釣るための最強のボートコントロールのひとつである。

釣法ととても関わりの深いテクニック

のんびりサオを出せるし、ゆっくりランチも食べられる。プレジャーボートのアンカリングの釣りというと、こんなふうに停泊のついでにサオを出すようなイメージがあるかもしれない。確かにそういう手軽な面も魅力だが、ボートフィッシングにおいて、アンカリングは実に頼もしいボートコントロールのひとつ。釣り方やターゲットも多彩なのでぜひとも存分に活用したいテクニックである。

それにはまず釣りにおけるアンカリングの長所と短所をしっかり理解しておきたい。ボトムフィッシングの操船テクニックのなかでも、とりわけ釣法と縁が深いのがこのアンカリング。釣りと絡めて理解してこそ釣果アップにつながるのだ。

アンカリングの一番の特徴はボートを固定できることである。沖にあるブイなどにボートを留める場合も広義のアンカリングといえる。そういうもの自体がアンカーで固定されているからだ。釣りのためのボートコントロールにはさまざまなやり方があるが、ボートを固定できる方法はアンカリングか、GPSと連動したハイテク自動操船システムのみだ。

ボートを固定するメリットは何と言ってもピンポイントを徹底的にねらえることである。

カサゴやハタといった岩陰の根魚から、回遊性のあるアジやマダイまで、ボトムフィッシングのターゲットはさまざま。だが、条件のそろった好ポイントは限られているもの。岩場に潜む根魚には移動しないイメージもあるが、エサの豊富な一等地には根魚もしっかり回ってくる。こんなピンポイントを攻略するにはアンカリングが有利なことは間違いない。

アンカリングが効果的な釣り方もある。たとえば、寄せエサを使う釣法だ。

ポイントが絞り込めなくても、ボートを固定していれば、寄せエサで魚を一点、もしくは一定のコースに集められる。特に完全フカセや磯釣りの釣法を応用したウキフカセなど、海面から寄せエサを撒く釣り方は、しっかりしたアンカリング抜きには成立しない。

コマセダイやワラサ、イサキのビシ釣りなど、流し釣りで寄せエサを使うこともあるが、それは主に食い気を誘うのが目的で、魚を集めるためではない。その証拠に、流し釣りによるビシ釣りでも必ずピンポイントをダイレクトにねらっているはずだ。まあ、遊漁船のように大勢で寄せエサを撒き続ければいくらか魚は集まるかもしれないが、遊漁船のシステムはそもそもたくさんの人が同時にサオを出すためのもの。ボートを固定したほうが寄せエサの効果は圧倒的に高いし、見知らぬ同乗者と釣果を分け合う方法を鵜呑みにすることはないだろう。

ただし、遊漁船や漁船が流し釣りをしている場所や、流し釣りが原則の漁区でアンカリングするのは厳禁だ。また、アンカリングをしている他船の潮下に入るのもマナー違反である。そのボートははるか潮下の魚をねらっているかもしれない。アンカリングの釣りでは、基本的に他船の潮下に入るのは避けるべき。いずれの場合も迷惑極まりないので、ローカルルールやマナーはしっかり守ること。

ボートを固定する以外にも、アンカリングのメリットはある。

エンジンを止められるのは、たとえばシロギスなど、浅場のデリケートな魚を釣るのに有利。こうしたターゲットにはパラシュートアンカーも有効だが、磯際などでは危険なこともある。アンカリングしたうえで、チョイ投げやウキフカセで広範囲を探れば、安全かつ効率よく浅場の釣りが楽しめる。また、広く探る方法として、あえて走錨させたり、ロープを長めに出してボートを

振らせる裏ワザもある。

　操船にわずらわされず、全員が釣りに集中できるのも長所。流し釣りのように操船にかかりっきりの犠牲者（?）が出ないのは、もしかするとアンカリングの最大のメリットかもしれない。

　一方、アンカリングのデメリットといえば、まずは深場が苦手なことが挙げられる。水深が深いほど重装備が必要だし、アンカーロードを長く出すからボートの振れ幅が大きくなってボートポジションが安定しにくい。さらに潮流の影響も加わって、アンカーも仕掛けもねらった場所に送り込むのが難しくなる。どのくらいの水深までアンカリングできるかはボートのサイズや装備にもよるが、プレジャーボートで釣りやすいのは一般的に水深50mくらいまで。深くても100m程度が限界だろう。

　潮流が速すぎる状況も不得意だ。ボートはしっかり止まっても、仕掛けがフケてしまって釣りにならない。また、気持ちの問題だが、アンカーの揚げ下ろしが大変で、ポイント移動がおっくうになりがちなのも短所といえば短所だろう。

　短所ではないものの、安全対策も忘れてはならない。航路内や防波堤の先端付近でのアンカリングはご法度。また、特にボートが小さいと、他船の引き波やヨタ波などで危険な目に遭う場合があるので、くれぐれも見張りを忘れないように。

アンカー選びのポイント

■種類

　ひとくちにアンカーといっても実にたくさんの種類がある。アンカーを使い分ける目安は海底の地質で、①砂泥、②岩礁、③両方が入り混じった場所、の3パターンだ。

　砂泥と岩礁用のアンカーに求められる機能はまったく違う。最近は万能型も登場しているが、それぞれの底質でしっかり釣りをしたいなら、砂用と岩場用の2種類が欲しいところだ。

　砂泥地用のアンカーは面積の大きなフルーク（爪）、いわゆる"ブレード"を備えているのが特徴。アンカーロープがボートに引っぱられると、このブレードが海底の砂や泥にめり込むようになっており、大きな把駐力（海底の砂や泥を掻いて船を固定する力）を発揮す

底質別フィッシング用アンカーの種類と特徴

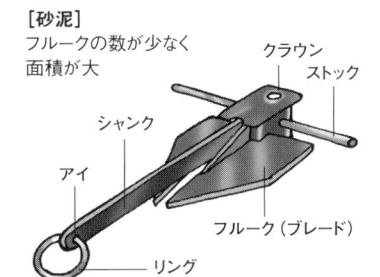

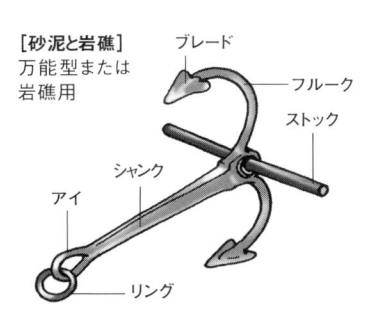

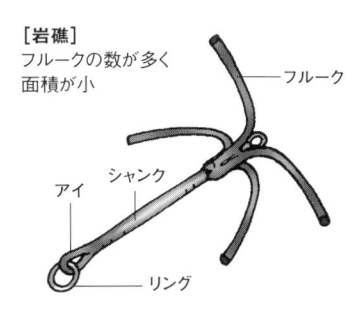

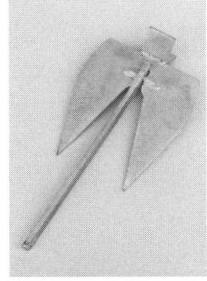

［砂泥］
フルークの数が少なく面積が大

［砂泥と岩礁］
万能型または岩礁用

［岩礁］
フルークの数が多く面積が小

コンパクトで低価格な砂泥用の「ブリタニーアンカー」

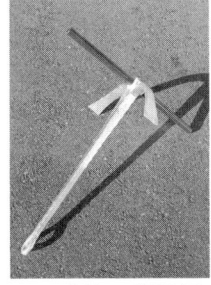

ストックを外して場所を取らない万能型の「二爪錨アンカー」

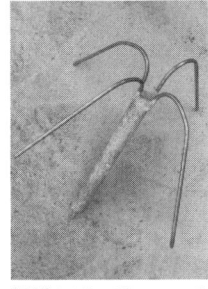

根掛かりしてもフルークが伸びて回収できる岩礁用の「ロックアンカー」

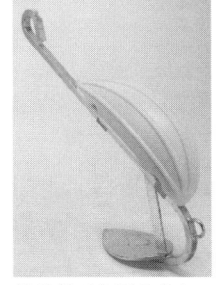

超軽量で負担の少ない万能型の「フロートスタンディングアンカー」

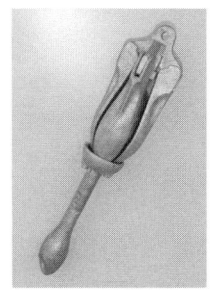

折り畳めて携帯にも便利な「フォールディングアンカー」

写真提供：フレンドマリンサービス

る。コンパクトで把駐力が大きなものほど高性能と言え、ダンフォースアンカーをはじめ、さまざまなタイプが開発されている。

　一方、岩場用のアンカーは根掛かりしてもロストしないことが重要。そのため、フルークの数が多く、岩に掛かりやすく、かつ、シャンクがはまりにくい形状になる。フルークの数は4、5本が一般的だ。さらに、抜錨しやすいようフルークに曲がる素材を採用したり、ロープの結び位置が逆転するなどの工夫を凝らしたものも多い。

　ただ、根掛かりしにくいといっても、岩場ではアンカーを失うこともしばしば。いつも回収できるにこしたことはないが、岩場用アンカーは消耗品と考え、常に予備を持っていこう。

　砂泥と岩場用の中間的存在が万能タイプのストックアンカーである。これは岩場用のフルークの先端を大きくし、砂泥にも食い込むようにしたもの。最近はこの手のアンカーがたくさん発売されている。砂泥と岩礁の混じった場所をはじめ、まさにオールマイティーに使える。とはいえ、完全な砂泥や岩場ではやはり専用のアンカーに劣る。

　底質ではなく、ボートのサイズで選ぶアンカーもある。傘の部分が砂泥を掻くキノコのようなマッシュルームアンカーは、砂泥用でミニボート向き。また、ワンタッチでコンパクトに折りたため、収納場所も選ばないフォールディングアンカーは、ミニボートやサブアンカー用に重宝する。これは底質を選ばない万能タイプだ。

■サイズ（重さ）

　停泊する場合はいったん投入したらアンカーを入れなおすことはほとんどない。水深もほぼこちらの都合で選べる。しかし、釣りの場合は魚が主役。ポイントは魚によるし、移動も多い。また、ピンポイントをねらっているときなどは一発でアンカリングが決まらないケースがほとんどだ。

　つまり、釣りの場合はアンカーを上げ下げする頻度が一般のアンカリングに比べてはるかに高いといえる。アンカーを打つといっても、釣果アップには機動力も大切。となると、釣りでは手返しのよさを重視して、なるべくコンパクトで軽いアンカーを選びたい。

　ただし、アンカーのサイズはポイントの底質、水深、潮流、ボートの性質、そして釣り方など、その人のスタイルによって大きく変わる。たとえば、水深が100mに近い中深場を得意とするアングラーと、アンカリングは30m以内と割り切っている人とでは、同じボートでも選ぶアンカーはおのずと違うはず。一応、カタログには目安が示してあったりするが、釣り用のアンカー選びに正解はない。いわば、釣りのオモリを選ぶように自分なりのやり方を見つけるもの。エキスパートほど試行錯誤を続けているものだ。

■アンカーロード

　アンカー選びと同じくらい重要なのがアンカーロード。アンカーを結ぶロープやチェーンである。

　細くて重いロープほど、潮の抵抗を受けず、アンカーの利きはよい。しかし、手でたぐったりするときの使い勝手を考えると太さは8mm以上が無難だろう。今のロープは材質がよく、8打8mmのナイロンで破断強度は1トン以上。強さに問題はない。35フィートくらいまでのボートなら、太さが8mmから12mmで、柔らかくて手触りのよいものが使いやすい。また、錨泊用には伸びがあって抜錨を防げる3打がよいとこれまで言われてきたが、実際はヨレやすくて扱いにくい。アンカーを上げ下げすることの多い釣りでは、トラブルの少ない8打が適切だ。

　ブレードが砂泥に食い込む砂泥用のアンカーでは、水平方向に引かないと利きが極端に悪くなるので、アンカーとロープの間にチェーンを使う。チェーンは重さよりも長さが重要。最低3mは欲しい。

　一方、フルークを岩に引っ掛ける岩場用にチェーンは不要だ。チェーンがあるとかえってシャンクが岩に入り込みやすく、アンカーを失う原因にもなってしまう。ただし、アンカーから50cmくらいまでであれば根ズレ防止に効果的。根ズレ防止にはロープにビニールホースを被せるという裏ワザもある。ビニールホースはDIYショップやディスカウントショップで普通に売られているもので十分だ。

　アンカーとロープ、またはチェーンとロープの接続はシンブル（またはコース）とシャックルを使うのが一般的。ロープのアイにスプライスで入れるのがシンブル

で、チェーンやアンカーに接続するのがシャックルである。

しかし、釣りの場合はシンブルを使わずに直接結ぶのも手。釣りではアンカーロープがよく根ズレする。シンブル入りの傷ついたロープよりは、シンブルなしでも傷のないロープのほうが強いのは釣り人ならすぐにわかるはず。とりわけ岩場用のアンカーではロープが傷つくことが多いので、なるべくマメに交換できる接続法がベターである。自分でシンブルを入れられなかったり、面倒だという人には特におすすめだ。多少見劣りするかもしれないが、直接もやい結びでも支障はない。

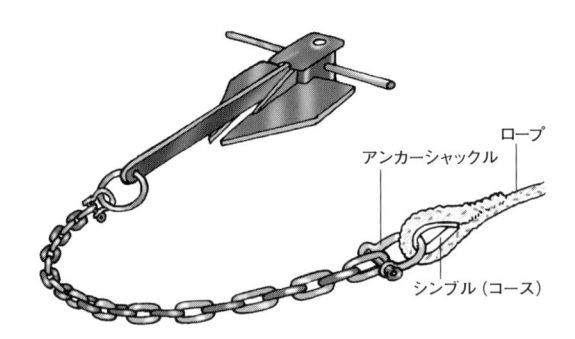

アンカーロードシステム（砂泥用）
ブレードが砂に食い込む砂泥用では、ロープの角度を水平近くに保つようチェーンを使う。チェーンは重さよりも長さが重要。岩礁用の場合はチェーンは不要

アンカリングのテクニック

■ボートポジション

アンカリングのテクニックを紹介する前に、ボートポジションに触れておきたい。せっかく思い通りにボートを固定できても、そこが的はずれだったら元も子もない。ボートをしっかり固定できるテクニックだからこそ、ボートポジションが重要なのだ。

理想のボートポジションはどこか？　それは魚にエサを運べるところである。

アンカリングすると、ふつう仕掛けは潮下に流される。したがって、ボートポジションはポイントの潮上が原則。

さて、その程度が問題だ。重いオモリを使ってタテにポイントを直撃するのか、それとも、寄せエサを潮に乗せて遠くのポイントをヨコにねらうのか。または広範囲を探るのか。

その答えは魚によっても、仕掛けによっても、状況によっても異なる。タテにねらうときは魚の居場所をダイレクトにねらえばいいので問題ないだろう。注意したいのは寄せエサを使ってヨコにねらうときである。

魚は海中にできた寄せエサの帯に引き寄せられるわけだが、この距離が相当長いことがある。ブリやヒラマサのような青物だけでなく、イサキ、そしてマダイのような魚でさえ、ときには表層付近で食うことも。基

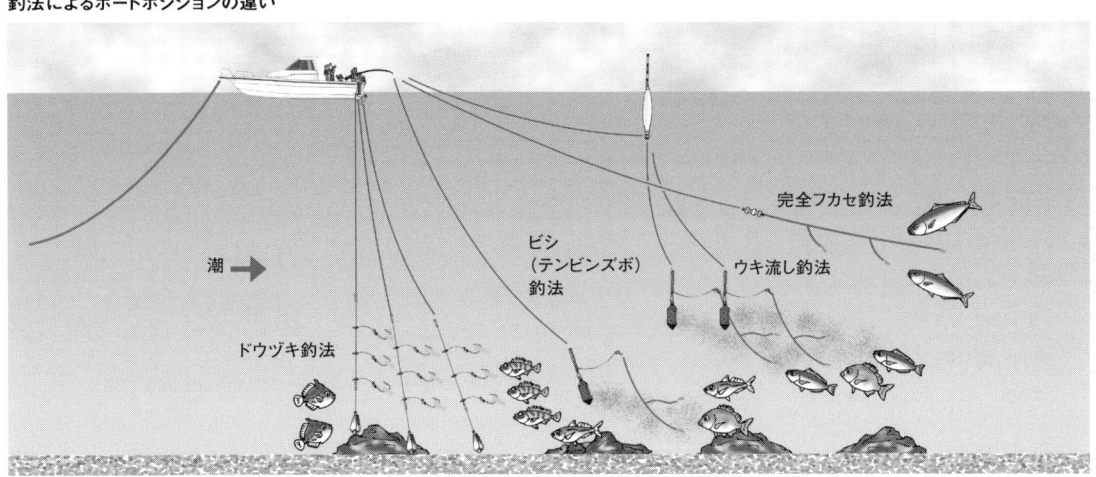

釣法によるボートポジションの違い
アンカリングで固定したボートから寄せエサを撒くと、相当潮下からでも魚が寄ることがある。ベストなボートポジションは釣法によって異なる。釣法の特徴を生かすアンカリングが鉄則だ

BOAT FISHING BIBLE

第5章 ボートコントロール
Boat Control for Fishing

アンカリングの基本テクニック

風 →

アンカーロープは水深の1.5〜3倍

砂泥底の場合はチェーンを使うと効果的

[アンカリングのメリット]
・ポイント上にボートを固定できる
・寄せエサで魚を集める効果が高い
・操船の必要がない

本的に魚は活性が高いほど上ずりがちだ。おまけに、ポイントや群れに直接仕掛けを入れるよりは、タナを上ずらせて食わせるほうが釣れ続く可能性が高い。そのため、寄せエサを使ってヨコにねらうときは、思いっきり潮上からアプローチしてみると好結果につながることがしばしば。もちろん、その程度は寄せエサを表層から撒くのか、それともウキ流しのようにビシを使うのかなどによって異なるが、寄せエサの帯を作ると魚はかなり潮上まで遡ってくることを肝に銘じておこう。

■基本テクニック

海上でボートの動きに大きく影響を与えるのは潮と風。風は見ればわかる。問題は潮だろう。

近くにブイやアンカリングをしているボートがあれば、ブイに当たる潮流の動きやアンカーロープの向きで見当がつく。とはいえ、一番確実なのはアンカリングをして、仕掛けを入れてみることだ。結局、よほど慣れた場所以外ではアンカーをマメに入れなおすことが成功への近道。アンカリングは移動しないためのボートコントロールではない。あくまでもボートを固定して釣りをするための手段。マメな移動もときには必要だ。

ポイントとボートポジションのイメージがはっきりしたところで、ねらった場所にボートを固定する。

アンカリングすると、ボートは潮と風に流され、アンカーにぶら下がるように留まる。ボートの位置を決めるのは潮と風の合力と、アンカーロープの長さである。

潮と風のうち、釣りで基準となるのは潮だ。風波が不快でない限り、潮上に向けたほうがサオを出しやすく、仕掛けをコントロールしやすい。また、潮のほうが向き、強さともにムラが少ない。ボートを潮に立てたうえで、風波による揺れや左右の振れを抑えるなど、風に対応するのが基本。

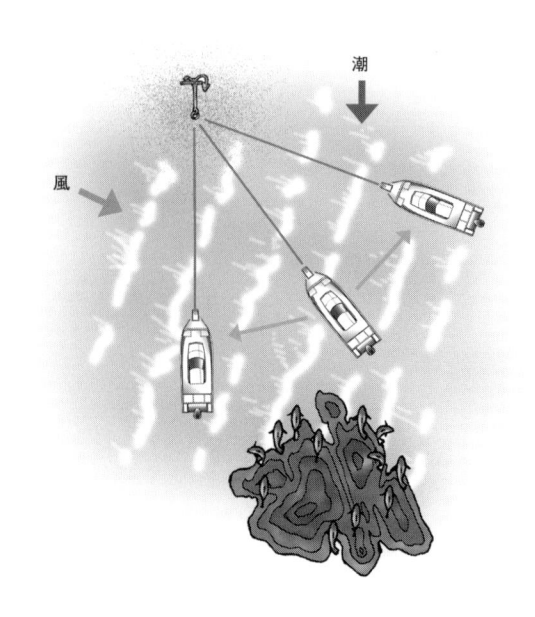

潮

風

風と潮の向きが平行でない場合
ボートの位置は風と潮の合力によって決まるが、大きく振られて安定しないことも多い

アンカリングしながらポイントを探る方法
アンカーロープの長さを変えて細かくポイントを移動する場合もある。また、風の強さや向きにムラがあると、ボートが左右に振られるので位置が安定しない。それを利用して広範囲を探ることもできる。ロープが長いほどボートの振られる幅は大きい

2丁アンカーの例
メバルやクロダイ、イシダイなど、ピンポイントをねらう釣りではアンカーを2丁入れるケースも多い。アンカーの投入方法は、まず風と潮の影響が強いほうの上流側にアンカーを投入し、しっかり掛かったのを確認して一度ポジションを決める。次にアンカーロープを伸ばしながら2丁めの投入地点まで行き、アンカーを投入。ウインドラス等で1丁めのアンカーロープを巻いて元の位置に戻る。潮流の向きが変わったり、風が強くなったりして、ボートの向きを変えたいときは、アンカーを揚げずにロープの結び場所を逆にして対応できる

　ただし、これはあくまでも釣りやすさを優先した場合。小さいボートでは風波に対して船体を横に向けると危険度が増すので、実際には臨機応変に対処しよう。
　アンカーロープは短いほど手返しが速く、風があっても振られにくい。反面、遊びがないと乗り心地が悪いし、アンカーが抜けやすい。その兼ね合いからすると、釣りでは水深の1.5〜3倍ロープを出すのが妥当なところ。しかし、ロープの長さによってポジションをコントロールするケースもあるし、積極的に振れを利用して広範囲を探るテクニックもある。
　アンカーロープを出す位置も大事なノウハウだ。バウからだけでなく、クリートなどを利用して船尾やサイドから出すと揺れや振れが抑えられる場合がある。詳しくは流し釣りの項で述べるが、ボートを風に立てるスパンカーや舵、推力の併用も挙動の安定に効果的だ。

　潮や風の影響のせいで、1つのアンカーでうまく決まらないときは2丁アンカーが威力を発揮する。どんな状況でも確実にボートを固定できるのは2丁だが、そこまでピンポイントにこだわる必要がなければ、機動力が悪くなるのを防ぐ意味でもなるべく1丁ですませたい。危険回避などの行動が遅れるおそれもあるので、できる限り1丁にして、どうしても状況が悪かったり、絶対にポイントを外したくないときは2丁というくらいに考えたほうが賢明だ。
　2丁めのアンカーは、たとえば軽めのフォールディングアンカーを真下に下ろしてみるなど、サブアンカーで十分なこともある。そのときはアンカーロープに仕掛けが絡まないよう配慮すること。しっかり2丁アンカリングするときは、どちらもメインのアンカーでちゃんと固定する。そのほうがボートのポジションを調整しやすい。メインアンカーを2丁入れておけば、360度どの方向にもボートを固定でき、たとえば、上げ潮が下げ潮

BOAT FISHING BIBLE | 第5章 ボートコントロール
Boat Control for Fishing

になって潮流が180度変わるときなどにもすぐに対応できる。

　また、ボートを固定する本来の目的から離れるが、砂泥底など比較的アンカーが利きにくい場所でロープを短めにし、あえて走錨させて流し釣りをするテクニックもある。広範囲を探るときには効果的。最初から流し釣りを意図してチェーンだけを使う人もいるほどで、チェーンの使い方も1本だったり束にしたりなどさまざま。チェーンの長さや、1本にするか束にするかなどで微妙なスピードのコントロールもできるすぐれたテクニックである。

　最後に、アンカリングに影響する要素として忘れてはならないことがある。それはボートのクセ。ボートは潮と風に影響されると述べたが、その程度はボートによって大きく異なる。底が平らなミニボートと、キールがしっかり入った漁船とでは、同じところで同じようにアンカーを打っても全然違う位置に留まるのが普通。自分のボートが潮や風にどのくらい流されるのか。まずそれを知ることがスマートなアンカリングへの第一歩だ。

　このように、アンカリングには実にさまざまなスタイルがあり、正解はない。試行錯誤を重ねて自分のパターンを見つけるしかないが、自由自在のアンカリングをマスターした先にはたくさんの魚との出会いがきっと待っている。

アンカリングを利用した流し釣り

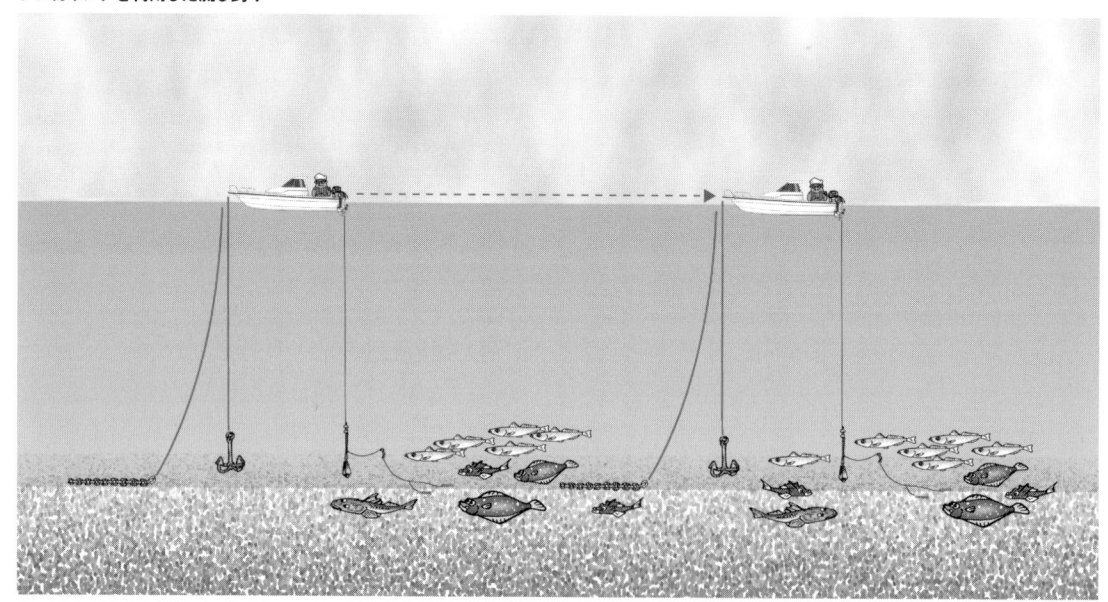

ロープを水深ぎりぎりにしてわざとアンカーを引きずったり、チェーンだけを投入するなどして、ボートがゆっくり流れるようにして広範囲を探るテクニックもある

シーアンカー

そもそも荒天用の安全器具だったシーアンカーだが、流し釣りに便利なことが知られて以来、ボートフィッシングのアイテムとして発展を続けてきた。現在ではさまざまな状況に対応できる多機能型も市販されており、使用範囲はますます広がってきている。ボートを風に立て、広範囲を潮に沿って流すような釣りが得意種目だ。

ボートや水深を選ばないスグレモノ

　船首からロープを出して抵抗体を海中に沈め、風や潮流の影響をコントロールする道具がシーアンカーである。

　シーアンカーはそもそも海が荒れたときのための安全器具だった。落下傘のような本体にロープを結んで船首から投入すれば、傘の部分が海中に沈んで抵抗を受け、船体が風にぶら下がるように風上、つまり風波に向いて挙動が安定する。同時に風に流されるスピードも遅くなる。ボートの風流れを抑え、さらに潮の抵抗を大きく受けるこの機能は流し釣りにとても便利。ゆえに、ボート釣りのフィッシングギアとして発展してきたわけである。

　シーアンカーが最も適しているのは広い範囲をゆっくりと潮に乗せて流すような釣り方である。一度投入してしまえば操船の必要がないから全員が釣りに集中できるし、エンジンを止められるので浅場の魚を散らす心配もない。広い砂浜の沖でシロギスを釣りながらマゴチやヒラメでもねらうような釣り方にぴったりのボートコントロールである。

　水深によらずに使えるのもシーアンカーのいいところ。アンカリングはロープの長さに制約されるが、シーアンカーはどんな深場でもOKだ。深場を比較的広く流すようなアマダイ、ヤリイカやオニカサゴにも十分対応する。また、あとで述べるスパンカーのようにボートのタイプによらず使えるのもありがたい。

　シーアンカーというと、投入後は入れっ放しであとは成り行き、ボートコントロールは不可能と思っている人もいるかもしれないが、それは誤解だ。本体の開き具合、沈める深さなどでスピードを調整できるし、ロープをボートのどこに結ぶかによって流すコースも変えられる。広範囲を流す釣りに向いているのは確かだが、意外に応用の利く流し釣りテクニックなのだ。

　ただし、シーアンカーが苦手な状況もある。それは潮が速すぎたり、風が強すぎたり、または風がまったくないといった状況。また、シーアンカーを使うことによって、エンジンでの移動ができなくなるため、大幅なコース修正はできない。もちろん、船が密集している場所での使用は禁物である。

シーアンカー選びのポイント

　シーアンカーの抵抗体は、アイスクリームコーンのような円錐形とパラシュート型の2タイプがメイン。円錐形のものは直径がやや小さめで扱いが楽なのが特徴。一方、パラシュート型は抵抗が大きくボートコント

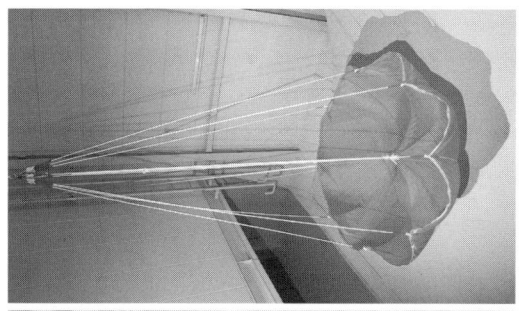

上：センターコードでパラシュートのサイズを変更でき、抵抗を調節できるタイプ。センターコードを引くとさらに直径が小さくなる
下：こちらは逆に、センターコードを伸ばすと開口部が開いて抵抗が減るタイプ。引き揚げ時は全開にすれば楽々回収できる

BOAT FISHING BIBLE | 第5章 ボートコントロール
Boat Control for Fishing

シーアンカーの構造

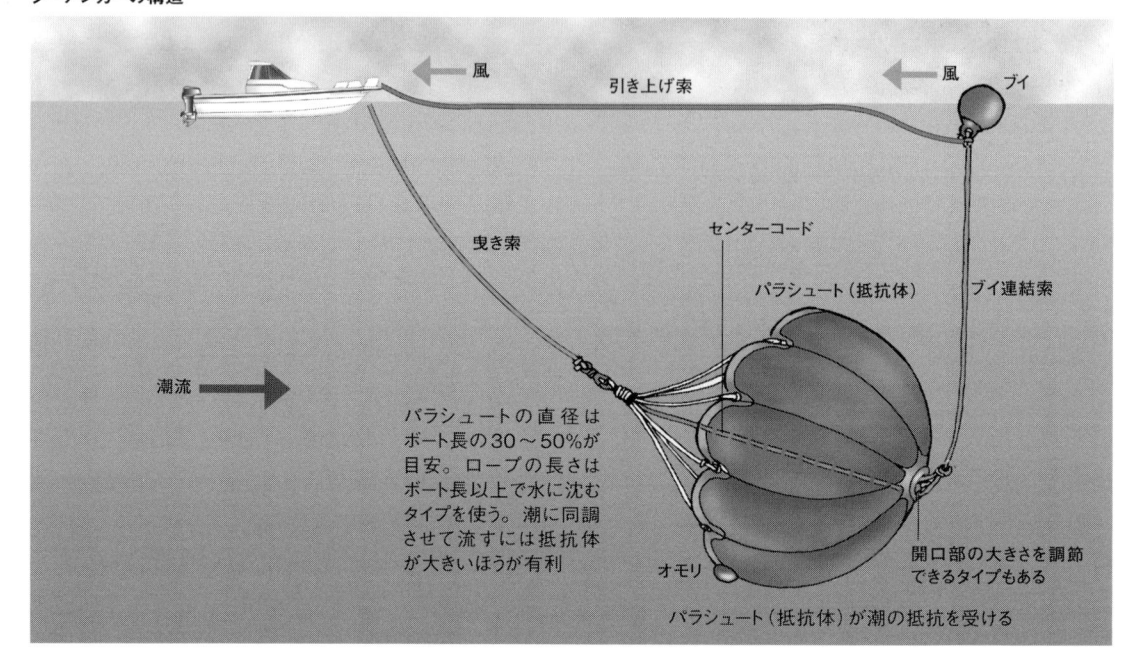

風　引き上げ索　風　ブイ

曳き索　センターコード　パラシュート（抵抗体）　ブイ連結索

潮流

パラシュートの直径はボート長の30〜50%が目安。ロープの長さはボート長以上で水に沈むタイプを使う。潮に同調させて流すには抵抗体が大きいほうが有利

オモリ　開口部の大きさを調節できるタイプもある

パラシュート（抵抗体）が潮の抵抗を受ける

流し釣りのスピードコントロール

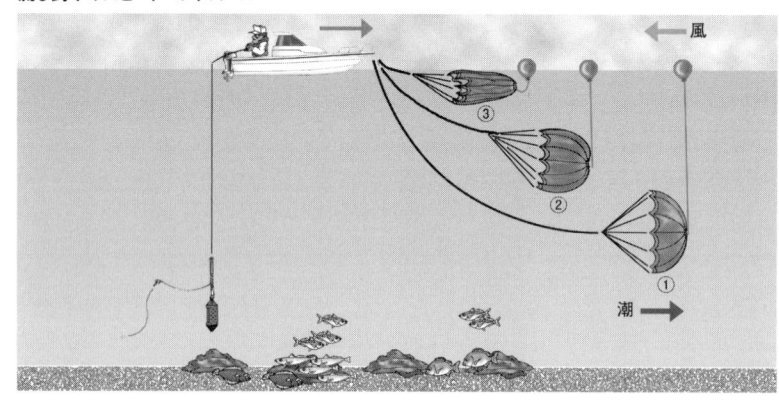

風　潮

ボートを流す速さはパラシュートの開き具合と沈める深さで調節できる。①パラシュートを大きく開き、深く沈めればより潮に同調しやすい。②パラシュートを小さくしたり、③ブイの連結索を短くして水面近くを引けば抵抗は減る。風と潮の方向が同じでも同様

ロールの効果が高い傾向にある。いずれにしろ、最近のシーアンカーは商品ごとにさまざまな工夫が施されているので、自分のスタイルに合うものをよく調べてから購入しよう。

パラシュートアンカーは、抵抗である傘、ボートに結ぶ曳き綱、傘を開かせて沈めるためのオモリ、引き上げ用ロープ、そしてパラシュートの位置を示すブイなどからなる。また、中央に大きさを調節できる開口部があり、抵抗の大きさを変えられるものもある。

傘の直径はボートの全長の30〜50パーセントは欲しい。とりわけ釣りではボートを潮に同調させて流す必要があるので、なるべく大きいほうが安心。サイズがあまりにも小さいと、抵抗が少なすぎてシーアンカーの利きが悪くなり、潮流と関係なく風下に流されてしまう。特に吃水が浅くて底がフラットなタイプのプレジャーボートは、潮流に比べて風の影響が大きいので、なるべく大きめのサイズを選びたい。

曳き索の長さはボートの全長程度が基準となる。ただし、影響を大きくするために深く沈めたり、2つ接続して使うなど、シーアンカーをより積極的に活用する使い方もあるので、全長の2倍程度を用意しておくとよいだろう。

シーアンカーのテクニック

　一般にプレジャーボートは潮流よりも風で流されるスピードのほうが速い。そのため、ある程度以上風が吹いている状況でシーアンカーを投入すると、自然に傘が開いてボートは風にぶら下がったようになる。

　投入時に特別なテクニックはいらないが、何本もあるロープが絡むと傘がうまく開かなくなるので要注意。また、シーアンカーを入れたあとにデッドスローでアスターン（後進）をかけ、積極的に傘を開いてやると確実だ。

　潮と風が同方向に流れていれば、ボートは潮に沿って流れるので、仕掛けの操作という点では比較的釣りをしやすい状況といえる。しかし、風よりも潮流の影響が強いと、シーアンカーは開かずにつぶれてしまうか、さらには潮に引っ張られてボートは反対を向く。もし風流れと潮流の速さがほぼ同じなら、ボートは何もしなくても勝手に潮に乗って流れていくはず。シーアンカーは不要なので引き揚げてしまおう。

　風流れよりも潮流のほうが速い場合は、潮よりも大幅に遅れると仕掛けがフケて釣りにならないので、潮流よりやや遅いくらいのスピードで流れるようシーアンカーの抵抗を調節する。潮流があまりにも速すぎる場合はシーアンカーが苦手な状況。やはり引き上げるのが賢明だ。

　気をつけたいのは表層付近の上潮と底潮の速さが違うとき。潮流が速く、ある程度水深があるようなポイントではよくあること。そんな状況では仕掛けのオモリとシーアンカーの抵抗を調整して、ベストなマッチングを探してみよう。

　風と潮の向きが反対なら、ボートは常に風上を向く。だが、適当なスピードで潮下に進むかどうかはシーアンカーの抵抗次第。あまりにも風が強すぎると、ボートは潮流と反対の風下に流れてしまって釣りにならない。そんなときは、ロープを長くして深く沈めたり、複数連結するなど、シーアンカーの抵抗を大きくして対処する。

　風と潮の向きが平行でなければ、風が強ければ風下に、潮が強ければ潮下に流されるが、実際は風と潮の影響が釣り合う方向に流れてゆく。

潮が止まっているときや風と潮流の方向が同じ場合

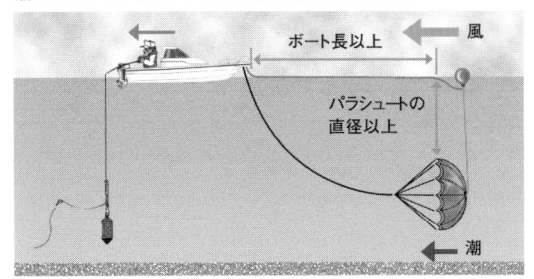

船首からシーアンカーを投入すると、ふつうはゆっくりと潮下に流れてゆく。シーアンカーを流すロープの長さはボート長以上、深さはパラシュートの直径以上が基本

風と潮流の方向が同じで潮流の影響が強い場合

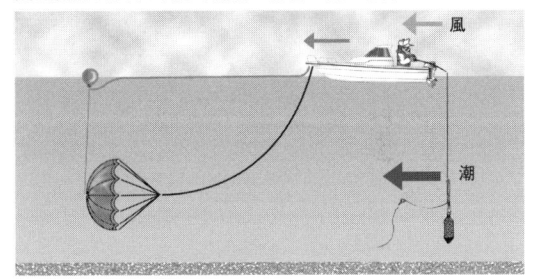

パラシュートが潮流の抵抗を強く受けてボートは風下を向いて流される。潮流よりやや遅いスピードで流れるようパラシュートの抵抗を調節する。風が弱く、風流れと潮流の速さがほぼイーブンだとシーアンカーは不要

風と潮流の方向が逆の場合

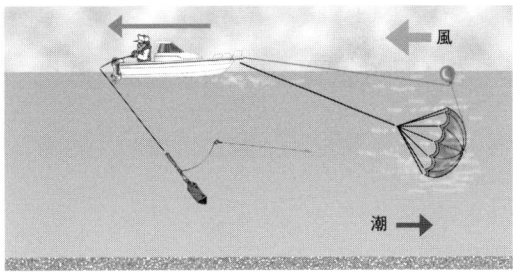

風が強くてボートが風下に流されるようだと仕掛けが浮いて釣りにならない。シーアンカーの抵抗を大きくして潮に同調させる必要がある

　この場合は曳き綱を2本取り、ボートが潮下にゆっくり流れるようにコントロールする。バウを風上に向けるのが基本姿勢だ。こうすると、ボートが風波に向いて挙動が安定するうえ、風の影響が少なく、さらにボートの側面が潮を受け止めて潮下に流れてゆく。あとはイトが立つようにシーアンカーの抵抗を調節すればよい。

　なお、ロープをこうして2本取りして船首の向きを変

113

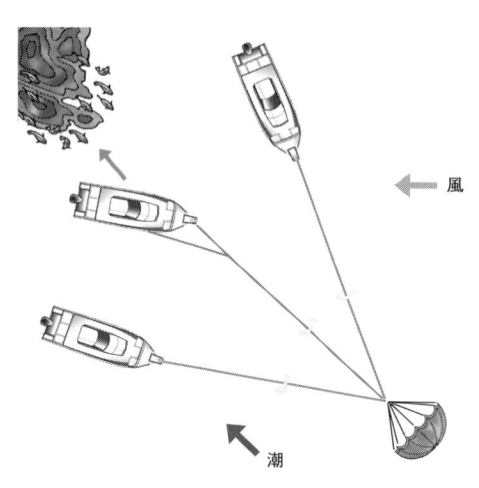

BOAT FISHING BIBLE | 第5章 ボートコントロール
Boat Control for Fishing

風と潮の向きが平行でないケース
ボートが流れる方向は風と潮の合力によって決まる。風が強ければ風下側に、潮が強ければ潮下側に流される。ボートの挙動が不安定になりがちだが、船首が風上に向くようロープを2本取りすれば挙動は安定するうえ、風の抵抗が減り、潮下寄りに流されるため釣りやすい

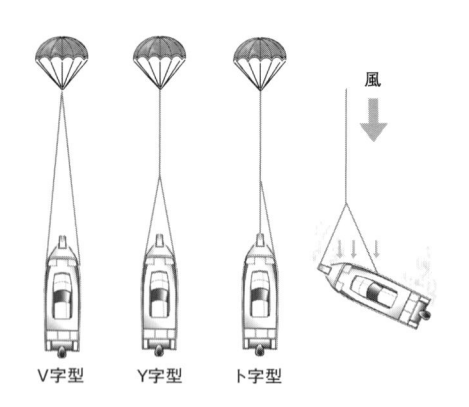

2本取りのテクニック
ロープを船首のサイドクリートや船尾のクリートを使って2本取りすると、船体に当たる風の抵抗を調節したり、流すコースをある程度コントロールできる

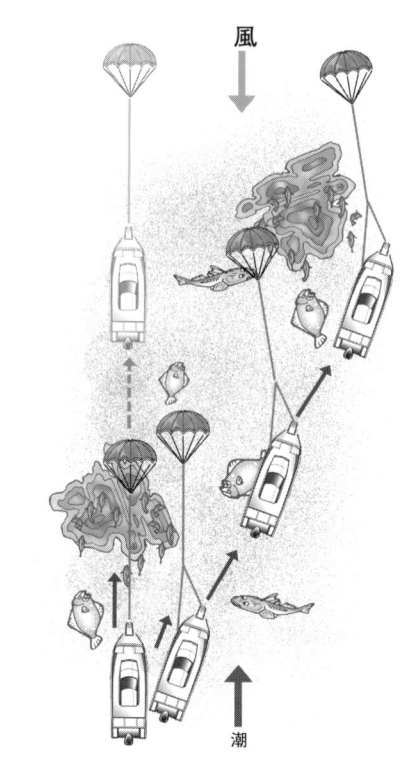

流し釣りのコースコントロール
2本取りして向きを変えると、船首の向いた方向にコースがふくらんでいく

えると、風と潮の向きにかかわらず流すコースをある程度はコントロールできる。しかも、風によるボートの振れも抑えられるので、できれば普段からロープは2本結ぶようにしたい。

また、シーアンカーの裏ワザにアンカーチェーンとの併用がある。チェーンはブレーキ代わりになって流すスピードをコントロールできるし、風による振れを抑える効果があり、ロープを2本取りするときよりさらに挙動が安定し、より繊細なボートコントロールが可能になる。ただし、チェーンが根掛かりするような底質や、水深が深いところでは使えない。

シーアンカーを回収するときは、仕掛けやプロペラなどに絡まないように注意して、引き上げ用のロープを引っ張るだけでOK。使い終わったシーアンカーは次に使うときのために必ず真水で洗い、ロープが絡まないようきちんとたたんでおくこと。

シーアンカーは操船が不要で釣りに集中できるものの、使用中は大きな移動ができないので、くれぐれも周囲の安全確認を怠らないように。ボートを流すコース上にある障害物や、こちらに気付かずに向かってくる大型船を避けるときなどのために、自分がどのくらいの時間で回収できるかをわきまえておくことも重要だ。

水深もボートも選ばず、操船不要で快適に流し釣りが楽しめるシーアンカー。一見、安易な釣りに見えるかもしれないが、使いこなせればとても便利なフィッシングギアである。フィッシングボートにはぜひ備えておきたいアイテムだ。

流し釣り

ボートの走行性能を存分に生かし、潮に沿ってポイントに仕掛けを送り込む流し釣りは最もオールマイティーなテクニックである。水深やターゲットによらず、一般的なボトムフィッシングはもちろん、キンメダイやアコウダイなどの超深場から足の速いスルメイカやタチウオも難なくこなす。流し釣りにおけるボートの挙動から、スパンカーを使った応用テクニック、推力を使わないドテラ流しまで、流し釣りをマスターするためのベーシックを解説する。

オールマイティーかつ機動力は抜群

　流し釣りとはその名のとおりボートを流しながら釣るテクニックである。エンジンを操りつつ潮に沿って流す場合と、推力を使わない「ドテラ流し」に大きく分けられるが、釣法や状況が限られる後者はやや特殊なケースであり、釣法とあわせて最後に解説する。
　エンジンを使う流し釣りは、ボトムフィッシングのボートコントロールのうちで最もオールマイティーな方法といえる。ボートの走行性能を100パーセント生かせるわけだから、機動力にすぐれるのは当然、細かい取り回しも得意。アンカーやパラシュートのような艤装も必要なく、魚探とGPSを駆使して広範囲の地形をチェックした後、ピンポイントを絞り込んで、ダイレクトに仕掛けを送り込むような一連の動作もスムーズだ。
　神出鬼没のスルメイカやタチウオの群れを追いかけたり、超深場のキンメダイ、アコウダイをねらうような釣りも、よほど条件が揃わない限り流し釣りの独壇場。流し釣りはボートフィッシングの機動力を存分に生かせる最もアグレッシブなボートコントロールテクニックである。
　逆に言えば、それが流し釣りのデメリットでもある。常に操船する必要があるため、船頭がサオを出すときにはキャプテンとアングラーの一人二役をこなす必要がある。風が強かったり、デリケートな操船が要求されるポイントでは操船に専念しなければならないだろう。また、シロギスやシーバスといった、浅場の神経質な魚に対してはエンジン音が魚を散らすおそれもある。
　なお、東京湾のコマセマダイのように、流し釣りでも1カ所にステイさせる操船ができなくはない。しかし、船をピンポイントに「留める」のは「流す」よりはるかに大変だ。バウモーターの自動操船システムなどを使わない限り、船長の負担が大きいので、できれば流して攻略するほうが賢明。冒頭で推力を使う流し釣りを「潮に沿って流す」と断った理由はこのためである。

まず風と潮流の影響を知る

　エンジンの機動力を使う流し釣りはエンジンで走りさえすればどんなボートでもできる。特別な艤装もいらない。ところが、ひとつ問題がある。現在のプレジャーボートの多くはどうしても風に背を向けてしまう。風を受けると船尾を風上側に向けてしまうのだ。
　もちろん、それでも流し釣りはできるし、ボートが風上に向いていようといなかろうと魚には関係ない。だがしかし、ボートを操るにはバウが風上、つまり、風波に向いているほうがやりやすいのは明らか。船尾を風に向けて風上に戻ろうとすれば抵抗が大きいし、波が打ち込んでくる。もし波を横から受けるようだと、風に流される分を押し戻す操船が不可能なうえ、横揺れが大きくて釣りにくく、だいいち不快である。そもそもボートは前に走るように設計されているものだ。
　流し釣りではボートが風上を向いている姿勢、いわゆる「風に立つ」のが理想。それなのにボートは風下を向いてしまう。
　構造上やむをえないこととはいえ、なぜそうなってしまうのか。すなわち、風を受けたときにボートはどう動くのか。このメカニズムを理解することは、流し釣りの操船や、さらに風に立てるためのアイテムであるスパンカーを使うときにも大切なので、具体的なノウハウに入る前にしっかり頭に入れておこう。

■風流れのメカニズム

　風見鶏を想像していただきたい。風見鶏が「風に立つ」のは、柱で支えられた支点よりも尾羽の部分が

BOAT FISHING BIBLE

第5章 ボートコントロール
Boat Control for Fishing

風の抵抗を大きく受けるからである。ボートが風を受けたときの挙動もこれと同じだ。

ボートが風に立つかどうかは、水面上部が風から受ける力の中心である「風圧中心」と、水面下の「抵抗中心」の前後関係による。そして、ほとんどのプレジャーボートでは、風圧中心が抵抗中心より船首寄りにあるため、船首が風下に向くのである。

たとえば、バウに大きなカディがある船外機艇を考えてみよう。風に強く押されるのは船首側。対して、水面下で水の抵抗をより強く受けるのは、重い船外機があって吃水が深く、さらにプロペラもあるスターン側である。こういうボートでは、極端な話、風が吹くとスターンを支点にしてバウがくるりと風下を向いてしまう。テコの原理により、風圧中心と抵抗中心が離れているほど風下を向く力は大きい。

以下、ボートが風を受けたときの姿勢を決める主な要素を、風圧中心と抵抗中心のそれぞれについて細かく見ていこう。

風圧中心に関係するのは上部構造物。なかでも、パイロットハウスとフリーボードの高さである。

パイロットハウスが船首寄りにあるほどボートが風下を向きやすいのは明白だろう。全体が風を受ける

フリーボードの場合は前後のバランスが重要。船尾側に比べて船首側が高いほうが船首が風に流されやすい。フリーボードはたいてい船首側が高いものだが、その程度が大きいほどボートは風下を向きやすいことになる。

もちろん、パイロットハウスにしろ、フリーボードにしろ、全体に低めのほうが風の影響そのものは少ない。時々、メーカーのカタログなどでロープロファイルとうたわれているのは風流れが少ないという意味もある。したがって、立って操船する背の高いパイロットハウスと座って操船する背の低いタイプでは、後者のほうが風の抵抗自体が少なく、風流れは抑えられる。ただし、ボートの姿勢に関してはあくまでも位置と抵抗のバランスによって決まる。

■ 潮流れのメカニズム

水面下の抵抗中心については、主にプロペラやドライブの位置、バウエントリーの深さなどが関係する。風圧中心とは反対に、抵抗中心は前にあるほど船首が風上を向きやすい。ということは、ドライブも含めてプロペラが船体よりも後ろにある船外機艇やスタードライブ艇などは、ボートを風に立たせるには明らか

ボートのタイプによる風流れの違い

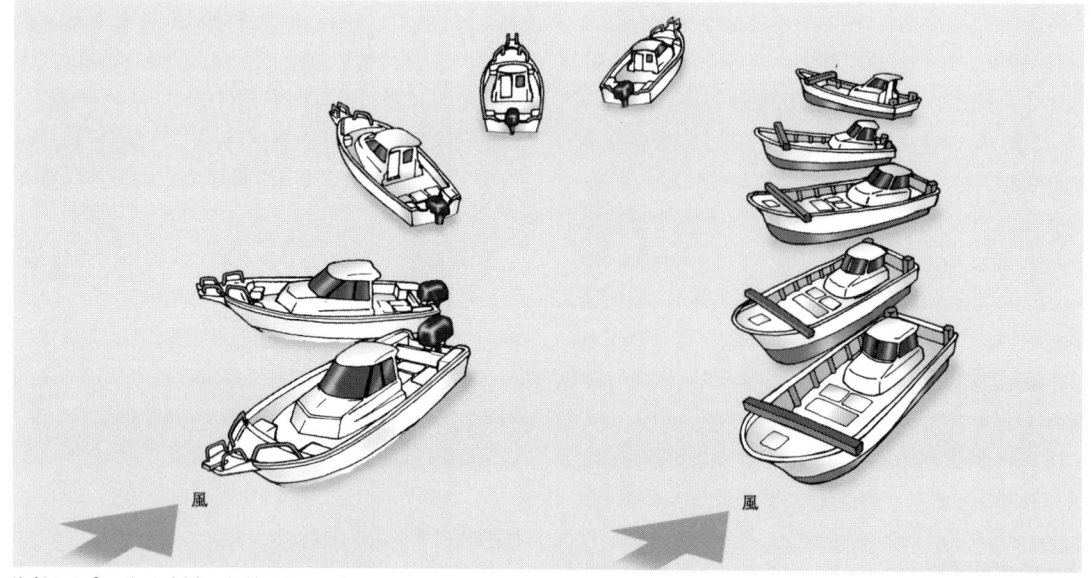

漁船タイプのボート（右）は船首が風下を向きにくく、風に流される距離も短いのに対し、一般のプレジャーボート（左）は船首が風下を向く度合いが大きく、風流れ自体も大きい

に不利だ。一方、インボード艇のように船体の途中にプロペラがあるものは比較的有利といえる。

バウエントリーは深いほど船首が風上を向きやすい。その好例がスパンカーを利用して風に立てた流し釣りをする1本釣りの漁船である。この手の漁船の造りをよく見ると、バウエントリーが垂直に近く、かつ、深くなっているはずだ。最近のプレジャーボートのなかには風立ち性能を向上させるため、船首寄りに高めのスケグを設けるなどして、バウエントリーおよびバウ側のハルの造作を工夫したモデルが多数見られるようになってきた。また、船首側に海中に突き刺すダガーボードや、バウが深く沈みこむように荷物やバラストを置いても風に立ちやすくする効果はある。

抵抗中心には当然船底の形状も関係する。吃水が深いと全体に抵抗は大きくなり、風流れの影響は抑えられる。ただし、それは抵抗中心の位置とは無関係。抵抗中心を決めるのも、風圧中心と同じように個々の要素ではなくあくまで全体のバランスである。

プレーニングのよさを重視した船尾側がフラットなハルよりは、船尾までしっかりとV型をしたもののほうがスターンの抵抗は大きい。そうなると抵抗中心は船尾寄りになりそうだが、トータルに見るとドライブの影響が減るため、Vがきつかったり、船底全体にキールが通っていると、一般的には風に立ちやすい傾向がある。

ボートが風に流されたときの姿勢を決める主な要素はだいたいこんなところである。ボートの造作によって、いかに風流れ、潮流れの挙動が異なるかおわかりいただけただろうか。結局のところ、今のプレジャーボートでは特別なアイテムを使わない限り船尾を風上に向けて釣ることになる。

次からは船の姿勢に関係なく、エンジンを使った流し釣りの基本を解説したあと、ボートを風に立てるアイテムであるスパンカーを利用したボートコントロールテクニックを紹介する。

一般のプレジャーボートの船首が風下を向く理由

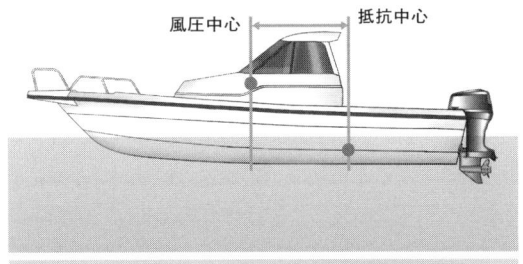

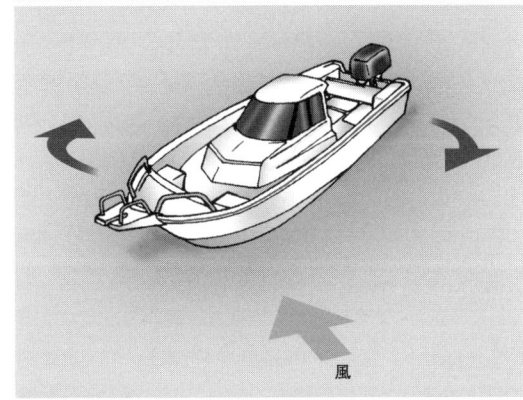

上：プレジャーボートの風流れの姿勢は風圧中心と抵抗中心の2点の位置関係によって決まる。風圧中心は水面より上の部分が風から受ける力の位置で、抵抗中心とはボートが風で流されるときに水面下部が海水から受ける力の位置のこと

下：普通のプレジャーボートでは風圧中心が抵抗中心より船首寄りにあるため、風に流されると船首はテコの原理でコマのように風下側を向く

風流れの挙動に関係する主な要素

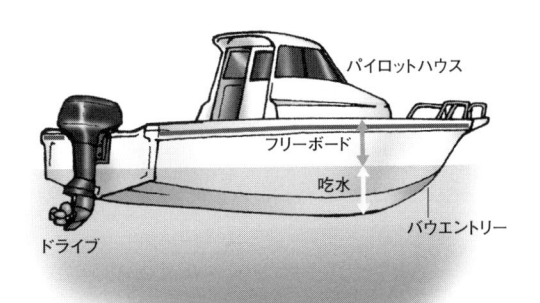

風流れの挙動に関係する主な要素は、①パイロットハウス、②フリーボードの高さ、③ドライブの位置、④バウエントリーの深さ、⑤吃水の深さ、などが挙げられる

BOAT FISHING BIBLE

第5章 ボートコントロール
Boat Control for Fishing

流し釣りのテクニック

■「イトを立てる」の本当の意味

　魚には潮上に頭を向けてエサを待ち構える習性がある。その魚にエサを送り込むように、潮に沿って仕掛けを流す。これが流し釣りだ。

　どんな名人でも海に仕掛けを入れてみるまで潮の方向はわからない。海面やブイにできる波などから潮流の方向を予測できることもあるが、それにしたって底潮と上潮の速さが違うことがある。ポイントに着いたらボートの行き足を止めてまず仕掛けを入れ、しばらく流してみてヤマダテやGPSの航跡から潮流の方向を判断する。「イトを立てる」と言われるように、ミチイトの角度が垂直に近くになるようボートをコントロールするのが流し釣りの基本である。しかし、「イトを立てる」という言葉が単に目に見えるミチイトの角度を表していると考えるのは誤りだ。ミチイトが見えるのは海面付近だけ。上潮と底潮の速さが違ったり、2枚潮や3枚潮だったりすると、表層のミチイトを垂直に保つだけでは釣りにならないこともしばしば。いつも海面付近のミチイトを垂直にしておけばいいと思い込んでいると、いろんな状況に対応できなくなってしまう。

　流し釣りで本当にすべきことは、ミチイトのイトフケが極力少なくなるようにボートをコントロールすることである。

　たとえば、底潮より上潮が速い状況を考えてみよう。仕掛けを投入してすぐはミチイトが潮下に流される。そこで、まずはミチイトが垂直になるように操船する。この操船は正しい。が、水深が深くなるにつれて潮が遅くなるのに、上潮のスピードに合わせてボートを流していると、仕掛けがどんどん潮上に置きざりにされていってしまう。さらに上潮に合わせて流し続けたら、イトフケばかりになって釣りにならない。

　こうした状況は実は流し釣りでよくあること。目先のイトの角度にこだわりすぎると、「潮が速すぎる」と言ってせっかくのチャンスも逃してしまいかねない。

　底潮と上潮の速さの違いは、慣れれば仕掛けをシャクったときの重さ(手応え)や、巻き上げるときのミチイトの角度の変化などで判断できる。底潮より速い上潮のスピードに合わせている状態では、イトフケが出ているうえに仕掛けを潮下側にシャクるため、サオをシャクったときに仕掛けが軽く感じられる。また、仕掛けをピックアップする間にミチイトが徐々に潮上の方向へ移動するよ

「イトを立てる」操船とは

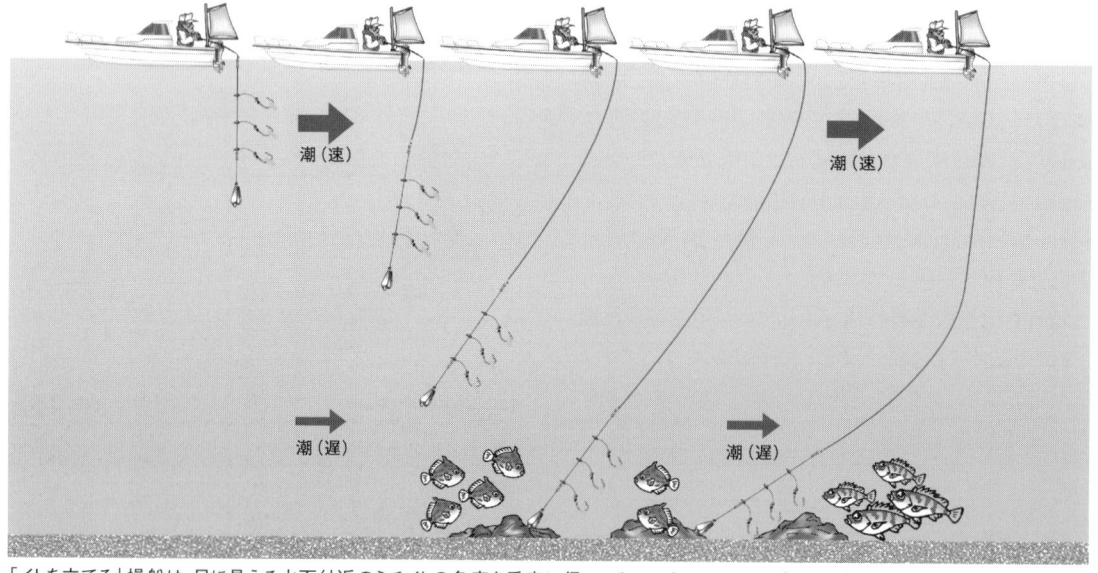

「イトを立てる」操船は、目に見える水面付近のミチイトの角度を垂直に保つことではない。たとえば、上潮(水面付近の潮流)が底潮(底近くの潮流)より速いとき、水面付近のミチイトを垂直にキープしようとすると、ボートが仕掛けより大幅に先行してしまう。「イトを立てる」とは、ミチイト全体のイトフケを最小限に抑える操船のことである

上潮が底潮より速い場合　　　　　　　　　　　　　**底潮が上潮より速い場合**

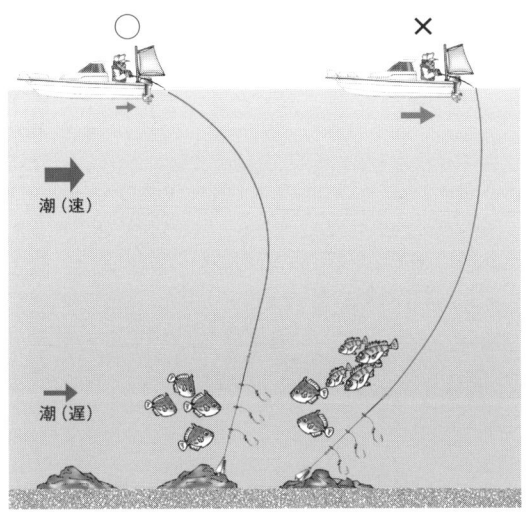

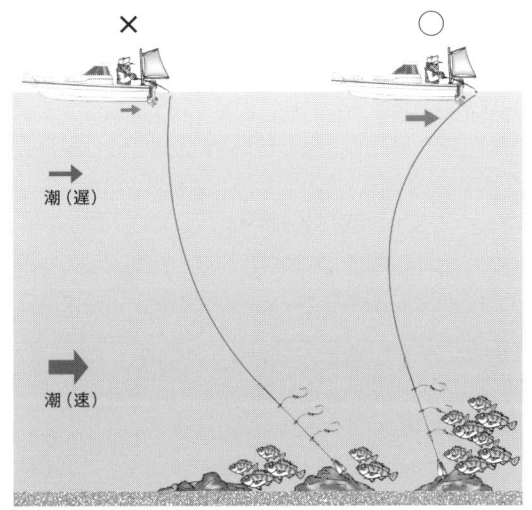

海面付近のミチイトが垂直にならなくても、底潮の速さに合わせて上潮よりも遅くボートを流す

底潮の速さに合わせて上潮よりも速くボートを流す

うに見える。

　もし底潮より上潮が速い場合は、最初はミチイトが潮下に流されるのを我慢して、ボートを上潮よりも遅く流し、仕掛けが着底したらなるべくイトフケを抑えて底潮に合わせた流し釣りをするのがセオリーだ。海面から海底までをトータルに見れば、この状態が最もミチイトが垂直に近い角度であり、これこそが「イトを立てる」という言葉の本来の意味である。また、オモリを重くしたり、ミチイトを細くするとイトフケが出にくくなるので、慣れないうちは細めのミチイトと重めのオモリを使うとやりやすいだろう。

　逆に、上潮より底潮が速い場合は、上潮よりも速くボートを流してやる。このとき、ミチイトは潮下に置いていかれるように見えるが、やはりイトフケが最小限になるように操船すればよい。

　2枚潮のケースでも同様で、基本はイトフケを極力抑えて流すのがセオリー。ただし、2枚潮や3枚潮の場合は、ベテランでさえ実際に釣りができないことも多いので、オモリを重くしても対処できなければポイントを移動するのが賢明だろう。

■**スパンカーを使わない流し釣り**

　潮に沿って流すといっても、風が吹いていると話は少し複雑だ。このときに大切なのは、ボートが風と潮から受ける影響を正確に把握すること。

　先に述べたように一般のプレジャーボートでは、風から受ける抵抗は船首寄り、潮から受ける抵抗は船尾寄りに位置し、その合力によってボートの姿勢が決まる。この点を踏まえたうえで、風の影響を打ち消すように一定の姿勢を保ちつつ、潮よりやや遅いくらいのスピードでボートが流れるように心掛ける。

　スパンカーを使わずに船尾を風上に向けて流し釣りをするケースでは、そもそもフネの姿勢をあまりコントロールできず、できることは限られている。後進のクラッチ＆ステアリングワークで、風に流される分を打ち消しながらイトを立てるように操船するのが基本だ。

スパンカーがないボートでは船尾を風上に向けて流し釣りをすることになる。風が強いと操船は楽ではない

BOAT FISHING BIBLE　第5章　ボートコントロール　Boat Control for Fishing

　風があるときの後進での流し釣りは、波の打ち込みや後進で操船しなければならない点を除けば、船の挙動自体は安定しているのでさほど難しくはない。ただし、風波が強い場合は安全面に十分注意しよう。

　もうひとつの注意点は船外機が2ストロークの場合。これはスパンカーを使ったケースでも同じだが、2ストロークエンジンをずっと低速で使っていると、エンジンがかぶったり、カーボンがたまりやすい。ときどき大きく移動するなどして、長時間でのスローの操船はなるべく避けるようにしたい。

■ショットガン

　潮に沿うような操船はしないが、スパンカーが不要な流し釣りのテクニックのひとつに"ショットガン"がある。これは魚探で魚を探しながらある程度のスピードで走り回り、画面で魚群を確認したと同時に仕掛けを入れるテクニックのこと。バスフィッシングのラン&ガンというスタイルに似ているのと、ターゲットを直撃するイメージからショットガンの名が定着したようだ。ちなみに、ショットガンという場合には、魚探にはっきりと反応が出る小・中型魚の群れをコマセなしサビキ釣りでねらう釣り方を指すが、このような操船は特に珍しいものではない。イカ釣りやジギングなどでも普通に行われている。

　このテクニックのコツはとにかく魚探に魚群が現れた瞬間に仕掛けを入れるのと、なるべくテンションをかけずに素早く仕掛けを魚群まで送り込むこと。投入時にはまだけっこうなスピードで走っていることも多く、サオを出したらすかさず行き足を止め、必要とあらばアスターンで投入地点に戻るようにする。手前船頭じゃなければやりにくい面もあるが、釣れてみるまで何がかかるかわからないのはワクワクするし、ボートフィッシングのアグレッシブさを存分に味わえるすぐれたテクニックのひとつである。

■スパンカーに適したボートとは

　ボートを風に立たせた流し釣りを可能にする強力な助っ人、スパンカー。その効果と快適さは一度使ったら病みつきになるようで、もはや本格的に流し釣りをするボートアングラーの必須エクイップメントになった感がある。しかし、スパンカーはどんなボートでも有効というわけではない。その効果はボートによって異なる。スパンカーを使った流し釣りをするには、まずスパンカーを使えるボートを選ぶ必要があるのだ。

　スパンカーでボートが風に立つのは、ボートの風圧中心が船尾寄りに移動するため。すでに述べたように、風の影響を受けたときのボートの姿勢は風圧中心と抵抗中心の前後関係による。したがって、スパンカーが効果を発揮するにはボートの抵抗中心が船首寄りにあるのが条件だ。

　具体的に言うと、漁船タイプのインボード艇の場合はまずスパンカーは有効といえる。船外機あるいはスターンドライブ艇に関しては、バウエントリーが深いタイプ。もしくは、船首寄りにダガーボードを設置するのも手だ。

　といっても、絶対的な基準があるわけではないので、なかなかわかりにくいだろう。果たして自分のボートでスパンカーが有効かどうかを知りたければ、およその見分け方がある。それはボートが風に流される姿勢を見るというもの。潮が速くなく、適度に風のある状況で、船首が風に対して真横を向くくらいの姿勢で流れ続けるようならおおむねスパンカーは有効。逆に、真横より風下を向くボートではスパンカーの効果はあまり期待できない。

　抵抗中心とは別に、上部構造が影響する場合もある。たとえば、パイロットハウスがスターン寄りにあって、スパンカーにあまり風が当たらないボートでは当然効果は低

スパンカーはマスト、セイルヘッド、下桁、セイル、ステーなどからなる。写真はよく効くと評判のフレンドマリン製「マイボート・スパンカー（ライトⅡ）」

い。その対策として、時々スパンカーを高く設置しているボートがあるが、そうすると風の力が横揺れの方向に逃げてしまい、この場合もあまり効果が期待できない。スパンカーは使い勝手のよい範囲でなるべく低く設置するのが原則だ。また、あまり大きなものを付けると風流れのスピードが速くなりすぎてしまう。

スパンカーは付ければいいというものではない。自分のボートにスパンカーを付けたはいいが、まったく風に立たなかったなんてことのないように、これからスパンカーを取り付けたいというアングラーは慎重に判断しよう。

■バウスラスター
　スパンカーの効果をさらに高めるために、船体の船首部分に取り付けてバウを左右に振る推進装置である。

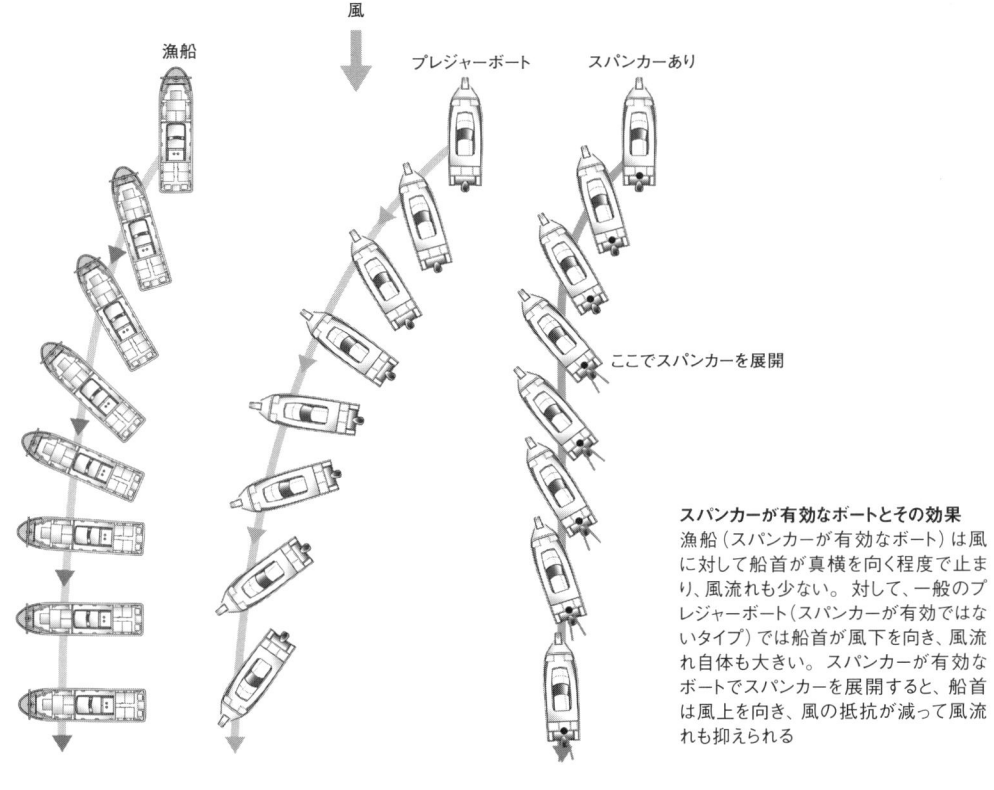

スパンカーが有効なボートとその効果
漁船（スパンカーが有効なボート）は風に対して船首が真横を向く程度で止まり、風流れも少ない。対して、一般のプレジャーボート（スパンカーが有効ではないタイプ）では船首が風下を向き、風流れ自体も大きい。スパンカーが有効なボートでスパンカーを展開すると、船首は風上を向き、風の抵抗が減って風流れも抑えられる

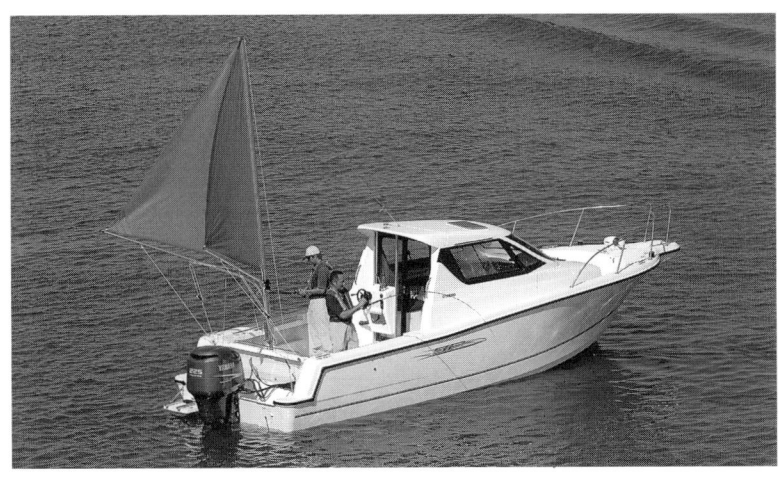

スパンカーを使って流し釣りをするには、まずスパンカーが有効なボートを選ぶ必要がある

BOAT FISHING BIBLE

第5章 ボートコントロール
Boat Control for Fishing

そもそもは大型船の離着岸に必須の艤装だが、小型で信頼性の高いモーターが登場したおかげで、プレジャーボートにも設置できるようになった。大型船では油圧式なのに対し、プレジャーボートではコンパクトな電動式が主流である。

バウエントリーが深いほうがスパンカーの効果が高いことはすでに解説したとおり。だが、スパンカーに適したボートといっても、あまりにも風が強いと、フリーボードのせりあがったバウが風を強く受けて、船首側が風下に落とされてしまう。やっかいなことにボートの舵は船尾側から効くので、最初にバウがコースから外れてしまうと、主機関でそのまま元のコースに復帰するのは不可能。いったんコースから外れての仕切り直しが必要だ。また、風が弱いときも、バウがふらついてしまい、同じように安定した操船ができなくなってしまう。

そんなときにボタンひとつでバウの方向を修正できるバウスラスターがあると操船は非常に楽になる。その威力は驚異的だ。船の向きをバウスラスターで調節できれば、スパンカーを使った流し釣りでいちばん手のかかる舵の負担が激減する。スパンカーとスラスターの組み合わせは流し釣り艤装の完成形のひとつである。

ただし、バウスラスターもすべてのボートに設置できるわけではない。バウエントリー付近にトンネルパイプを通して取り付けるため、キャビンやデッキに適切な工事口が必要。つまり、ハル内側のバウスラスター設置部分に手が届くことが第一条件である。

取り付け位置はバウ寄りであるほど効果が高い。小型FRPボートの場合、ひとつの目安は、船底からトンネ

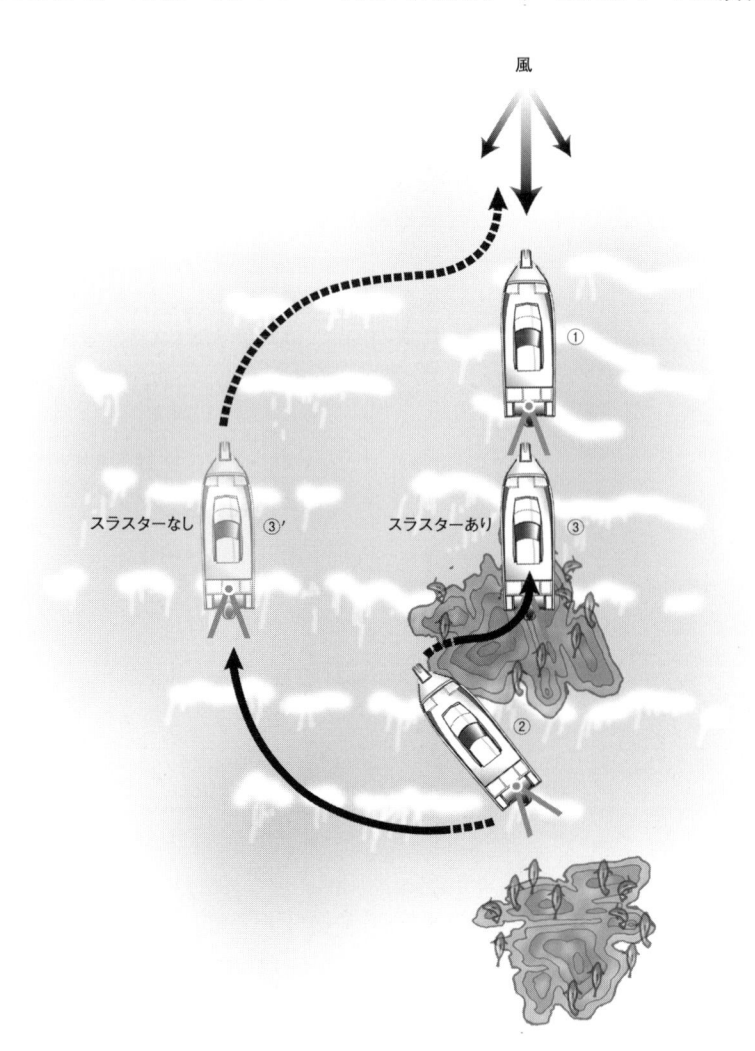

バウスラスターの効果と挙動
スパンカーを使った流し釣りで一番厄介な状況は、船首が風下に振られて②のようにボートの向きが変わってしまった場合である。このとき、元のコースに戻ろうとすると、ボートの舵が船尾から利くせいで、どうしても③'のコースを通らざるを得ない。ところが、バウスラスターで船首の向きを元の方向に向けられれば、②からでもすぐに③のポジションに戻ることができる。バウスラスターがあると、スパンカーを使った流し釣りが一段と快適になる。もちろん、離着岸にも有効だ

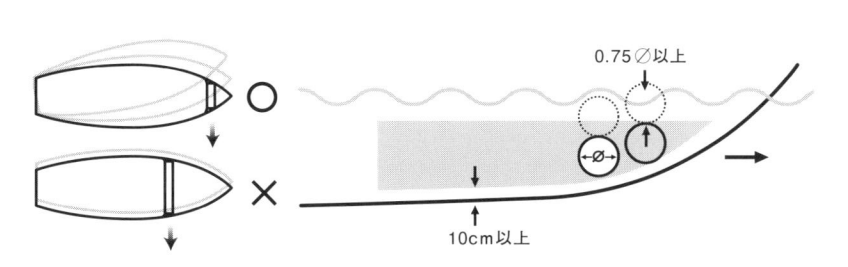

バウスラスターの取り付け位置
ボートの向きを変えるには船首寄りにスラスターがあるほど効率が良い。船底から10cm以上高さをとり、パイプの直径の75％以上吃水線より離して取り付ける

船首取り付け部の幅
トンネルパイプの長さは、スラスターの中心からパイプ外側までが最大60cmに収まる必要がある

ルパイプの下端まで10cm以上あり、しかも、吃水線からパイプ径の75％以上離れる位置である。船底から10cm以上あげるのは、FRPの2次積層に必要なため。一方、吃水線から離すのはキャビテーション（泡かみ）の防止である。設置可能なボートのサイズは一応26フィート前後が分岐点になるだろう。しかしながら、造作によってはそれ以下でも取り付けられるフネもある。

モーターは非常に大きな電力を消費するので、専用のバッテリーと常時充電できるシステムも必須。バッテリーはディープサイクルの大きなサイズが望ましい。バウスラスターの取り付けには、FRPの2次積層が必要なため、素人には厳禁だ。必ずしっかりした技術を持つ業者に依頼すること。

■**スパンカーを使った流し釣り**

スパンカーの主なパーツはマスト、上下の桁、帆など。蝶の羽根のように帆が2枚あり、開き具体によって風の抵抗を調節できる。あまり開いて抵抗を大きくすると風流れ自体が速くなるため、基本的には閉じ気味のほうがよい。とはいえ、風が弱すぎて姿勢が安定しないなど、状況によっては2枚の帆を開いて抵抗を増やすこともある。逆に、帆を緩めると、スパンカーの効果は弱まる。

また、帆を左右に振れば風に対するボートの向きをコントロールできる。これは潮と風の向きに角度があり、風に対してボートを斜めに向ける必要があるときに使う定番テクニックだ。

スパンカーを使った流し釣りのボートコントロールは風と潮流の状況によって異なる。

潮流があろうとなかろうと、風がなければスパンカーは使えない。ボートコントロールも簡単。潮に沿ってボートを流せばOKだ。

潮が動かず、風だけがある場合はスパンカーを展開し、クラッチワークで風流れの分を補ってやる。

風と潮流が同じ方向のときは、船尾側が潮流に押される効果も加わって、スムーズに風に立つ。あとは潮の速さに合わせてクラッチワークを行えばよい。

逆に、風と潮が正反対の場合は、影響の強い方にボートは流される。ある程度風があれば風に立てて流せるが、風が弱くて潮流が速いと船尾側が潮の抵抗を強く受けてスパンカーの効果とケンカしてしまう。そんなときはスパンカーをたたんだほうが流しやすい。

風と潮に角度があるケースでは、放っておくとボートは風と潮の力が合わさった方向に流れることになる。そ

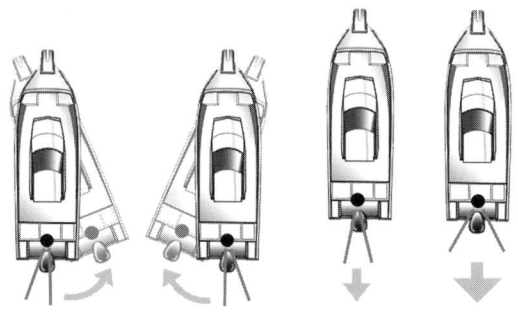

スパンカーの操作
スパンカーを左に振ると船尾は右に、右に振ると船尾は左に向く（イラスト左）。帆を開くと風に立たせる効果は高くなるが、風流れ自体も大きくなるので、できるだけ開かないのが理想（イラスト右）。12度前後で使うのが基本だが、そのボートに合った角度を見つけると操船が楽になる

BOAT FISHING BIBLE   第5章 ボートコントロール
Boat Control for Fishing

こで、スパンカーを展開して風の影響を打ち消すようにクラッチワークを行えば、風に立ったボートはやはりゆっくりと潮下に流れてゆく。

ところが、潮流が速いと船尾側が潮下に流されてボートが風向きとずれてしまう。そうなると、風の影響を打ち消すクラッチワークがやりにくい。

こんなときはスパンカーの角度を調整して、船首を風上か潮上のどちらかに向けて対処するのがセオリー。もし風の影響が強いと感じれば、潮流れの影響も含めたうえで船首が風上に向くようスパンカーの角度を調整し、風の力を打ち消すように操船するとよい。むしろ、潮の影響が強いと思ったら、船首を潮上に向けるようにすると操船しやすい。

以上がスパンカーを使った流し釣りの基本テクニックだが、風と潮流の影響はボートによって相当異なるため、結局のところ、スパンカーを使いこなすには実際に何度も釣りに行くしかない。基本的な仕組みをしっかり理解したうえで、どんどん釣りに行くのが上達のカギ。自分のボートが風と潮の影響をどの程度受けるかを把握して、どこからどんなふうに流したらいいかイメージできるようになったらしめたものである。

■ドテラ流し

これまではエンジンの推力を使う流し釣りを解説してきた。しかし、推力を使わなくてもフネは流れる。もちろん、シーアンカーは入れない。そのときに竿を出せば当然流し釣りになる。いわゆる「ドテラ流し」というやつだ。

つまり、風や潮まかせにフネを「放置」するだけ。「コントロール」といいがたい面はあるものの、たとえばヒラマサのルアーキャスティングやアオリイカのティップラン釣法のように、ドテラ流しを積極的に採用する釣法もある。その意味ではアンカリングやトローリングのように釣法と縁の深い方法である。さらに、エンジン音で魚を驚かせなかったり、操船に煩わされなかったりするメリットもあるので、流し釣りのレパートリーに入れておいて損はない。しかも、ドテラ流しの特性を理解することは流し釣り全般に役立つはず。ぜひ自分の引き出しに加えておこう。

スパンカーがあれば風が強い状況でも快適に流し釣りが楽しめる

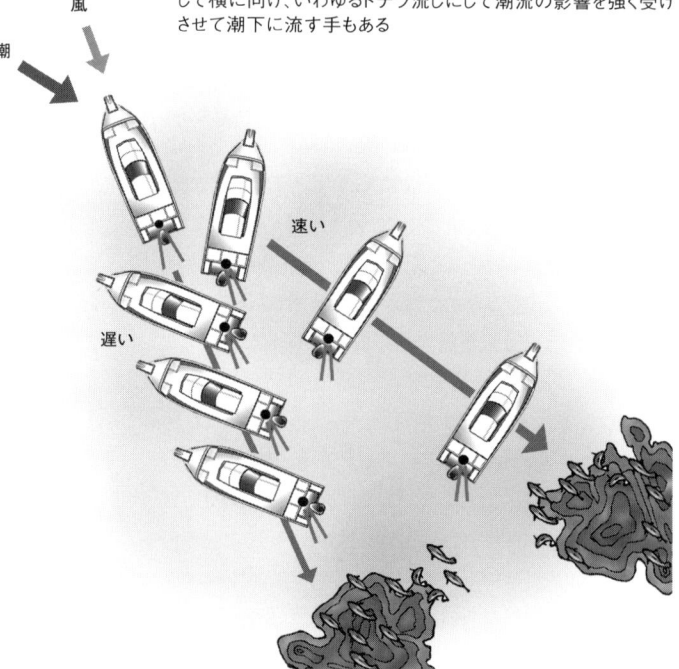

潮流の影響が強い場合
スパンカーの角度を調整し、船首を潮上に向けると潮流の影響を弱められる。このときボートはより風下側に流されるが、ボートが潮上に向くので操船も釣りもやりやすい。また、船を潮に対して横に向け、いわゆるドテラ流しにして潮流の影響を強く受けさせて潮下に流す手もある

ドテラ流しは「楽な流し釣り」であるだけでなく、釣法の威力を高める操船でもある

　そもそもドテラ流しとは、流れる方向にフネを真横に向けて放置するコントロール法をさす。ある程度以上の大きさの遊漁船で定着したもので、全員が片舷に寄って一方向を釣るので、釣り座の優劣が比較的少なく、また、オマツリしにくいし、ミチイトを船体にこすったり、プロペラに絡めたりする機会も減る。

　この場合は「大勢で」という要素がいちばんのポイントだ。逆に言えば、1人2人の少人数なら、ヨコを向けずとも支障のないケースがほとんど。しかも、スパンカーを使う流し釣りで解説したように、プレジャーボートのなかには遊漁船のように風に対して真横を向かないものが多い。だから、中型以下のプレジャーボートでは厳密な意味でのドテラ流しはなかなか難しいが、操船不要な「楽な流し釣り」の意味で使われることもあるので、ここでは真横でないケースを含めることにする。

　また、操船不要でフネを放置するといっても、バケツを投入したり、スパンカーを張ったりするなどして、フネの角度や流れるスピードをコントロールできる。こうしたちょっとした工夫でますます楽になることもある。

　ただし、潮と風がきつい場合をはじめ、深くなるほどやりにくいなど、ドテラ流しが快適な状況は相当限られるし、ちょっと推力を使うだけで格段に釣りがラクになる場合が多い。最後に述べるドテラ流しを積極的に採用する釣法以外では、シーアンカーやエンジン流しをしているときに、風や潮が弱まるなど、煩わしい操作が不要になったときの「楽な流し釣り」というとらえ方でいいだろう。

■ドテラ流しに適した釣法

　要は流し釣りであって、いちばんのメリットは広範囲を探れる点にあることを頭においておこう。

　基本的に流し釣りが向く釣法は適しているものの、ボートが流れるスピードを推力でコントロールできないから、コマセカゴのように水の抵抗の大きな仕掛けは使いづらく、コマセワークもままならない。また、ボートが流れるコースを細かくコントロールできず、ピンポイントをねらうのは不得意だ。したがって、広範囲を探れるといっても、たとえば、盛期のシロギスや夏から秋にかけてのカワハギ、あるいは、居場所の定まらない回遊魚の泳がせ釣りのように、点在するターゲットを拾い釣るような状況に向いている。

　さらに、竿を出す向きが風下か風上かによって釣りの傾向を分けられる。

　ボートが進む風下側に竿を出す場合は、ミチイトを送り込むと、イトがどんどんフネ下に入ってしまう。よって、イトを立て気味に釣る必要があり、「タテの釣り」に向く。岩場のカサゴ、カワハギや根周りのシロギスなど、根掛かりしやすい場所でのエサ釣りや、バーチカルジギングなどが代表格。このとき、根掛かりを防ぐには、少し風下側にキャストして、極力仕掛けを引きずらないのがコツだ。

　また、風下側にロングキャストすると、その方向にボートが近づいていくので、浅場のシーバス、マグロやヒラマサなどの誘い出し、春のエギングなど、**繊細なアクションが求められる状況**に利く。おまけに風下に投げられるのは飛距離的にも有利である。

　対して、風上側に竿を出せば、ミチイトを送り込める量に制限はない。ミチイトの太さやオモリの重さを変えてイトの角度もある程度調整可能。ミチイトをあえて多めに出して、仕掛けがナナメにフケるのを利用して広く探ることもできる。つまり、こちらは「ヨコの釣り」が得意なイメージだ。

　たとえば、タイラバやジギングなどでナナメに広く探るケース。ほかには、砂地のシロギスやイイダコなど、底近くで仕掛けを引きずったり、小突いたりしながら探る釣りもできる。積極的にフカセはしないが、推力を使わない自然な流れ方を活かすティップラン釣法もこちら側だ。

125

BOAT FISHING BIBLE

第5章 ボートコントロール
Boat Control for Fishing

バウモーター

エンジンと異なる力を使うバウモーターは使い方によっては非常に便利なアイテムである。そもそもバスフィッシングで使われていたものだったが、シーバスアングラーが海で使うようになり、まもなく流し釣りファンの間にも普及した。今ではコンピューター制御でボートが風に立つような高性能タイプも登場している。今後がますます楽しみなアイテムだ。

無限の可能性を秘めたハイテクツール

バウモーターは文字通り船首に設置するモーターのこと。トランサムやサイドに取り付けるタイプもあり、推力は電気のためエレクトリックモーターやエレキと呼ばれることもあるが、ここでは総称であるバウモーターを使うことにする。

バウモーターを使ったボートコントロールが他と大きく異なるのはエンジン以外の駆動系を操作する点である。そのため、状況によってはボートコントロールの自由度が高く、非常に楽。半面、操作が面倒だったり、特に風や波が強いとパワーが足りないなどの短所もある。また、装備も大掛かりになりやすく、ボートの造作によっては取り付けられないものもある。

バウモーターはそもそもバスフィッシングで使われてきたフィッシングギアである。バスフィッシングではアシ際や岸沿いを細かく移動するような操船をする。そんなときになくてはならないアイテムが、静かで繊細な操船が可能なこのバウモーター。バスフィッシングでも最初のうちはトランサムで使っていたが、初期のトーナメントプロのひとりがバウに取り付けて使い始めると、またたく間に船首に装備するのが主流になった。

艤装の章で紹介したように、バウモーターのボートコントロールテクニックは主に2通り。ひとつは風に立てる補助装置に使う場合。もうひとつは岸壁や橋ゲタなどのストラクチャーをキャスティングで細かくねらうようなときである。後者の用途はバスフィッシングとまったく同じで、テクニックもほとんど変わらず、海では主にベイエリアでのシーバスフィッシングやクロダイでの落とし込みで活用されている。

バウモーターの選び方とバッテリーシステム

プレジャーボートに適した海用のバウモーターとしては、アメリカの大手メーカー、ミンコタ社のリップタイド（RT）シリーズが広く普及している。取り付け場所は一応バウとトランサムの2タイプがあるが、バウに設置したほうが使いやすいので、特別な用途がない限りバウに取り付けるタイプを選べばよいだろう。なお、トランサムタイプはスモールボートの主機によく使われている。

操作方法にもいくつかのバリエーションがある。ボートフィッシングで真価が発揮されるのは、マニュア

ミンコタ・リップタイドシリーズ。写真はGPSと連動するi-Pilotモデルで、一度セットした方位を自動的に向き続けるオートパイロット仕様

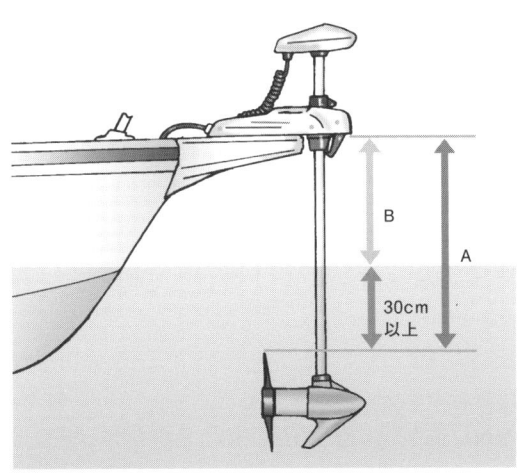

取り付けの注意点
バウモーターを使うにはプロペラのトップから水面まで30cmはほしい。シャフトの有効長（A）はミンコタのリップタイド12ボルト仕様で1250mm。船首の高さ（B）は積載物や釣りをするポジションによっても違うが、950mmがひとつの目安だ

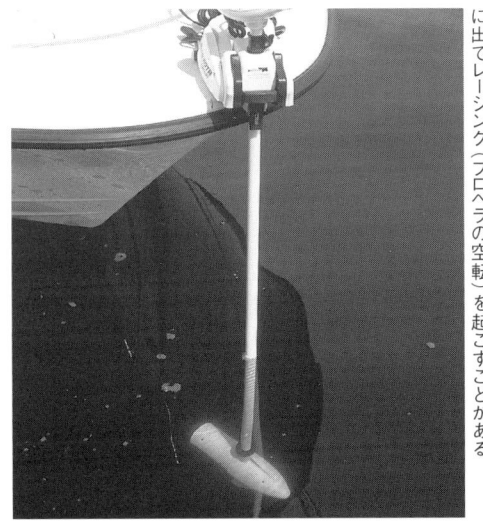

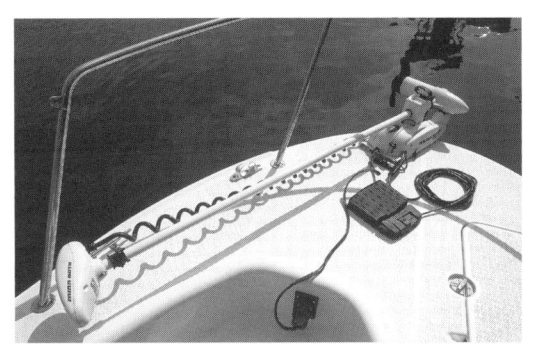

ボートの構造によっては取り付けられない場合があるので注意

プロペラがある程度深いところにないと、波が出たときに空中に出てレーシング（プロペラの空転）を起こすことがある

バウモーターには専用のバッテリーを必ず用意すべき。繰り返しの充放電に強いディープサイクルタイプが向く

電圧感応式の「VSRリレー」（右）と「ON-OFFミニバッテリースイッチ」（左）を使うと、メインバッテリーを優先して充電する安全な電装系が組める

ル操作リモコンの「コーパイロット」に加えて、「スポットロック」や「オートパイロット」といった自動操船機能のついた「i-Pilot（アイパイロット）」というモデルだ。

スポットロックはGPSと連動してフネの位置をキープするいわば「電動アンカー」。オートパイロットはフネが常にセットした方位に進む機能で、潮に沿った流し釣りで重宝する。このほか、手でじかにハンドルを操作するハンドタイプや、足専用の操作板によるフットコントローラータイプもある。

ミンコタのバウモーターはパワーもいろいろだが、どれも推力の微調整が可能であり、大は小を兼ねるためなるべくパワフルなものが使いやすい。だが、12ボルト、24ボルト、36ボルトの3タイプがあり、ハイパワーになるほど電装システムは大がかりになるので気をつけよう。おおよその目安としては、20フィート台前半の船外機艇までは12ボルト、発電能力の高いディーゼル艇で20フィート台中頃までは24ボルト、その上のサイズで発電性能にさらに余力があれば36ボルト仕様といったところ。なお、後述するように風流れを抑える効果は単にボートのサイズによるわけで

はない。風に流されにくい船型なら、30フィートを超えても十分に威力を発揮する。

そもそもバスフィッシングの世界で発展してきたバウモーターは実質的に米国のバスボートやベイボートを基準に開発されている。しかし、海のフネはバスボートに比べると乾舷が高く、波のピッチも大きいため、海用のプレジャーボートに取り付けるとシャフトが短すぎるきらいがある。シャフト長にもやはり注意が必要だ。

波のない海面において、水面からモーターのプロペラの上端まで少なくとも30cmは欲しい。モーターが水中に深く入っていないと、ちょっと波が出てきただけでレーシング（プロペラの空転）を起こしてしまう。購入時にはしっかりと自分のボートの船首と海面までの距離を知っておくことが大切だ。船首の高さはボートの艤装や荷物の多さなどにもよるので、バウモーターを購入する前には必ず実測しよう。それから、バウモーターは取り付けスペースやバウレイルの関係でボートに合わない場合もある。適合サイズが表示してあってもそれは一応の目安に過ぎない。購入時にはこれらの点を販売店とよく相談すること。

バウモーターを使うにはバッテリーシステムも不可欠である。

手動でスタートできるごく小馬力の船外機艇を除いて、ボートにはエンジン用のメインバッテリーが搭載されているが、これをバウモーターの電源にするのは絶対禁物である。バウモーターの消費電力は非常に大きく、もしメインバッテリーが上がるようなことになったら一大事だ。スターター用のメインバッテリーとは別のバッテリーを必ず用意すべきである。

バッテリーは小さな電流を連続して使え、充放電を繰り返しても大丈夫なディープサイクルタイプ。それに加えて、オルタネーター（エンジンで駆動される発電機）で充電できる電装システムを組むのがおすすめだ。

たとえば、12ボルト仕様の55ポンドタイプですら最大消費電流は約50アンペア。フルパワーの連続使用で電気的なロスがない場合だが、バッテリーの容量が105アンペアであっても105÷50＝2.1と2時間ほどしかもたない計算になる。バウモーターをフルパワーで回し続ける状況は稀としても、オルタネーター抜きでは数時間もてばいいほうだろう。

電装システムは「VSR（電圧感応式）リレー」などを使った、コンピューター制御で安全にサブバッテリーを充電できるシステムがベスト。これらはダイオードを使用するアイソレーターに比べてロスが少なく、配線も簡単。しかも、メインバッテリーが満充電されたあとにサブバッテリーが充電されるなど安全対策もばっちり。さらにソーラーチャージャーを併用すれば保管中のケアもできて安心だ。もしバウモーターを頻繁に使うようになったら、それでも容量が不足する可能性もある。そのときは出航前にバッテリーを陸で充電するようになるケースも頭に入れておこう。

また、オルタネーターの能力にもよるが、GPS魚探や電動リール、デッキライトなど、電装品をたくさん使う場合にはサブバッテリーをもう1つ用意し、計3つの系統を搭載するくらいの余裕があってもいいだろう。

バウモーターのテクニック

■電動アンカリング

GPSと連動させて1点に定位させる操船方法だ。ミンコタの「スポットロック」がこれにあたる。

風や潮の影響を相殺し、完全に自動でGPSの緯度経度をキープする。多少の計測誤差はあるとはいえ、アンカーロードの長さによって生じるボートの振れもなく、通常のアンカリングより固定の精度は上。感覚的にはぴたりと1点に留まると言っていいだろう。おまけに、水深5メートルの岩場であろうと500メートルの砂地であろうと、水深も底質も選ばず、操作もバウモーターを下ろしてスイッチを入れるだけなので、最も簡単かつスムーズにボートを固定する方法といえる。

アンカーを投入してから位置決めをするまでの手間と比べると、電動アンカリングの手際は恐ろしくいい。何より、海上の1点に確実にボートを留められるのは、ポイントを選ぶうえでも釣り方を工夫するうえでも実に強力な武器になる。核となる基準点を手に入れるメリットは本当に大きい。なお、アンカリングにおけるボートポジションと釣り方については、先のアンカリングを参

考にしていただきたい。

　また、ミンコタには「スポットロックジョグ」といって、フネの向きを認識するヘディングセンサーを取り付ければ、定位した1点から前後左右に1.5メートル単位でボートを平行移動できる機能もあり、ポイントを丹念に探ったり、次に述べるように潮に沿っての流し釣りに活用したりもできる。

■流し釣り

　潮に沿わせつつ、かつ船首を風に立てるアシスト装置としてバウモーターを活用するやり方だ。

　シーアンカーやスパンカーのケースと違い、船首を直接動かすバウモーターの操船はわかりやすい。

　風と潮がある場合は、その合力と釣り合うように船首を向ける。あとはイトを立てるようスピードを微調整すればよい。流し釣りでバウモーターを使うような中・小型のボートは風の影響が大きいので、基本はやはりまず風上にボートを向けてから、潮の方向によって向きを調整する方法がやりやすいだろう。ボートの流れ方とイトを立てる操船については、スパンカーを使った流し釣りのところで解説した。

　オートパイロット機能を使えばボートが自動的にセットした方角を向く。風と潮の方向や強さが変わらなければハンズフリーで流し釣りが楽しめる。しかしながら、実際には特に風が一定という状況は少なく、微調整を要するケースが多い。それでもオートパイロット機能は操船の手間をだいぶ省いてくれるだろう。スポットロックでいちど定位してからオートパイロットの向きと推力を調整する、あるいは、スポットロックジョグを使ってボートポジションを積極的にコントロールするといった手もある。

　岸壁などの目標物に沿って操船する場合にもあてはまることだが、バウモーターを使用中に意外な効果を発揮するのがドライブの抵抗だ。バウモーターによって推力が発生しているため、プロペラが回っていなくても、ステアリングで船尾の動きをけっこう調整できるもの。たとえエンジンを使わなくてもステアリングの方向には常に注意を払おう。ちょっとしたことだが、知っておいて損はない。

　また、風よりも潮が速ければ、潮の抵抗を逃がすた

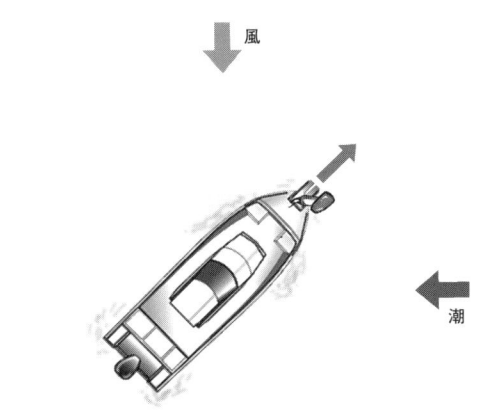

風と潮の方向が異なる場合
ボートは風と潮の合力の方向に流れる。実際にはまず風にボートを立ててから、仕掛けを投入して潮流の方向を見定め、バウモーターを潮上側に少し傾けてやると潮に沿って流しやすい

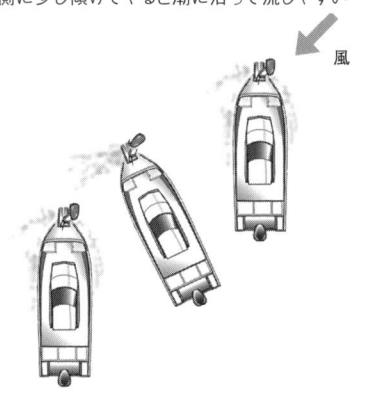

オートパイロット機能
オートパイロットは自動的に船首が向く方位をキープする機能。パワーを調節するだけで、船首を一定の方角を保てる

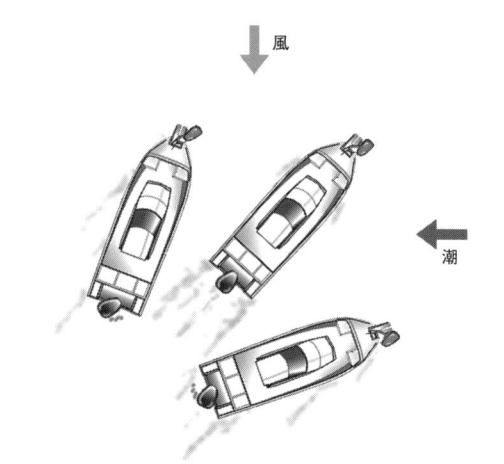

ドライブの向きで姿勢をコントロールする
バウモーターを使う際に船外機やドライブの向きでボートの姿勢をある程度コントロールできる。ドライブを左に振ると船首は左に、右に振ると船首は右に向く

BOAT FISHING BIBLE

第5章 ボートコントロール
Boat Control for Fishing

めドライブをチルトアップする手もある。バウモーターを使用する流し釣りでは、オルタネーターで充電をするために釣りの間もできればアイドリングにするのがベターだし、ドライブが水中にあるほうが船尾の挙動は安定するが、状況によってはチルトアップも効果的だ。

■ストラクチャーをねらう場合

一番のポイントは風と潮の方向を的確に判断し、自分が流すコースをまずしっかりイメージすることである。すると、ねらったポイントにアプローチするにはどちらの方向からどういう向きでボートを近づけたらいいのかがおのずと弾き出されるはず。シーバスのキャスティングやクロダイの落とし込みのような釣りでは、バウモーターを使いこなせるかどうかはテクニックの問題ではなく、ボートを流すコースがちゃんとイメージできるかどうかにかかっていると言っても過言ではない。

そのためにはやはり自分のボートが風と潮によって受ける影響を的確につかんでおくことが大切である。基本は流し釣りと同じように、船首を風に立てての風下からのアプローチだ。とはいえ、潮の利き方によってはボートやルアーが流されることもあるだろう。そんなときはねらった魚にルアーを最も効果的にプレゼンテーションできるキャスティングコースとボートポジションを考える。

なんだか雲をつかむような説明で大変申し訳ないのだが、実のところ、これと決まったやり方がないのがこのテクニックなのだ。それはボートポジションが魚へのアプローチに直結するからである。魚へのアプローチは釣りで最も大事な要素のひとつ。その意味では釣りと関係が深いアンカリングによく似ているともいえる。同じ様に、釣り方を含めて自分なりのスタイルを確立するしかない。バウモーターの使い方も十人十色だ。

バウモーターの具体的な使い方はコントローラーによって異なるので一概に言えないが、バウの向きを直接動かすのでコントロール自体は難しくない。また、流し釣り以上にボートの姿勢が釣りやすさに影響するため、ステアリングの角度を積極的に利用したい。岸と平行に流すような場合、ステアリングワークで岸と平行に向けたり、岸と垂直にするなど、ボートの姿勢をコ

クロダイの落とし込みでの1シーン。どこにいてどちらを向いている魚にどうアプローチするか。ボートの流し方とバウモーターの使い方はそこから考えよう

ントロールできることもある。

海の条件が悪いとパワーが不足したり、ボートによって取り付けられないなどの欠点はあるものの、専用の駆動系を持つバウモーターは実に便利な道具である。しかも、この先どこまで発展するかは未知数だ。実際、バウモーターではないが、ジョイスティックでボートの姿勢を自在にコントロールできたりするメインエンジンの制御システムも登場し始めている。どんな進化を遂げるのかわからないが、今後が実に楽しみなシステムである。

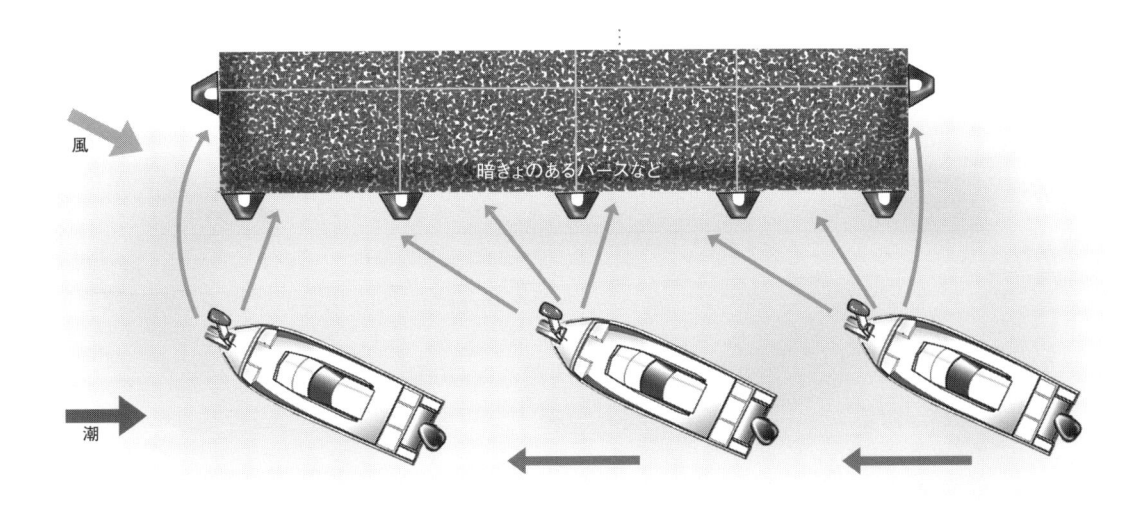

目標物のねらい方の例①
ボートをバースから数メートル離した位置をキープしながら潮上、あるいは風上に向かって流す操船が基本。風と潮の向きにあまり角度がなければずっと同じ姿勢で流せる。このような使い方では、バウモーターのプロペラをゆっくり回し続けるとボートの挙動は安定する

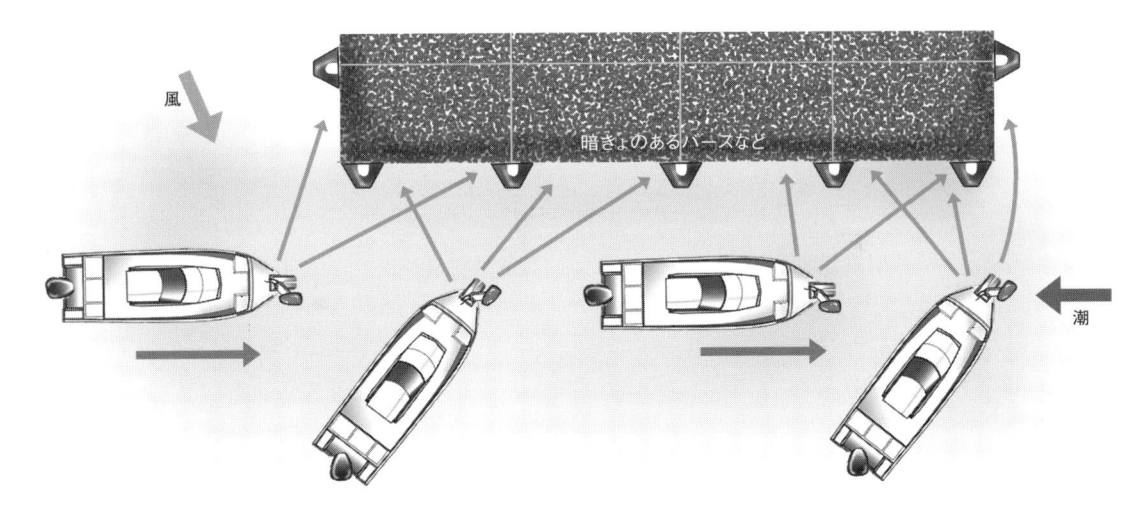

目標物のねらい方の例②
風と潮の合力の方向にエレキを向けるのが基本だが、風が強くて潮上に進めないようなら積極的に態勢を立て直すボートコントロールも必要になる。ストラクチャーをねらうボートコントロールでは、魚のヒットパターンに合わせた臨機応変のアプローチがカギ

BOAT FISHING BIBLE

第5章 ボートコントロール
Boat Control for Fishing

ライトトローリング

ボートでルアーを引っ張るトローリングはプレジャーボートならではの釣り。操船が釣果に直結するだけにキャプテンのやりがいも大きいし、何より、大海原で大型回遊魚と繰り広げるファイトは迫力満点、気分は最高だ。予期せぬ超大物がかかるのも魅力。ライトトローリングをマスターすればカジキも夢ではない。

ストライクの興奮は予想以上

トローリングとはボートを走らせてルアーやエサを引っぱる釣り方のこと。主なターゲットはマグロ、カツオ、シイラ、サワラ、ブリ、ヒラマサ、カンパチなどの表層付近を泳ぐ回遊魚たちだ。

余談になるが、ボートに興味のない人はプレジャーボートのことをなぜか"クルーザー"と呼ぶことが多い。そういう人たちにボート釣りの話をすると、真っ先にトローリングをイメージするようだ。海原をさっそうと走っている姿からトローリングを連想するのだろうけれど、確かに、トローリングはプレジャーボートによく似合う釣り方のひとつである。

日本の場合、トローリングといっても、実はアメリカ発祥のスポーツフィッシングと日本の伝統的な漁法の2つのスタイルが混在している。両者を厳密に区別するため、ここでは前者をトローリング、後者を曳き釣りと呼ぶことにする。

トローリングと曳き釣りの最も大きな違いはロッドとリールの有無だろう。トローリングではロッドとリールを使ってファイトを楽しむのに対して、曳き釣りでは効率を優先してコードのような太い渋イトを強引に手繰る。どちらの釣りをやるかは、結局のところ好みの問題だ。カジキのトローリングに象徴されるようなゴージャスかつダイナミックなファイトにシビレたいのであればトローリング。ファイトは二の次、百戦錬磨の漁師よろしく中・小型のうまい魚を確実に得たいなら曳き釣りがおすすめだ（ただし、釣りすぎには要注意）。いずれにしろ、ヒットしたときの興奮度は相当なもの。

とはいえ、気軽にチャレンジできるのはトローリング、しかも、細めのラインを使うライトトローリングだろう。

どこをねらえばいいのか

ボートを走らせること自体が釣りのトローリングでは、当然、ボートコントロールも釣りの一部。操船と釣法を分けて説明するのはそもそも無理がある。しかも、回遊魚の見つけ方はボトムフィッシングと大きく異なるので、まずは魚の見つけ方から話を始めよう。

ライトトローリングではその海域に魚がいることが前提だ。当たり前すぎてバカバカしく聞こえるかもしれないが、行動範囲の狭い根魚と違って、相手は足の速い回遊魚。適当な予測を元に出航するのはリスクが大きすぎる。クルージングのついでに釣れればOKという程度ならかまわないけれど、ねらって釣るには情報収集が要となる。あらゆる手段をつくしてしっかりと事前に情報を集めておきたい。

目指す海域まで来たら、とにかく海の"変化"に目を凝らすのがトローリングの第一歩だ。なかでも注目すべきはナブラ、トリヤマ、潮目、漂流物などである。

ナブラは魚群と書き、文字通り魚の群れのこと。表層近くでベイトフィッシュがプランクトンなどのエサを

事前に情報を集めてターゲットのいる確率の高い海域に向かい、現場に着いたら海の"変化"に目を凝らす

水面にベイトフィッシュが追い詰められた状況がナブラだ。ときには直接ターゲットが姿を見せることもある。魚を散らさないアプローチがナブラ攻略のカギ。直接ナブラをねらわなくても周辺でヒットする可能性は高い

遠くからでも見つけられるトリの動きは、トローリングのポイント探しで最も頼りになる相棒。ナブラをねらうトリヤマが見つかればベストだが、トリは魚の動きにとても敏感なので、トリの様子には常に注意を払うべき

塩分濃度や海水温、潮流の向きなど、性質の異なる2つの潮がぶつかってできるのが潮目。2つの潮の差が大きいほうが条件はよい。強い潮流がぶつかる高根など、地形的にいつも潮目ができるような場所もある

写真のようなブルーシートをはじめ、流木や流れ藻、ある程度の大きさのゴミなどは回遊魚の絶好の付き場。魚がいるかどうかは漂流している期間の長さにもよる。長く漂っているものほど魚が付いている確率が高い

食べていたり、フィッシュイーターから海面に追い詰められている状態で、周囲にはターゲットのいる可能性が大。ときにはカツオやマグロ自身が姿を見せることもある。

　ナブラの魚を食べに鳥が山のように集まっている状態がトリヤマだ。遠くからでも見つけやすいトリは、魚を探す非常に大きな手掛かりになる。トリヤマが立ったらすぐ駆けつけられるよう、トリの行動には常に注意を払っておこう。

　塩分濃度や海水温、潮流の方向など、条件の異なる2つの潮がぶつかってできる境界が潮目。潮目にはプランクトンやゴミが集まる性質があり、やはり大型のフィッシュイーターが潜んでいる可能性がある。直接魚を見て確認するナブラやトリヤマよりわかりにくいかもしれないが、目安のひとつは2つの潮の差。水色、水温など、その差が大きいほど有望な傾向にある。

　流木や流れ藻、ブルーシートなどの漂流物も回遊魚の好む要素。特に誰もねらったことのない大きな漂流物は絶好のねらいめである。シイラをはじめ、カツオやマグロ、ヒラマサ、カンパチなどの大釣りが期待できるビッグボーナスのひとつといえる。こんな漂流物をもし見つけたら神様に感謝しよう。

トローリングのテクニック

■ポイントでの操船

　このようなポイントを見つけたら、ルアーをセットしてトローリングを開始する。トローリングスピードは4〜7ノットが標準的で、潮流や波など、そのときの海況に合わせてルアーが最もよく動くスピードで流す。フックに漂流物がかかったり、スカートが絡むこともあるので、ルアーの動きは常に目で見て確認すること。トローリングスピードはエンジンの回転数を基準に調整するとわかりやすい。

　トローリングのボートコントロールの基本には次のようなものがある。

　魚には潮上に頭を向けてエサを捕る習性があるので、潮流を遡るように進むとヒットする確率が高い。とはいえ、潮下に進んでいるときに食うこともあるので、

BOAT FISHING BIBLE | 第5章 ボートコントロール
Boat Control for Fishing

　潮流が一定のポイントでは潮と平行に往復するのがセオリー。そのときに真っ直ぐではなく、ジグザグに進むとねらうポイントの攻略に時間をかけられる。

　曳き釣りの漁師の間では「太陽を背にして曳け」と言われている。その理由にはさまざまな説があるが、ひとつは魚にはまぶたがなく、太陽に向かってルアーを引くとまぶしくてルアーを見つけにくいというものだ。

　ゴミの多い潮目はゴミの隙間を縫うようにジグザグに進むとトラブルを避けやすい。ただし、潮目は条件の異なる潮なわけだから、水温の高い側やトリの多いほうなど、条件のよい潮を集中的に流すのも手。潮目では海の細かい変化に対する観察力が大切だ。

　トリヤマやナブラをねらうときは、直接突進するのではなく、遠くから回り込むように近づくこと。ナブラの中に突っ込んでしまうと、せっかく見つけた群れが散るおそれが大きい。ナブラを発見したら、移動する方向をよく見極め、予測して先回りするのが鉄則だ。船尾後方にあるルアーがちょうどナブラの先頭に差しかかるタイミングがベストである。

　ナブラの下にはフィッシュイーターが潜んでいることがある。その範囲は水深が深くなるほど広いのが普通だ。立体的にはナブラは海面を頂点とする円錐形をしているとイメージすればいいだろう。だから、ナブラの周辺でもヒットするチャンスは十分ある。特に移動するナブラの後方には魚が沈んでいることがあり、すぐ後ろを横切るのはなるべく避けたい。

潮上に向かって流す

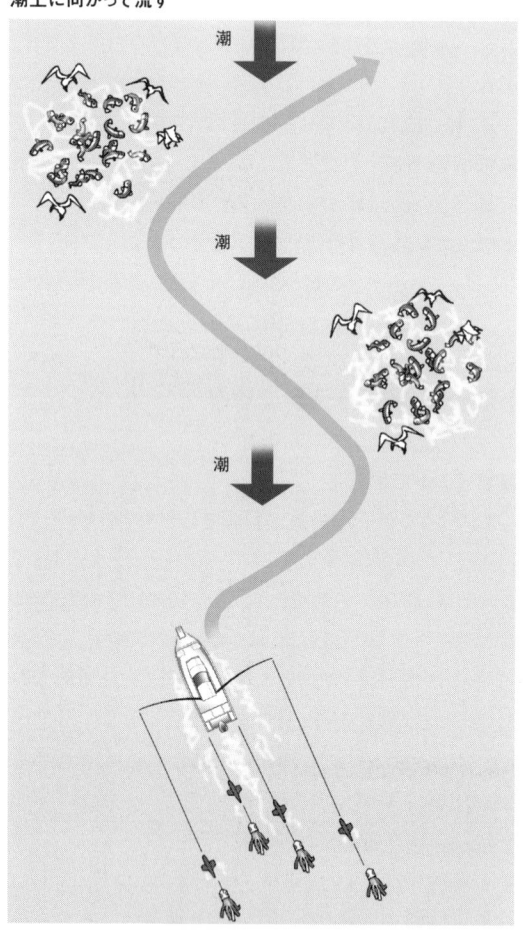

魚には潮上に頭を向けてエサを取る習性がある。潮流があるときは潮下から潮上に向かって流すのが基本。さらにポイントをジグザグに進むと時間をかけて流せる

太陽を背にして流す

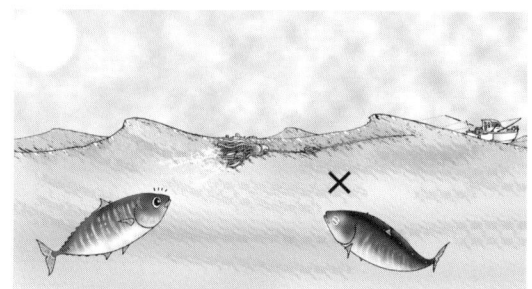

太陽に向かって流すとまぶしくて魚がルアーを発見しにくいと言われる。太陽を背にして流すとよい

ナブラのねらい方

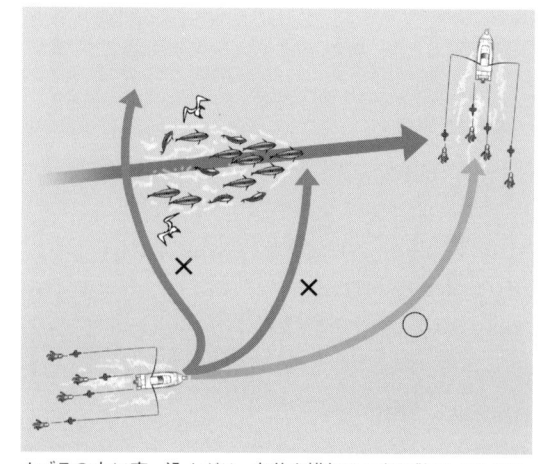

ナブラの中に突っ込んだり、直後を横切ると魚を散らしてしまう。ナブラの動きを読んで、ナブラの先頭にルアーがちょうど差し掛かるように操船する

ナブラの下には大型の魚が潜んでいる

ナブラを立体的に見ると海面を頂点としたピラミッド状になっている。特に大型のフィッシュイーターはやや離れた場所に潜んでいることがあり、ナブラの周辺を流してもヒットのチャンスは十分ある

ナブラに遭遇すると、ダブル、トリプルヒットなど、バタバタと釣れることがある。そんなときでもナブラを見失わないように気をつけよう。トリヤマやナブラの速度が猛烈に速い場合もあるが、全速力で先回りするような操船もときには必要だ。

■ヒットから取り込みまで

魚がヒットしたら、普通は速度を保ったまま他のルアーをすみやかに回収する。ヒットしていないタックルのラインはトラブルの元なので、単独釣行の場合は流す本数を自分がスムーズに扱える範囲に抑えておこう。魚のサイズが大きければ多少GOをかけ、フックアップさせると同時にラインを送り余裕を持たせてもよいが、ライトトローリングではたいていその必要はない。

魚の動きに応じた操船も不要なことがほとんどだが、予想外の大物が掛かることもあるのがトローリングだ。ファイト中のボートコントロールで気をつけたいのは、魚がボートに向かって来たり、横に走ったりしてラインが弧を描いたとき。カーブしたラインにかかる水のプレッシャーは意外に大きく、ラインブレイクにつながるので、魚の動きをよく見てなるべくアングラーと魚が真っ直ぐに向き合うようボートをコントロールする。スモールボートではアングラーがバウに移動して前進で追いかけるような機転も有効だ。

無事、魚がボートに近寄ったら、ランディングはプロペラやドライブがあるトランサム側ではなく、舷側から行うのが基本。魚が大きいとケガをするおそれがあるので、リーダーをしっかり持ち、ネットかギャフを確実に入れること。

トローリングはキャプテンのウデが釣果に直結するプレジャーボートならではの釣り。いい情報を聞きつけたり、沖でナブラを見つけたりしたら、ぜひチャレンジしてみよう。ライトタックルもビッグゲームもトローリングの基本は同じ。ライトトローリングをマスターすれば、カジキやマグロとのビッグゲームも夢ではない。

なお、タックルやルアーの流し方については第7章で解説する。

ランディングやリリースは舷側で行うのが基本。トランサム側から寄せるとプロペラやドライブでラインブレイクのおそれがある。また、魚が大きいのでリーダーをしっかり持ってネットやギャフを確実に入れること。グローブとサングラスは必携

BOAT FISHING BIBLE

第5章 ボートコントロール
Boat Control for Fishing

ミニボート

津々浦々で四季折々の釣りが楽しめるのはもちろん、コストの低さや海との強い一体感などもあり、車で運べる小型艇の人気はとどまるところを知らず、いまやフィッシングボートの一大カテゴリーとなっている。オーナーには熱心な釣り人が多く、自分専用のフィッシングマシンに仕上げる人がほとんどだ。ボートというより釣り道具。そんなムードもミニボートの魅力である。

もっと広く、もっと自由に

ミニボートとは車載可能な小型艇を指す。マリーナに保管する場合と違い、車の機動力を生かして日本全国どこからでも出航できるのが最大の強みだ。「可搬型小型船舶」の航行区域なら全国の沿岸から3海里以内、さらに2004年に追加された「沿岸小型船舶」を取得すれば5海里以内まで航行できる。四季折々に各地の海でいろんなターゲットをねらえるとあって、ファンは着実に増え、いまやフィッシングボートの一大カテゴリーとなっている。

自由に出艇地を選べる他にも、ミニボートには多くの魅力がある。

小回りが利くため、細かくポイントをねらうような緻密な釣りがしやすい。ボートが大きいと行動範囲が広がる反面、釣りが雑になって釣果が伸びないことがけっこうあるものだ。また、大きなボートだと座礁が心配で近寄れない磯際も得意エリア。

吃水が浅く、海面との距離が近い独特の感覚は海との一体感を強く感じさせてくれるだろう。ファイトや取り込みでのスリルは満点。とりわけ、小さなボートで大きな魚を釣り上げたときのエクスタシーは格別だ。

価格が安く、保管コストもほとんどかからない経済的なメリットも当然ある。

この本では主にマリーナ保管艇を対象に話をしているが、釣りの楽しさではミニボートもまったく引けを取らない。それどころかむしろミニボートのほうが楽しいという人も多い。可搬型というサイズゆえに独特の知識やノウハウが要求されるミニボート。人気カテゴリーのため専門の本もいくつか出ているが、ボートコントロールに限らず、ここでは入門用としてミニボートならではノウハウやグッズを紹介する。

車に合ったボート選びを

可搬型といってもどんな車でもいいわけではない。ミニボートではまず車に合ったボート選びが肝心だ。乗用車にミニボートを積む手段はカートップか車内積みが主流である。

カートップはボートを固定できるキャリアをセットできさえすればOKだが、車高は低い方がボートの積み下ろしは楽。ボートの許容範囲は広く、一体型のFRPやアルミ艇、折りたたみ式ボートなどの大きなボートも運べる。屋根から降ろせばすぐ出航可能なため、インフレータブルボートを膨らませたまま載せる人もい

キャリアを利用して屋根に積む運び方をカートップという

分割式やインフレータブルボートは車内に搭載可能

可搬型ミニボートの種類と特徴

種類	長所	短所
FRP一体型	船型の自由度が高く、スパンカーが使えるなどさまざまなタイプがある。塩・紫外線に強い。手入れが簡単。加工しやすい。	大きく重いので運搬が大変。比較的高価。車載は不可（カートップのみ可）。
FRP分割型	保管場所を取らない。塩・紫外線に強い。手入れが簡単。加工しやすい。組立・収納はスムーズ。	収納性を考えて設計されるため船型の自由度は低い。高価。高馬力仕様は非常に重い。
インフレータブル	保管場所を取らない。比較的安価。静止安定性・安全性が高い。乗り心地がソフト。	組立・収納・手入れに手間がかかる。塩・紫外線・摩擦に弱い。風流れが大きい。
折りたたみ型（ポリプロピレン製）	折りたたむとサーフボートのようになり軽量・コンパクト。塩・紫外線に強い。	剛性に劣るため高馬力船外機は不可。組立・収納に慣れがいる。
アルミ	リベット接合タイプは軽量。比較的安価。リサイクル可能で処分しやすい。高馬力船外機が搭載可。	溶接接合タイプは重く運搬が大変。電食の恐れがある。車載は不可（カートップのみ可）。

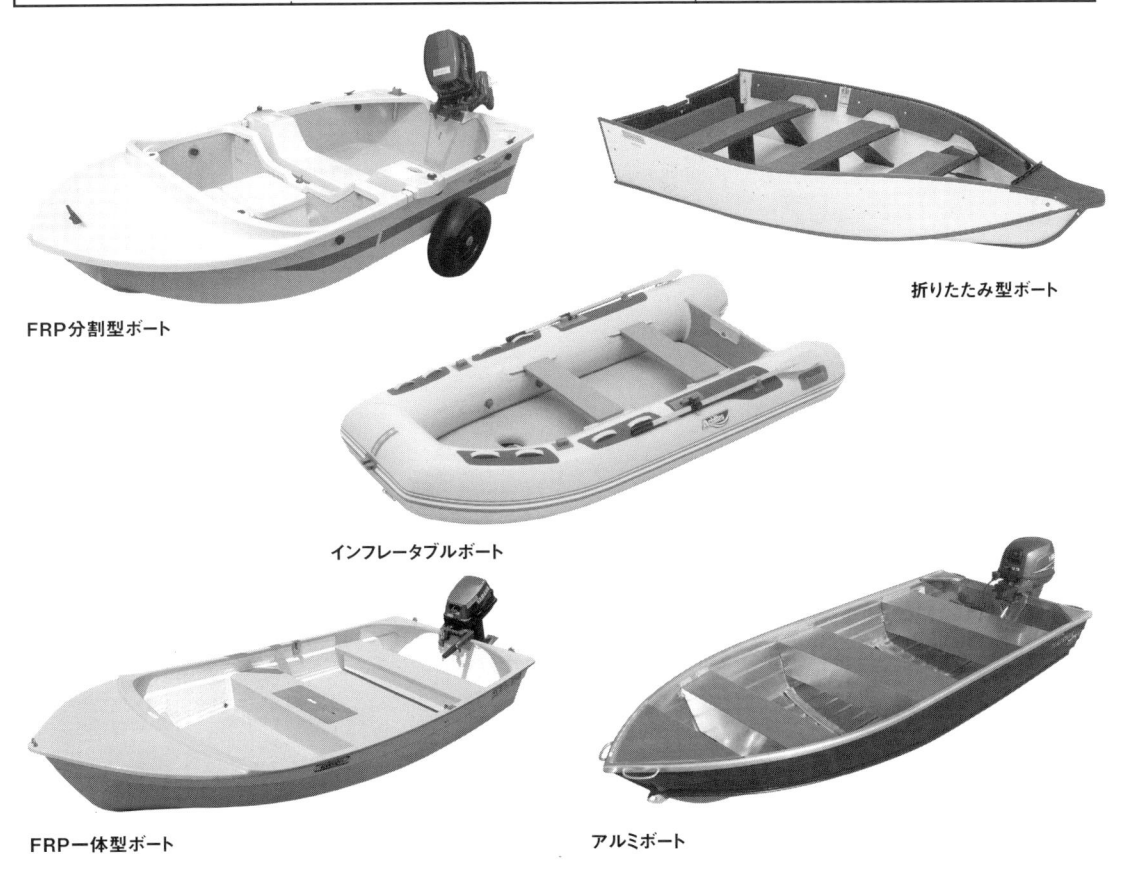

FRP分割型ボート

折りたたみ型ボート

インフレータブルボート

FRP一体型ボート

アルミボート

BOAT FISHING BIBLE | 第5章 ボートコントロール
Boat Control for Fishing

る。砂や泥のついたボートで車内を汚すこともないし、車内を広く使えて釣り具や仮眠用のスペースを取りやすいメリットもある。ただし、サイズによってはボートが車に合わない場合もあるので注意しよう。

車内積みの場合はどうしても車の中に入れる荷物が増えるので、ラゲッジスペースの広いワンボックスかワゴンタイプ向き。ボートは分割型やインフレータブルボートがメインだ。これらのボートは自宅の保管場所を取らないのもメリット。車内にボートを積むのは移動方法としては安全で、運転中は安心感が高い。

いずれにしろ、ミニボートは自分の車に合ったボートを選ばないと始まらない。主な種類は一体型FRP、分割型FRP、アルミ、インフレータブル、折りたたみ式などだ。

ボートの次は船外機。ただでさえ足の遅いミニボート、できれば最大搭載馬力を載せたいところだが、ネックとなるのはやはり重量。人力で運ぶとなると、相当体力のある人でも40キロ前後が精一杯だろう。

実際には4ストロークの8馬力以下を使うケースが多いようだ。

ミニボートならではの便利グッズあれこれ

マリーナのバースではなく、自然海岸やスロープから出艇するミニボートでは離着岸時にオールがいる。万一、機関が故障した際の補助動力にもなるので、1本だけではなく、2本セットで漕げるものを用意しておこう。

何かと役に立つのがバッカンだ。アカくみとしてはもちろん、立って小用を足すのが危険なときにはトイレ代わりにもなるし、イザというときにはシーアンカーの代用にもなる。

背の低いミニボートは大型船にとっては非常に見にくい存在なので、視認性を高める旗は必須アイテムのひとつ。

釣りに関する艤装はさまざまなものが商品化されている。今はミニボート仕様の安価なGPS魚探も登場しており、必要なものはほとんど市販されている。なかでも、ぜひ欲しいのはサオ掛けと魚探。他に、イケスのないタイプであれば生きエサの保管ができるスカリと、疲れを軽減するイスなどもあると便利。なお、こうした艤装を

回転式のシートにGPS魚探、ロッドホルダーなど、釣り艤装は充実している

イケスがないボートではクーラーやスカリを利用して生きエサを確保する

背の低いミニボートにとって、視認性を高める旗は必須のアイテムだ

砂浜から出艇するときはウェーダーが便利。ライフジャケットは必ず着用すべき

自作する人が多いのもミニボート界の特徴だ。

スプレーを被りがちなので、服装はカッパが快適。岩ノリでも滑らないフェルト底かスパイク底のブーツは離着岸時にとても助かる。海岸で滑りやすいデッキブーツはミニボートには不向き。また、砂浜から出艇するときはウェーダーが便利だ。もちろん、たとえ免許不要のサイズであっても、ライフジャケットは必ず着用すべきである。

出艇、走行時の方法

ミニボートで絶対に守るべき大事な約束事がある。それは地元に迷惑をかけないこと。特に漁港のスロープを利用する際は細心の注意を心がけるべきである。税金で造られた漁港は本来誰が使ってもいいものだが、漁業に支障をきたすとして、管理を委託された漁協が出艇を禁止する場合がある。出港禁止の場所からボートを出さないのは当然、出航前には漁師にひと声かけて、車はちゃんと決められた場所に停め、ゴミは持ち返ること。一部の人間がマナーを守らなかったせいで出艇禁止になった場所はひとつやふたつではない。出艇場所があってこそのミニボート。みずからの首をしめないようにくれぐれも気をつけよう。

出艇場所はなるべく穏やかで十分安全な海面にする。波打ち際は転覆や浸水の危険が高いので、できれば外洋に面していない場所を選びたい。出艇時は船尾を沖に向けて船首側から乗り込み、最初はオールを使って深さのあるところまで漕ぎ出してからエンジンを始動する。

たまに右手で船外機を操作する人を見かけるが、左側にハンドルのある船外機は左手で操作するのが基本姿勢だ。あとは人の乗り方や荷物の置き方で、前後左右のバランスが適切になるように調整する。特に単独釣行で荷物も近くに置くとスターンヘビーになって、ボート本来の走行性能が生かされないことがある。そんなときは荷物をなるべくバウ寄りに置くか、エクステンションハンドルを利用して船首寄りに座るといいだろう。

ミニボートで厄介なのが、引き波をはじめとする波への対応だろう。危険なときに出港しないのは当たり前だが、突然風が出たり、引き波に遭遇したときは逃げたくても逃げられない。

ミニボートでは波に対して30度くらいの角度で進入するとよい。引き波といえども、波が単独で来ることは少ない。まっすぐに突っ込んでしまうと、最初の波を越えた直後にバウが次の波に突っ込んでそのまま沈没するおそれもある。また、風の抵抗が大きなインフレータブルボートでスピードに乗って波を乗り越えようとしたところ、バウが煽られてそのままバックドロップ、という事態もありえる。かといって、あまり横を向きすぎると横転しかねない。大きな波を越えるときは、バウが次の波に突っ込まないよう波長をよく観察して適度なスピードで乗り越えるのがコツだ。

それから、ミニボートを買っていきなり単独で釣行をするのはリスクが大きい。慣れないうちはほんのわずか知識が足りないせいで、思いもよらないアクシデントが起こるもの。最初は必ず仲間と釣行するのが賢明だ。もし仲間がいない場合は販売店に相談するのも手。良心的なお店ならしっかりケアしてくれるはずだ

BOAT FISHING BIBLE

第5章 ボートコントロール
Boat Control for Fishing

船外機は左手でバーハンドルを握って操作するのが基本

引き波や大きな波への対処

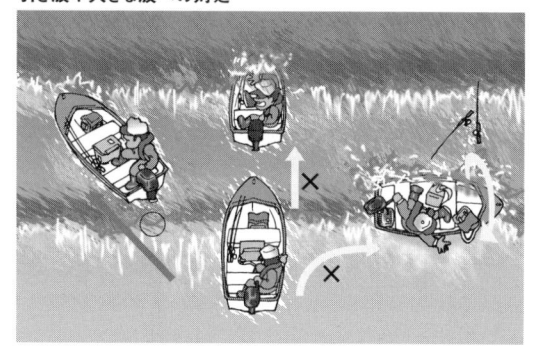

アンカーのサイズは3〜4kgが標準。アンカーロードは5、6mmのロープをポイントの水深の2倍は用意したい。スペースの狭いミニボートではアンカーロープを水道ホース用のリールに巻き取ると邪魔にならず、オマツリも防げる。もちろん、チェーンの使用は有効だ。

海底にアンカーが掛かったら、アンカーロープを固定するわけだが、このときに活躍するのがリトルボートの「水中クリート」である。これはわざわざ船首まで出向かなくてもスターンでアンカーを揚げ下ろしするためのアイテム。スターンで釣りと操船のすべてをこなせるのは大変ありがたいし、不安定なボート上を移動しないのは安全対策にもなる。マメにアンカリングをする人はぜひ。

ミニボートでは水深が浅いのと、ボートも小さいの

し、できればそういう相談にちゃんと対応してくれるお店を選ぶべきである。

ボートコントロール・テクニック

アンカリング、パラシュートアンカーの流し釣り、スパンカーによる流し釣りがミニボートの主なボートコントロールテクニック。風と潮への対応などはどんなボートでも同じなので、これまでの解説を参考にしていただくとして、ここではミニボートならではの道具選びやノウハウを、アンカリングと流し釣りに分けて解説する。

■アンカリング

アンカーの種類はやはり砂泥用のダンフォース、岩礁用、万能型、マッシュルーム、フォールディングなどさまざま。底質に合わせて選ぶのは同じだが、ミニボートでは収納のよさも条件のひとつ。岩場用にはコンパクトなフォールディングアンカーが便利。また、インフレータブルボートの場合はボートを傷めないマッシュルームタイプを使う人が多い。

アンカーロープは水道ホース用のリールに巻いておくと場所を取らない

これがアンカーリフター。エンジンの力を利用してアンカーを楽に揚げられる

水中クリートを使うと、スターンにいながらにしてアンカーを揚げ下ろしできる

で、アンカーロープは水深の1.5〜2倍ロープを出せば十分。

抜錨時にウインドラス代わりになるのがアンカーリフター。エンジンの推力でブイのところまでアンカーを上げると、ストッパーが利いてロープが止まり、あとはブイと一緒に浮いたアンカーを回収すればOKというスグレモノである。これも頻繁にアンカリングをするアングラーは持っていて損はないだろう。

なお、手でいくら引っ張ってもアンカーが抜けないときは、バウにロープを結びなおしてから風上側に移動して後進で抜くとよい。船尾にロープを結んで引っ張るのは沈み込みが大きく、浸水の可能性があるので危険。前進で抜こうとすると、アンカーロープを中心にしてボートが傾き、転覆のおそれがある。また、後進で抜く時も波に船尾を向けることになるので打ち込みに注意しよう。

■**流し釣り**

流し釣りのアイテムはシーアンカー、スパンカー、オモテ差し舵など。

シーアンカーの使い方はその他のボートとまったく同じ。操船の必要がなく、装備としても手軽なので愛用者が多い。アイスクリームコーンのような円錐形とパラシュート型があるのも同様だ。ただし、ミニボートの場合は抵抗を調整できるタイプは少なく、安全上、風波に船首を向けるのが大前提なので、ロープの2本取りも避けるべき。また、それほど大きな抵抗がいらないので、自分のボートに合うサイズを自作する人もいる。

スパンカーはミニボートの世界でも人気急上昇中。その相棒ともいえるのがオモテ差し舵である。

船首から海中に入れるオモテ差し舵にはボートの抵抗中心を船首寄りに移す働きがある。形状も機能もスパンカーの効果を高めるダガーボードに似ているが、そもそも風と水圧の抵抗が少ないミニボートでは、オモテ差し舵だけで風に立つことも少なくない。風を利用してボートの向きをコントロールするテクニックは使えないが、船上はすっきりする。

それでも風に立たなかったり、そもそもスパンカーが有効な船型のボートではやはりスパンカーが威力を発揮する。

ところが、ミニボートで意外に困るのがクラッチワークである。デッドスローのスピードが速すぎるときに、船外機の脇にいちいち手を伸ばしてオン・オフを繰り返すのは相当な仕事量だ。

この問題を解決するのがトローリングプレートや減速プレートなどと呼ばれる減速装置である。プロペラの直後に板を立てて推力を殺す仕組みで、走行時には水平になるようためるものが多い。これを使うとデッドスローが遅くなり、流し釣りの操船がとても楽になる。流し釣りがメインのアングラーには必須アイテムだ。

ミニといってもこのように装備は充実しており、釣りの使い勝手に関してはまったく引けをとらないし、スペースが狭くて使いまわしが利かない分、フィッシングボートの雰囲気が濃厚なミニボート。感覚的にはボートというより、もはや釣り道具のひとつである。

ボートの機動力を生かせるスパンカーを使った流し釣りはミニボートの世界でも人気急上昇中だ

オモテ差し舵は風に立てての流し釣りに極めて有効なアイテム

流し釣りでデッドスローのスピードが速すぎるときはトローリングプレートを使用するとよい

BOAT FISHING BIBLE

第5章 ボートコントロール
Boat Control for Fishing

アンカリング

アンカリングが決め手の完全フカセ釣法で日本海の青物を釣る

ライトトローリングの達人

切東真二さん Shinji Kirihigashi

神戸在住ながら舞鶴にボートを置き、完全フカセ釣法やノマセ釣り、ジギングなどさまざまな釣りをこなすエキスパート。ボート釣り雑誌などにもしばしば寄稿し、この世界ではちょっとした有名人である

大物ねらいのロマンにかける

日本海有数のボートフィッシングフィールド、若狭湾。その西の端に位置する舞鶴周辺はとりわけボートフィッシングが盛んなエリアである。ここではアンカリングの釣りが普及しており、さまざまな釣法が発展した。なかでも全国的に知られるご当地釣法が完全フカセ釣法だ。

アンカリングというと、停泊のついでにサオを出す安易な釣りというイメージがあるかもしれない。しかし、それが大きな誤解であることは完全フカセ釣法を見ればわかるはず。この釣りはまさにボートを固定するアンカリングのよさを存分に生かせる非常にすぐれた釣法である。

完全フカセとは、寄せエサとともにハリとイトだけを基本とする仕掛けを潮に乗せてポイントに送りこむ釣り方のこと。舞鶴では"グリ"と呼ばれる根周りや魚礁がポイントで、主なターゲットはマダイとブリやヒラマサなどの青物だ。仕掛けを流す距離はしばしば数百メートルと長く、1艇でサオを出せるのはせいぜい2人まで。そのために乗合船では不可能であり、仕立船やプレジャーボートで発展してきた比較的新しい釣り方である。

オモリを使うビシ釣りやドウヅキ仕掛けに比べると、タナが曖昧な反面、シンプルな仕掛けを潮に乗せて自然に送り込む完全フカセでは魚が警戒心を持ちにくい。ゆえに大物ねらいに適している。おまけに、ビシカゴやオモリのない仕掛けから伝わるファイトはこのうえなくダイレクト。そんな釣趣も大きな魅力のひとつだ。群れをねらう青物はたくさん釣れる場合もあるが、曖昧模糊とした部分も含めて、完全フカセは一発大物のロマンに

BOAT　　　　　　　　　　　　　　　　　　　YAMAHA FC-27

〈アンバージャックⅣ〉はヤマハのFC-27。広々としたアフトコクピットとキャビンはアンカリングの釣りやトローリングにぴったり。27フィートというサイズは耐航性も高く、天候によらず多くのポイントに行けるという

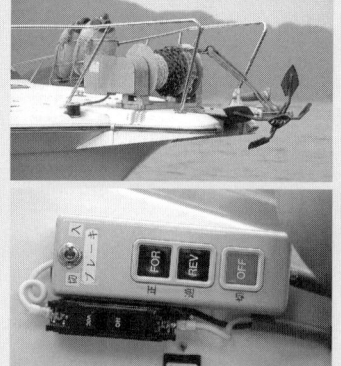

上：アンカーは根掛かりを外しやすく、底質を選ばない万能タイプで重さは9kg。この釣りにはアンカーウインチが大変重宝する

下：アンカーの揚げ降ろしをスイッチひとつで操作できるよう、アンカーウインチのリモコンもドライバーズシートの足元に取り付けてある

若狭湾名物の完全フカセ釣法でねらいどおりにハマチ（イナダ）をキャッチ。的確なアンカリングが釣果の決め手だ

満ちた釣り方といえるだろう。そんなロマンに惹かれてか、最近は若狭湾以外のボートアングラーの間でも人気急上昇中である。

一にも二にも正確なアンカリングから

　釣行当日はゴールデンウィーク終盤だった。マダイねらいにはちょっと早いが、すでにメジロ（ワラサ）が回っており、少し早めに完全フカセのシーズンが開幕。この釣りを得意とするベテランアングラーの切東真二さんも超一級ポイントの経ヶ岬沖に浮かんでいた。
　「完全フカセのカギは一にも二にもアンカリング。結局、釣果は仕掛けがねらったポイントに流れていくかどうか次第ですからね。魚探でポイントを見て、根の周りで小魚の反応があるところに直接流し込むという感じでやらないと釣れません。この釣りは船長さん次第ですわ」
　切東さんはGPS魚探の画面をにらみつつ、さまざまな方向から根の上でボートを走らせた。魚探を見ると、水深は30〜50mで、根周りにときどき大きなかたまりのような反応が現れる。こうした反応はターゲットの青物ではないが、青物のエサ、いわゆるベイトフィッシュであり、ポイントの目安になる。
　切東さんはGPSの画面をいっぱいまで拡大し、いい反応が出た場所をいくつかマークした。これまでにインプットした過去のポイントも併せて参考にしている。
　海底のイメージをだいたいつかんだあとは、潮と風の状況を見る。適切なアンカリングに不可欠の要素である。
　この日はほぼ無風だったので風は無視できた。あとは潮流の向きだが、周囲を見渡してもアンカリングしているボートはない。そのため、潮がどちらから流れてくるのかわからない。そこで、切東さんはジギングをしてみて潮の向きを判断した。結果、潮の方向は西から東へ流れていることが判明。ポイントと潮流の関係を正確に把握した切東さんはアンカリングをする場所の潮下にボートを回した。それから潮を遡るようにまっすぐボートを走らせ、魚探でポイントのベイトフィッシュをあらためて確認後、さらにボートを数百メートル走らせてアンカーを投入するのがセオリー。もちろん、風があればその影響も考慮しなければならないが、この日は無風だったので、ポイントのまっすぐ潮上にアンカーを投入すればOKだった。

BOAT FISHING BIBLE

第5章 ボートコントロール
Boat Control for Fishing

アンカーの投入地点は完全フカセで仕掛けを流す長さ＋アンカーからボートまでの水平距離になる。このポイントの水深は約50mで、アンカーロープは約1.5倍の70〜80mだから、アンカーとボートは水平距離で約50m離れている計算になる。仕掛けを流す距離は潮の速さにもよるが150〜250mが一つの目安。したがって、200〜300m潮上がアンカーの投入地点になる。ちなみに、水深の1.5倍とアンカーロープが短めの理由は、風や潮によるボートの振れをなるべく抑えるため。寄せエサを使う釣りでボートの位置が安定しないと集魚効率が悪くなるのだ。

GPSのスケールを確認して、ここぞと思う地点で切東さんはアンカーを投入した。着底までの間にボートが潮や風に流されるようであればGPSを見ながら操船をして元の位置をキープする。アンカーの着底はドラムの回転音で判断する。着底を確認したら、いったん後進をかけてアンカーがしっかり利いたのを確かめ、アンカーロープの長さを調節するのが一連の流れだ。

ここでもしうまくアンカーが決まらなかったら、ためらわざずに何度もアンカーを打ち直すのが鉄則。ただし、完全フカセの場合は、潮の方向さえ合っていればミチイトの送り加減である程度は対応できる。

完全フカセを成功させる手掛かりとは

アンカリングが済んだら釣り開始だ。

完全フカセは海面から寄せエサを撒きながら行なう。海面からぽろぽろとこぼれる寄せエサの流れ方からすると、潮の利き具合は良さそうだった。仕掛けを入れてみても潮に流される速さはほどよく、いかにも釣れそうな状況である。

完全フカセ釣法でビギナーが最も不安に思うのはタナ決めだろう。オモリで底を取るわけでもなく、自分のハリの位置を知る術はほとんどない。だから、どの程度のスピードで、どれほどミチイトを送り込んだらいいのか頭を悩ませるに違いない。

それでも手掛かりはある。数少ないヒントをどれだけ生かすかが成功のカギだ。

手掛かりのひとつはエサの取られ方である。エサが

TACKLE

[切東さんの完全フカセ釣法タックル]

- サオ　遠投用磯ザオ　3号　4.5m
- ミチイト　フロロカーボン　6〜7号　300m
- サルカン
- 水中ウキやオモリはこの位置にセット
- ハリス、ミキイトともにフロロカーボン7号
- ハリ　フカセマダイ13号
- 小型電動リールまたはイシダイ用両軸受けリール
- バッテリー

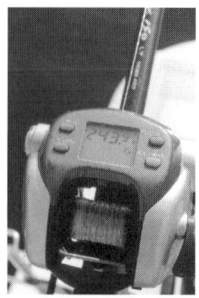

200〜300m仕掛けを流すのは当たり前。スプールの回転がスムーズであれば手返しの速い電動リールが有利

寄せエサの撒き方は完全フカセ釣法の工夫のしどころ。切東さんはオキアミブロックがそのまま入るスカリを利用

スカリの下にビシカゴの下端部を取り付ければ、オモリで沈められ、寄せエサの出方も調整できて一石二鳥

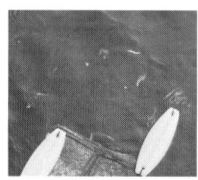

寄せエサは切らさず、撒き過ぎずが鉄則。こんな具合に潮流に乗ってぱらぱらと流れる程度が理想的

上：シンプルな仕掛けと長ザオで繰り広げるファイトは豪快かつダイレクト。これも完全フカセ釣法の大きな魅力だ
右：FC-27にはイケスがないので、海水循環式のベイトタンクを設置。実はイケスより魚が弱りにくい。生きエサを使う釣りに大活躍

アンカリングをして寄せエサを使うと、群れの足を止められるので、連続ヒットのチャンスは大。こんなダブルヒットも珍しくない

すべて残っていればエサ取りのいない中層を流していると考え、流す距離を伸ばしてみる。反対に、エサが取られていたら、タナが低すぎるので徐々に距離を詰める。マダイの場合はそうやってエサ取りのすぐ上まで流すのが基本。しかし、マダイの大型や青物はそれよりも高いタナで食うので、途中でアタリが出ることもしばしば。さらに、水中ウキでフカしたり、オモリで沈めたりしてタナをコントロールする手もある。

アタリはミチイトの出方でみる。ミチイトのスピードが加速したり、突然止まったりして、スプールから出るミチイトの速さが変わったらそれがアタリだ。

切東さんはサオを手にして仕掛けを送り込んだ。最初の20〜30mはミチイトを手で送らないと潮に乗らないことも多いが、一度スピードに乗ればあとは自動的に出ていくので、サオをホルダーにセットして待つ。

突然、ミチイトが猛スピードで走った。「来ましたよ。本命でしょう。ミチイトが100mも出ていないから、中層で青物が食ったんじゃないかな。タナをつかんだからしばらく釣れ続くと思いますよ」

ロッドを満月にしならせてファイトする切東さん。青物特有のスピード感あふれる引きを長いサオでためながら、船べりに寄せたのはこの時期にしては良型のハマチ（イナダ）。このあとも切東さんの言葉通りハマチが次々にヒット。完全フカセでこのくらいのハマチをねらう場合、一度タナをつかんだら入れ食いになることが多いそうだ。

釣果も釣趣もすぐれた完全フカセ釣法。曖昧な要素が多く、試行錯誤を続けながらマスターするしかないもどかしさが確かにある。切東さんも実は雑誌などを参考に独学でこの釣法をマスターしたという。しかし、その先には他の釣りでは決して得られない独特のスリルと興奮があるのも確かである。

BOAT FISHING BIBLE

第5章 ボートコントロール
Boat Control for Fishing

ライトトローリング

ライトトローリングでブルーウォーターのシイラにヒートアップ！

ライトトローリングの達人

森山利也さん Toshiya Moriyama

幼少時代を内房の漁師町竹岡で過ごし、現在は富津市で居酒屋「はいから屋」を経営。同時に釣り具メーカーのフィールドテスターや専門学校の講師も務め、多忙な日々を過ごすマルチなボートアングラー

ビッグゲームに勝るとも劣らない興奮度

アメリカ発祥のスポーツフィッシングのせいか、オフショアのビッグゲームというイメージが強いかもしれない。しかし、トローリングはカツオやシイラ、ブリ、スズキ、ヒラメ、サバなど、さまざまな魚が釣れるとても身近な釣りだ。おまけに、ライトタックルなら特別な装備も不要で、他の釣りやクルージングのついでにも楽しめる。簡単、手軽に熱くなれる釣り。それがライトトローリングである。

ライトタックルでも、魚がヒットしてリールが悲鳴をあげたときの独特の興奮はビッグゲームに勝るとも劣らない。他の釣りではなかなかお目にかかれない大物がヒットするチャンスも大。ロッドとリールを使った迫力あるファイトが手軽に楽しめるプレジャーボートならではの釣り。ボートを持っているんだったら、ライトトローリングをレパートリーに加えて損はない。

シーレイ・ラグーナ24CCというアメリカンセンターコンソーラー〈STELLA Ⅱ〉のオーナー、森山利也さんもライトトローリングをたしなむスポーツアングラーのひとりである。森山さんは釣り具メーカーのフィールドテスターや専門学校のフィッシングビジネスコースの講師も務めるエキスパート。現在は木更津のセントラルマリーナに愛艇を置き、東京湾をメインフィールドにさまざまなボートフィッシングをこなしている。

7月下旬、「数は少ないものの、大型のシイラがいる」という情報を得た森山さんは〈STELLA Ⅱ〉で東京湾を快調に飛ばしていた。本船航路の最後のブイを越えると、ステアリングを右に切り、針路を南西に取って湾口のまん中を目指す。ここから先はトリヤマやナブラ、潮目、そして浮遊物などに注意しながら走ることになる。

BOAT — **SEARAY LAGUNA 24CC**

左：シーレイ・ラグーナ24CCはアメリカ生まれのセンターコンソーラー。24フィートのサイズながらその走りは迫力満点。オフショアのトローリングにふさわしい性能を備えている

右：2ストロークから4ストロークの225馬力に載せ替えたおかげで、燃費は半分以下になったそうだ

トローリングのポイントの目安はトリ、ナブラ、潮目、漂流物など。とにかく海の変化を見逃さないことだ

青い海。白い雲。爽やかな風。飛び交う海鳥。照りつける太陽。そして大物への期待。これぞライトトローリングワールド

ライトトローリングに必須の艤装がロッドポスト。逆に言えば、この程度の艤装だけで手軽に楽しめるのがライトトローリング

　湾口の中央に差しかかったあたりからトリが現れ始めた。わずかながらベイトフィッシュのナブラも見えたが、すぐに消えてしまった。トリも休んでいるものがほとんどで、ポイントとしては決め手に欠けると森山さん。しかし、ポイントを探しつつ、このあたりからルアーを流すことに決めた。ブイやパヤオのスレた小型で手堅くまとめるのではなく、一発大物に賭けるのが森山さんのスタイルだ。

　森山さんは2本のリーダーにそれぞれポッパータイプとストレートヘッドのルアーをセット。表層で水をはじいてアピールするポッパータイプに対し、ストレートヘッドは浮いたり沈んだりとタテの動きで魚を誘う。シイラのトローリングでは違うアクションを組み合わせるのが効果的とのこと。

　ルアーをひとつずつていねいにサイドから投入。船外機艇の場合は航跡の泡がなかなか消えないので、ラインを長めに出したほうがいい。できれば泡が消えかかるあたりか、少なくとも引き波の表側にルアーが出てよく見えるようにしたいところだが、長く出しすぎると、ラインと水面の角度が狭くなって動きが悪くなるものも

BOAT FISHING BIBLE

第5章 ボートコントロール
Boat Control for Fishing

TACKLE

[森山さんのライトトローリングタックル]

- ライン
  トローリング用ナイロンライン
  30lb×300m以上
  フジノトローリングラインなど
- サオ
  30lbクラス
  トローリングロッド
  または
  ジギングロッド
- ビミニツイスト
- ダブルライン
  9.14m以内
  (4.57m)
- トローリング用
  スナップ付き
  スイベル
- 12.19m以内
  (6.1m)
- リーダー 200lb
  9.14m以内
  (4.57m)
- 大型ベイト
  キャスティングリール
  または
  トローリングリール
  （ABU BG7000LD）

ダブルライン、リーダーの長さはIGFAルールによる
（　）内は20lb以下のクラスの場合

掛かったのはまずまずのサイズのシイラ。派手なジャンプを繰り返したかと思うと、海面を切り裂くように一気に突っ走った

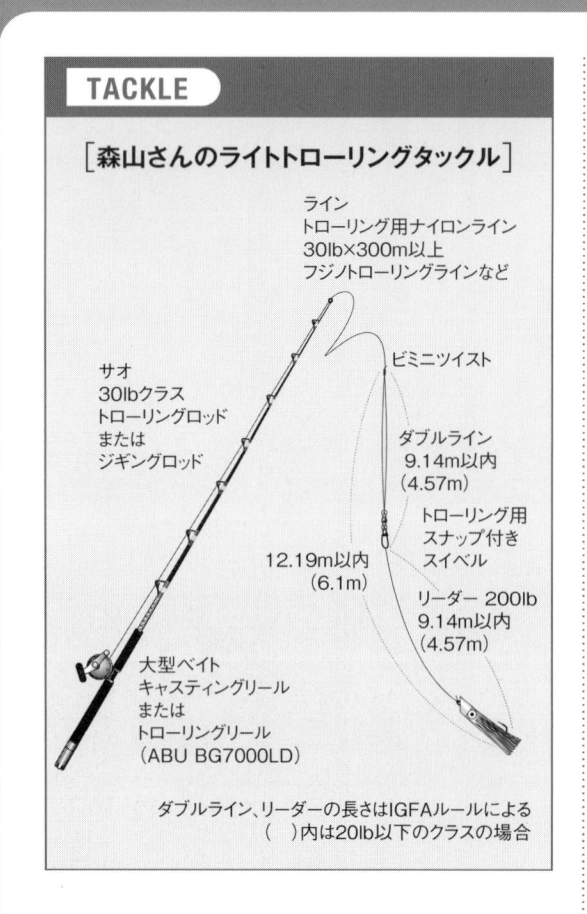

ある。ルアーが目立ちつつも、アクションが悪くならないように角度と距離のバランスを調節する。

森山さんは太陽を背にするようにして西寄りにボートを向け、さらにトリがなるべくたくさんいる方向を目指してトローリングを開始。ストライクポジションのドラッグテンションは確認済みだ。エンジンの回転数を目安に、ルアーがもっともよく動くスピードに調整し、ストライクを待った。

30分経過――。

デッキ上はいたって平和である。天気は最高。海はベタナギ。目立った潮目もなければ浮遊物も見当たらない。周りを見渡せば、トリがのんびりと海の上で休んでいる。つまり、釣れる兆候はまったくない。クルージングに来たと思えばこれほど気持ちのいい日はないだろう。だが、この日の目的は釣り。森山さんは作戦を変更してルアーを回収。潮目なり、浮遊物なりをスピーディーに走って探し回ることにした。

こういうときはとにかくトリなりナブラなり、海の変化に注目して走り回るしかない。トローリングでは情報が大切、とよく言われるのは、広い海を走り回って魚を見つけるのがそれだけ大変だからである。

ついにシイラの大群を見つけた

突然、森山さんがボートをスローダウンさせ、「あったよ」とひと言。何事かと思ったら、遠くのほうを指差している。しばらく何があるのかわからなかったが、よく見ると海の色が一部だけ青い。ブルーシートだ。海の男の眼力はさすがに鋭い。

こんな浮遊物はトローリングではまさしく宝の山。もう釣ったも同然である。願ってもないビッグチャンスの到来に、森山さんはさっそくトローリングタックルをセット。車で言えば"内輪差"を利用してルアーが近くを通るようブルーシートを回り込むように操船する。

「ギャーーー」

ルアーがシートに近づいた瞬間、リールが甲高い悲鳴をあげた。

ファーストランでシイラが数回派手なジャンプを見せた。このスピード感あふれるファイトがシイラの真骨頂。森山さんはボートのスピードを落として微速前進をキープし、ロッドを手に取った。持ち前のパワーあふれるファイトでシイラをいなし、またたく間に引き寄せる。7、8kg

ブルーシートの脇でルアーを流した途端にリールが悲鳴を上げた。太いロッドが根元から曲がるパワーファイトはトローリングならでは

船外機艇では航跡の白い泡がなかなか消えない。その泡にルアーがまぎれてしまわないように流すとよい

トローリングスピードは通常4〜7ノットだが、ルアーがもっともよく動くスピードの回転数を目安にすると速度を調節しやすい

真っ向勝負のパワーファイトの末、7〜8kgのシイラをキャッチ。森山さんはすぐにタグを打ってリリースした

前後のまずまずといったサイズだ。リーダーを取ってネットですくおうとしたが小さすぎて入らず、フックが外れてバレてしまった。

それでもこのブルーシートがあれば焦ることはない。シートの下はまるでシイラの学校。ツムブリも見える。本当にいくらでも釣れそうな感じだ。こんなにおいしいスポットはそうはない。だからトローリングはやめられない。

ブルーシートを回り込んだ直後、リールのクリック音がまた叫んだ。

ファーストラン。ハイジャンプ。光り輝く魚体。スピードキングの疾走。ブルーウォーターに浮かぶアメリカンセンターコンソーラー。これぞまさしくオフショアのスポーツフィッシングの醍醐味。森山さんは今度はアゴにギャフを掛け、シイラの体に手を触れないようにタグを打ち、いつかはこのデータが釣魚の保護に役立つことを祈りつつスムーズにリリースした。その手際は実に鮮やかだった。

BOAT FISHING BIBLE

第5章 ボートコントロール
Boat Control for Fishing

ミニボート

ミニボートの世界を切り拓いたエキスパートのビッグなフィッシングスタイル

ミニボートの達人

田原 学さん　Manabu Tahara

ボート釣り好きが高じ、脱サラしてミニボートのプロショップ「リトルボート」を1992年にオープン。数々のミニボートやアイデアグッズを世に送り出すとともに、ミニボートの普及・啓蒙に大きく貢献している

どんなボートでどこまでできるのか

　大阪でミニボートのプロショップを営む田原学さんはミニボート界を代表するエキスパート。自ら釣り仕様のミニボートを多数開発し、全国の海岸から出艇できるミニボートの利点を生かしてさまざまなターゲットと釣り場を開拓してきた。総数1,000艇以上の「ボー研隊（ボート釣り研究隊）」の隊長を務め、『田原学のミニボート・フィッシング』（岳洋社）や『これから始めるミニボート釣り』（つり人社）などの本やビデオも出している。人気のミニボートで、はたしてどんなことができるのか。ミニボート界きっての達人にその魅力と実力を見せていただこう。

　田原さんの場合、オリジナル艇をいくつも手掛けているため、所有しているボートは多数ある。そのなかで、プライベートの釣行に使うものといえば、FRP分割式の「スーパーショット」か、FRP一体型でトレーラブルの「弁慶」が多いという。いずれも田原さんが釣りのために開発したアイデア満載のボートである。

　FRP分割式は艇体を2あるいは3分割にして収納性を高めたタイプ。軽ワンボックスの車内にも積載可能など、収納場所を取らないのが最大のメリットだ。カートップに比べれば、車で移動中の安心感も高い。なかでも、「スーパーショット」は全長2.7m、全幅1.14mと、操船席ですべてをこなす単独釣行にジャストサイズ。重量も47kgと軽く、箱型のFRPをワンタッチで組み合わせる方式で、組み立て簡単で出艇もスムーズ。また、浮き袋式のサイドフロート「鬼にゴム棒」もあり、安全対策にもぬかりはない。ミニボートのなかではもっともフットワークのよいタイプの一種であり、田原さんも「スーパーショット」で数々の遠征釣行をこなしてきた。

　一方、FPR一体型は設計の自由度が高く、釣り機能が充実したモデルが多数登場し、ベテランアングラーを中心に人気上昇中である。「弁慶」も2重底仕様で大型イケスが付き、船型はセンターキールがしっかり入った和船タイプ。全長3.73m、全幅1.6m、重量66kgとミニボートでは最大級で、2名乗っても余裕で釣りができる。最大搭載馬力は15馬力。凌波性やスパンカーの効果

BOAT　　LITTLE BOAT BENKEI

左：弁慶は車載できるミニボートでは最大級。カートップするには補助装置が欲しい重量だが、このくらいのサイズになると、スパンカーを使った流し釣りも苦もなくこなせる。一般のフィッシングボートと比べても釣り機能は遜色ない
右：ミニボートは車で運べる可搬型の小型船舶のこと。カートップしてあるのは「フェニックス」。トレーラーで引いているのは「弁慶」。いずれも田原さんが開発したリトルボートのオリジナルモデル

魚探を見てポイントを絞り込み、意中の場所でサオを出す。ミニボートといえども、釣りの質はビッグボートと何ら変わらない

ミニボートの艤装

GPS魚探、スパンカー、マルチベース、サオ掛け等々、艤装品はとても充実している。まさに自分専用の釣りの基地だ

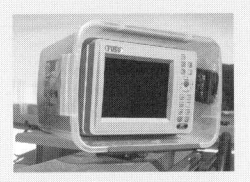

最近は本格的なカラーGPS魚探を搭載するミニボートも増えてきた。防水ケースは田原さんのオリジナル

魚探の振動子はイケスにインナーハル方式で取り付けた。浅場の釣りが多いこともあって、性能的には十分

田原さんいわく、サオ掛けは釣果を大きく左右する非常に重要なアイテム。できればこれくらいしっかりしたものが欲しいところ

これはハリを入れるケース。フタを閉めれば完全防水に。限られたスペースを有効に活用するちょっとした工夫が随所に見られる

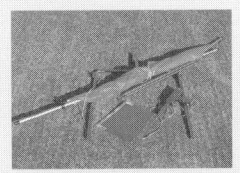

オモテ差し舵とスパンカーのセット。上部構造物の少ないミニボートではオモテ差し舵だけで風に立つボートもある

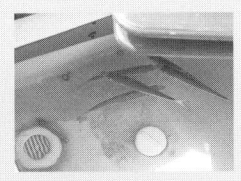

イケスもちゃんとある。10フィートを切るサイズでもイケス付きがけっこう多いのは、ミニボートでは釣り機能が最重要課題のため

も高く、このサイズになれば釣り機能は一般のプレジャーボートと遜色ないだろう。しかも、トレーラブルなら、艤装やタックルなどをすべてセッティングしたまま移動できるので、漁港やマリーナのスロープを利用できれば揚げ降ろしはとても楽だ。

しかし、田原さんはトレーラーをあまりおすすめしないという。その理由はスロープを使える場所が少ないうえ、たとえスロープがあったとしても駐車所の確保に困ったり、路上を走るのに別途車険代もかかったりするため。それよりも、経費が安く済み、手間もさほどかからない電動の補助装置などを使ったカートップのほうがおすすめだそうだ。

重いボートの運搬はミニボートのネックのひとつ。だが、必要は発明の母とはよく言ったもので、さまざまな便利グッズが開発されており、それらを使えば思ったほど力も手間もかからない。重いボートをひとりでカートップするほど体力がないというなら、電動やスライド式の補助装置があるし、駐車場から海辺まで距離がある場所でも、タイヤを使うドーリーでボートや船外機を運べる。いくつものアイデア商品を世に送り出している田原さんをはじめ、ミニボートの世界にはとにかくアイデア豊富な人が多い。おかげで、便利グッズの充実ぶりは驚くほどだ。

シーズオフのない充実の年間スケジュール

田原さんの主なゲレンデは、日本海側では福井県の越前や伊根、太平洋側は大阪湾から和歌山県の日ノ岬、周参見、串本、さらに三重県の尾鷲と恐ろしく広い。シーズンは1月から12月まで。つまり、シーズンオフは皆無。日本海ではボートを出しにくくなる冬も、大阪湾や和歌山方面に行けば出艇できる場所はある。冬に限らず、風裏の出艇地を選択でき、釣りに行くチャンスが多いのもミニボートのメリットである。

BOAT FISHING BIBLE

第5章 ボートコントロール
Boat Control for Fishing

　1月から順に田原さんのターゲットを見ていくと、まずは大阪湾や和歌山の風裏となる場所でガシラ(カサゴ)、カワハギ、メバル、アイナメ、アオリイカなどから始まる。2月はこれに小型のイシダイであるサンバソウが加わり、3月以降はマダイとクロダイのノッコミがスタートして5月頃まで続く。6月からは大阪湾でテンヤのタチウオ釣り、日本海ではアコウ(キジハタ)やアオハタのノマセ釣りがいよいよ開幕。夏はノマセ釣りのほか、各地でメジロ(ワラサ)などの青物、イサキ、シロギス、大アジなども加わってターゲットはますます増える。9、10月は再びマダイやアオリイカが釣れ始め、釣り場と釣りものを選ぶのに困るほど。秋から年末まではヒラメやカレイ、アマダイなど、冬の釣りものに徐々にシフトしてゆく。他にもまだターゲットはあるが、これだけ見ても相当な豪華メニューである。

　このうち、田原さんが最も面白いという釣りがアコウ(キジハタ)のノマセ釣りだ。

　ノマセ釣りとは生きエサを使った釣り方のこと。関東では泳がせ釣りという。釣り場は主に日本海の岩礁帯で、田原さんのおすすめは越前海岸である。

　ノマセ釣りの面白さは、生きエサの釣り特有のなかなか食い込まない気を揉ませるアタリと、アワセた直後の強烈なヒキにある。仕掛けはドウヅキの2本バリで、田原さんはオモテ差し舵とスパンカーを使った流し釣りでねらっている。

　ボートの機動力を存分に生かせるスパンカーを使った流し釣りはボトムフィッシングではとても有効な操船法。だが、一般のプレジャーボートでは造りによって効果の差が大きく、使えないタイプも多い。対して、そもそも海面より上の構造物が少ないミニボートではスパンカーの効果が大。さらに船首から海中に入れるオモテ差し舵の取り付けも簡単で、実のところミニボートはスパンカーを使った流し釣りに適しているのだ。

　ミニボートで問題となるのは操船だろう。クラッチのオン・オフやティラーハンドルの操作を釣りと同時に行うには確かに慣れがいる。しかし、電動リールやロッドホルダー、そしてエンジンの推力を弱めるトローリングプレートなどを活用すればボートを手足のように扱え、50m以上水深があっても快適に釣りが楽しめるという。

　田原さんのノマセ釣りで驚くべきはその釣果だ。

　越前海岸の出艇場所は魚影がやたらと濃く、水深20mのポイントで30cm前後のマハタやアコウがひと流し数尾は釣れるという。ときにはアコウとマハタの一荷も混じり、まるで天才になったかのような気分を味わえるそうだ。さらに水深50～60mの砂泥地に出ればアオハタとマハタのオンパレード。ひんぱんに通っているにもかかわらず、ツ抜けは確実。ほかにも、秋口になればヒラ

アンカーロープは水道ホース用のリールに巻くのが定番。スパンカーを張ってアンカリングするとボートのふらつきが抑えられる

上：全国各地でサオを出せるのが最大のメリット。田原さんのフィールドは日本海の越前海岸から南紀串本までと広大

左：操船をしなくても潮に沿って流せるパラシュートアンカーによる流し釣りは、ミニボートではとてもポピュラーなボートコントロール

上：田原さんが一番面白いというアコウ（キジハタ）のノマセ釣りで首尾よくダブルヒットを決めた（田原氏提供写真）
右：田原さんの得意技のひとつがマダイやヒラメなど、浅場の超大物をねらうブッコミ釣り。その絶大な威力を証明するひとコマ（田原氏提供写真）

メが混じり、冬になると水深20mでヤリイカが釣れる。

越前海岸でアコウやアオハタが多く釣れる理由を田原さんはプレッシャーが少ないためと分析している。越前では他のミニボートとほとんど会わないし、地元の漁師も見かけない。それだけにスレておらず、「まるで草刈り場のように簡単においしい根魚が釣れる秘境」だという。考えてみれば、1カ所に何十艇、何百艇ものボートがあるマリーナの近くでプレッシャーが高いのは当たり前。越前海岸のようなパラダイスを開拓するにはやはりプレッシャーの低い地方まで車で移動できるミニボートが有利である。

達人が明かす
ミニボート釣り成功の法則

現在は見事な釣果で雑誌の誌面を飾る田原さんだが、最初から今のように釣れたわけではなかった。田原さんがミニボート釣りを始めるまで楽しんでいたのはもっぱら磯釣り。遊漁船の経験もゼロ。そんな田原さんがようやくボートで魚が釣れる自信を持てたのは、年間70日におよぶ釣行を何シーズンも繰り返してからだという。

田原さんが最初に乗ったエンジン付きのボートはなんとベニヤ板で自作した〈箱舟号〉。これに1.8馬力の船外機を載せ、当初はシロギス釣りに通った。シロギスは簡単なイメージもあるが、しっかり釣ろうと思えば奥は深い。初めのうちはあまり釣れなかったものの、同じゲレンデに通っているうちに常連と顔なじみになり、いろんなことを教わって徐々にボート釣りのイロハを覚えていったそうだ。そのときの経験は場所を変えてもしっかりと役立ったという。

ミニボート釣りでは同じ釣り場に通うことが非常に重要だと田原さんは強調する。さまざまな釣り場に通えるのがミニボートのメリット。田原さんの教えは一見、この長所と矛盾するようだが、最初からいろんな場所へ行き、ターゲットや釣り方をコロコロ変えると、ボート釣りに必要なノウハウが身に付かない。ミニボートのメリットがかえってアダになるわけだ。

とにかく同じ釣り場に年間20回、3年以上通うこと。それが田原さんからミニボート釣りビギナーへのアドバイスである。1カ所に通ううちに、魚の習性をはじめ、潮流の影響やボートのクセ、艤装の使い方などがわかり、ミニボート釣りのノウハウが自ずと身に染みるという。まずは1カ所に通って自分の釣りの軸を作り上げる。それからさまざまな釣り場へ行くほうがいろんな状況に対応できるので、本当のミニボート釣りのメリットを生かせるようになるのである。

最後に、ミニボートならではの注意事項がある。ボートの降ろし場所の問題だ。特に漁港のスロープを利用する場合、漁業者の操業を邪魔するのはもちろんのこと、決められた場所以外での駐車やゴミのポイ捨ては言語道断。こうしたマナー違反のせいでスロープが閉鎖されることも少なくない。複数での釣行は安全対策上すすめられるが、狭い漁港に大挙して押しかけるのは迷惑のもと。それから、外から持ち込んだゴミは必ず持ち帰ろう。ボートを降ろす場所あってのミニボート。楽しい釣りはルールとマナーがあってこそ。それはボートの大きさと無関係である。

第6章

The Basic Theories of Boat Fishing
ボートフィッシングの基礎知識

ポイントを選ぶ。道具を使いこなす。情報を集める。
1尾の魚を釣るにも、ボートフィッシングではさまざまな知識が必要だ。
個々のターゲットについての攻略法以前に、
ボートフィッシングの基礎知識をしっかり押さえておきたい。

BOAT FISHING BIBLE

ポイントを選ぶ

いるところにはたくさんいて、いないところにはさっぱりいないのが魚。ポイント選びの基準とは何か。好ポイントの条件はどこにあるのか。ターゲットの生態を軸に、相手をよく知ることが成功への第一歩だ。

ボートフィッシングは宝探し

釣りの第一条件は魚がいる場所で釣りをすることである。いくらウデの立つ名人でも、魚がいなければ釣れないのは当たり前。ボートフィッシングでも、どこに魚がいるかを見つけ出すことが先決だ。

それには魚の生態を知る必要がある。魚にはある時期に、ある決まった場所やエサを好む習性がある。そうしたヒントをもとにポイントを選べばよい。

とはいえ、海は広いので一筋縄でいかない場合も多いだろう。しかし、だからこそボートフィッシングは面白いのではないだろうか。海底の地形、底質、潮、水温、季節、天候、時間帯など、いろいろな条件を考えあわせてターゲットの居場所を突きとめる。狩人がしだいに獲物を追い詰めるような感覚を、ボートという機動力を使って神秘の海を相手に存分に味わえるのがボートフィッシングの醍醐味。ポイント選びがツボにはまってターゲットを首尾よく手にしたときの快感はひとしおだ。

右頁のイラストにボトムフィッシングの主なターゲットとその生息地を示した。

魚の居場所を探すときにまず目安となるのは生息地の底質である。これは砂地と岩場の2種類に大きく分けられる。

砂地のターゲットはシロギス、カレイ、ハゼ、アナゴ、マゴチ、ヒラメ、カワハギ、コウイカ、アマダイなど。岩礁帯にいるのはアイナメ、カサゴ、アジ、イサキ、メバル、マダイ、カンパチ、ヒラマサ、シマアジ、アオリイカなどが代表的だ。実際には岩礁混じりの砂地であったり、砂地と岩礁の境目だったりする場合も多いが、基本的には底質によって魚の居場所はほぼ決まっている。

砂地では細かい変化に注目する

底質によって生息する魚の種類が違うことを知ったうえで、ねらった魚を釣ろうと思えば、ターゲットがどういう場所を好むかをさらに絞り込まなければならない。そのときにヒントとなるのは、魚は「変化」が好きということだ。

具体的なほうがわかりやすいので、まず砂地に生息している魚から見ていこう。

一般に砂地というと平坦なイメージがあるが、実際にはちょっとした起伏や小さな岩場など、細かい変化があり、魚にはこうした変化を好む傾向がある。

シロギスは高確率で砂地に生息する魚だが、なかでもエサの多いヨブといわれる小さな凹地や、なだらかなカケアガリに群れる習性がある。また、岩場の近くや岩礁帯の間にあるポケットのような砂地は外敵から身を隠しやすく、警戒心の強い大型が多い。

同じように、カレイであれば砂地と岩が混じる場所や、根周りの砂地、航路の下にできたカケアガリなどを好む。マゴチにしても岩礁帯の砂地や根周りは好ポイント。カワハギやベラは砂地にポッポツと岩礁があるところにいる。特にカワハギは根際といって、このような岩礁の根元に付く習性がある。また、季節にもよるが、ハゼは淡水と海水が混じる河口に多い。以上、キーワードはすべて変化である。

岩場は地形を大きくとらえる

岩場でもやはり変化を探すことが大切だ。ただし、岩場はそもそも地形が複雑なため、地形を大きくとらえることがカギになる。

岩場といっても、大きなテーブルのような岩礁帯から、岬、そして沖合の深海から突き出した高根まで実にさまざま。砂地が浅場中心であることに比べれば、

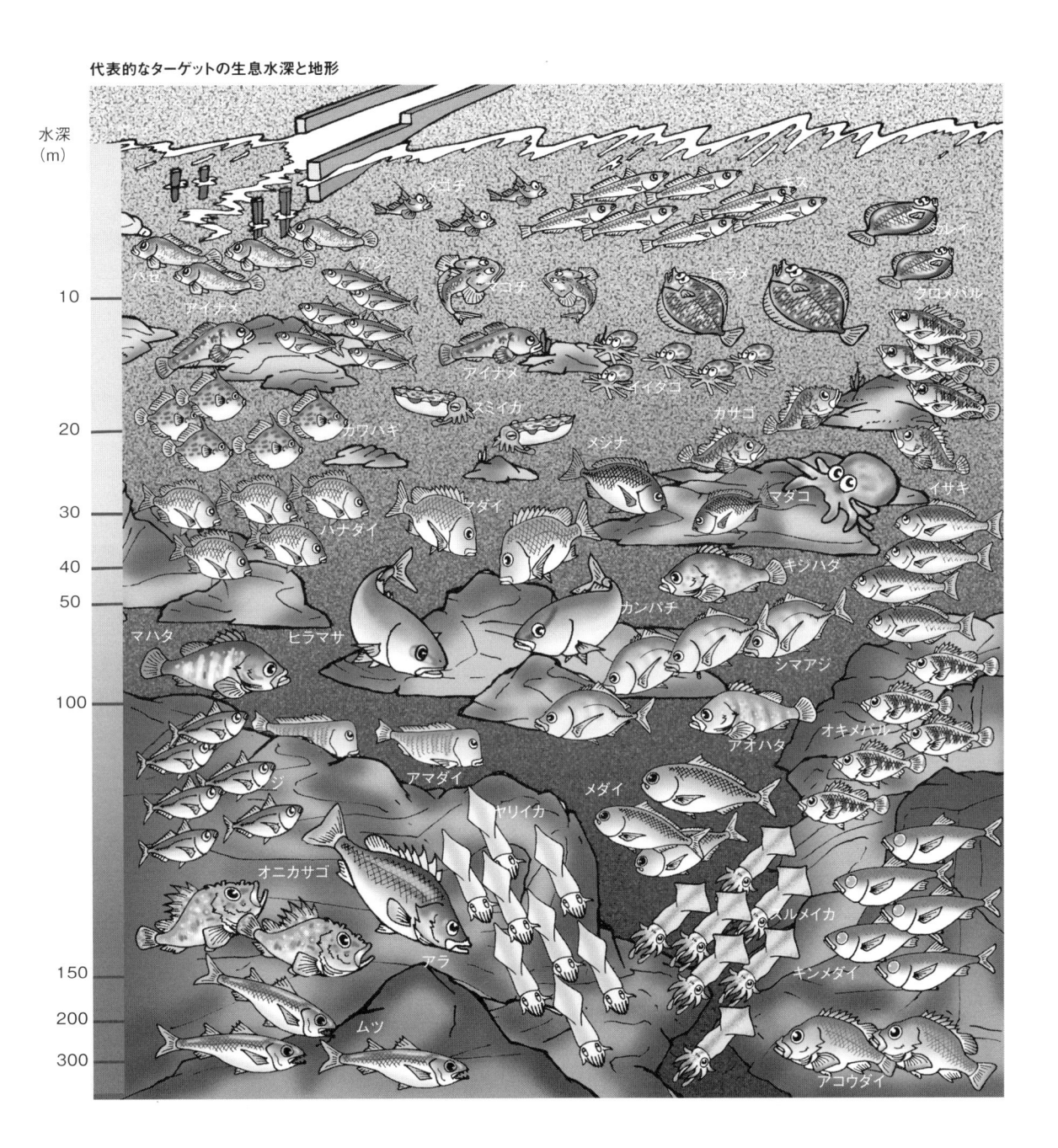

代表的なターゲットの生息水深と地形

水深（m）

　水深もまちまちだ。そして、この大きな地形の状態によって、生息する魚の種類が異なる。
　岩礁のなかの一等地は潮通しのよい高根や岬、馬の背など。こういった場所は岩場を好む魚には絶好のスポット。条件がよいところにはたいてい○○根や○○瀬といった名前がついており、海図に名前が載っていたり、すでに有名ポイントであることも多い。

　海底から突き出た地形は上下方向の潮流の変化を生むため、プランクトンをはじめ、小魚、甲殻類といったエサが豊富に存在する。そのエサをねらって、アジやイサキ、マダイなどが集まりやすく、時期によってはブリやヒラマサ、カンパチ、シマアジなどの大型のフィッシュイーターもやってくる。岩の間には根魚のカサゴやハタ類などもいる可能性が高い。また、それほどス

BOAT FISHING BIBLE

第6章 ボートフィッシングの基礎知識
The Basic Theories of Boat Fishing

ケールが大きくなくても、海底からぽつんと突き出した根は基本的に魚が多い場所だと覚えておこう。

水深が20m以内で岸近くにある凹凸の激しい平根はアイナメやカサゴの絶好のすみ家。そこに海藻が生えていればアオリイカやメバルが群れていることも多い。

水深が100m以上ある潮通しのよい岩場にはカサゴ、オコゼ、オキメバル、アジなど、200m以上ではマダラ、ムツ、アラ、キンメダイ、アコウダイなどの魚が生息している。

季節移動とローカルパターン

ポイントを選ぶうえでもうひとつ重要な要素が、季節ごとの移動パターンである。魚には水温の変化や産卵行動などの理由から季節に応じて移動するものが多い。さらに、魚がいつどこで産卵をするのか、何を食べているのかといった詳しい生態まで分かれば、より質の高いポイント選びが可能になる。

ボトムフィッシングで人気の魚、マダイを例にとってみよう。

マダイの主な生息地は津軽海峡から南西諸島まで。低水温に弱い魚のため、冬は深場に落ちて越冬する習性がある。越冬地はたいてい水深100m以上の岩礁帯である。

春になり、水温が上昇してくると、沿岸の浅場にやってきて産卵する。時期は早い地方で3月、遅いところで6月くらい。これがいわゆるノッコミという現象で、大型のマダイをねらう絶好のチャンス。産卵場所は水深が数十メートル以内で、砂底と岩礁が混じりあい、藻が生えているような場所だ。古くから漁の対象となっているマダイの産卵場所は各地でよく知られている。

産卵で体力を消耗したマダイは、一時活性が落ちるので釣りにくくなり、夏が終わる頃になってまた動きが活発になる。この時期の水深は磯際から水深50mくらいまでで、比較的広範囲に散らばっている。そして秋が深まるにつれて、エビ、カニなどの底性生物が豊富な潮通しのよい岩礁帯で越冬前の荒食いをし、ふたたび冬を迎える。

このように、魚にはその種ごとに季節的な行動パターンがある。このパターンを理解していれば、海図や魚探を駆使してだいたいのポイントまでは絞り込めるはずだ。

そのうえで、最終的には潮や水温、エサなどの細かい条件を含め、その時に魚がどういう場所を好むかを考えよう。

季節移動に加えて、魚にはより細かい行動パターンもある。たとえば同じマダイでも、大型はより険しく潮が速い岩礁帯を好み、エビ、カニよりはイカを好むといった傾向がある。さらに、夏になると必ずシコイワシの群れにつくマダイがジギングでよく釣れるといったローカルな行動パターンも存在する。

ねらった魚を釣るためのポイント選びでは、こうしてまず季節移動からざっと絞り込んでから、ローカルな行動パターンを重ね合わせて詰めていくのがセオリーである。実際には○○で××が釣れているという情報や経験が役に立つケースも多いだろう。しかし、そんなときでも単に情報にしたがうのではなく、その日の状況から魚が好む条件を整理し、分析を積み重ねることが大切だ。そうすれば、魚の行動が読めて新しいポイントを見つける確率も高まる。より質の高いボートフィッシングを楽しめ、釣果もあがっていくはずだ。

頁数の都合もあり、ここでボートフィッシングのターゲットの生態をひとつひとつ紹介するのは無理。しかも、南北に長い日本は緯度の違いによって魚の行動パターンが異なり、一概に魚の生態を論じられないことも多い。魚の生態については、魚類図鑑や釣り図鑑、そして地元の情報を参考にしていただきたい。

生物の行動を支配する大原則はエサと繁殖（産卵）。魚の季節移動もこの2本柱が軸だ

情報を収集する

行動範囲が広く、ターゲットの種類も豊富なボートフィッシングのポイント選びで最も役に立つツールが情報だ。地形や海況といった基本情報はもちろん、鮮度の高い旬の釣り情報もマメにチェックしておきたい。

　ボートフィッシングでは実際に釣りに行く前に、自分が目指す海の特徴と、いつ、どんな魚が釣れるのかをあらかじめ知っておく必要がある。そうでなければ航行計画が立てられず、ターゲットも決められない。そのうえで、まずは釣りの情報を集め、地形や潮流などをみてある程度ポイントを絞り込み、最終的には釣り場で魚探を使ってサオを出してみる、というのが一連の流れだろう。ポイント選びに役立つ海図や地形図等の見方と、釣り情報の収集・活用法について解説する。

基本情報

■海図

　航海に必要な情報を記した海の地図が海図である。ボート免許を取るときに学んだ通り、方位、緯度・経度、航路標識、海上区域などはもちろん、底質、潮流、等深線、魚礁といった釣りに役立つ情報も記載されている。このうち、とりわけ重要なのは地形をあらわす等深線だが、地形の見方については次の海底地形図のところで詳しく説明する。

海図

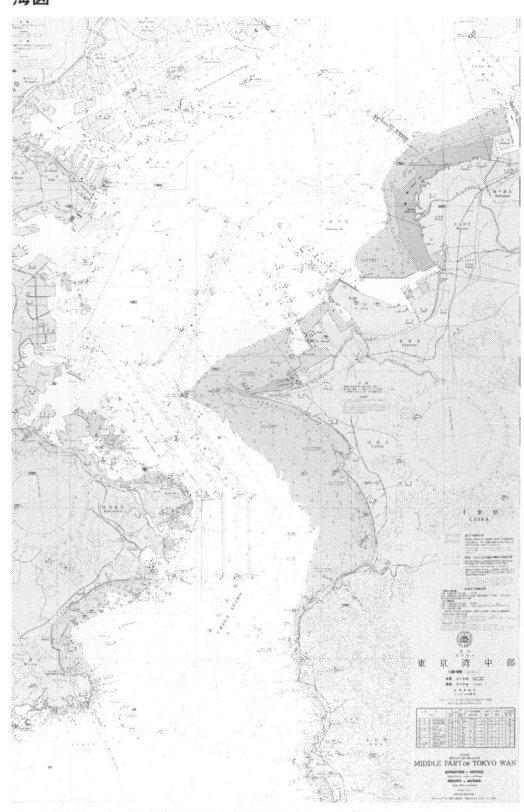

おおまかな地形は海図でも把握できる。ブイや浮標などの人工物も魚の付き場になるので、意外と参考にできる情報は多い
［海上保安庁図誌利用第160061号］

海図図式の例

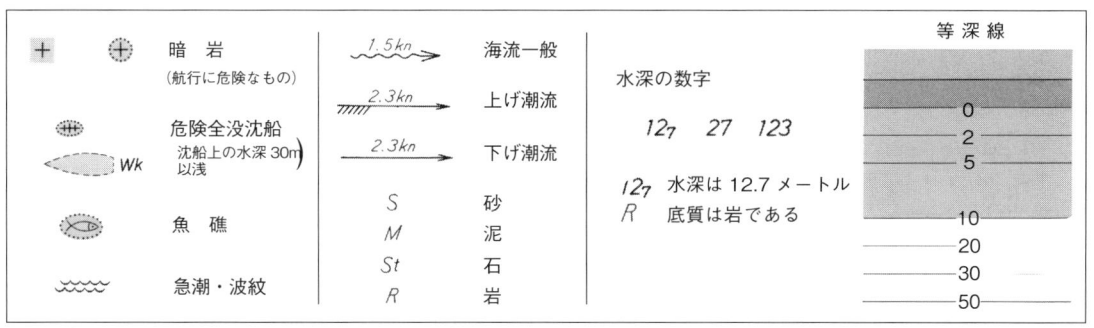

底質、沈船、魚礁、潮流など、海図には釣りに役立つ情報も記載されている。しばらく目にしていなかったらこの機会に見直してみよう
［海上保安庁図誌利用第160061号］

BOAT FISHING BIBLE | 第6章 ボートフィッシングの基礎知識
The Basic Theories of Boat Fishing

プレジャーボートの場合、最近は海図の代わりにGPSプロッターを使うケースがほとんどかもしれない。しかし、情報量は海図のほうが圧倒的に多い。前頁の表に釣りに使える主な海図記号(海図図式)をまとめてみた。特に底質と潮流はポイント選びの目安になる。注意点は海図の刊行年月日。あまり古いものを参考にすると、時々、状況が変わっていることもある。なお、魚礁の利用についてもローカルルールが関係するので注意が必要だ。

■海の基本図

「海の基本図」はスケール別に「沿岸の海の基本図」と「大陸棚の海の基本図」に分かれており、さらにそれぞれについて、地形がわかる「海底地形図」と底質を示した「海底地質構造図」の2種類がある。このうち、ボートフィッシングに必携なのが沿岸の海底地形図だ。

海底地形図では1mまたは10m間隔で等深線が引かれ、海底の凸凹がわかるようになっている。その

海底地形図

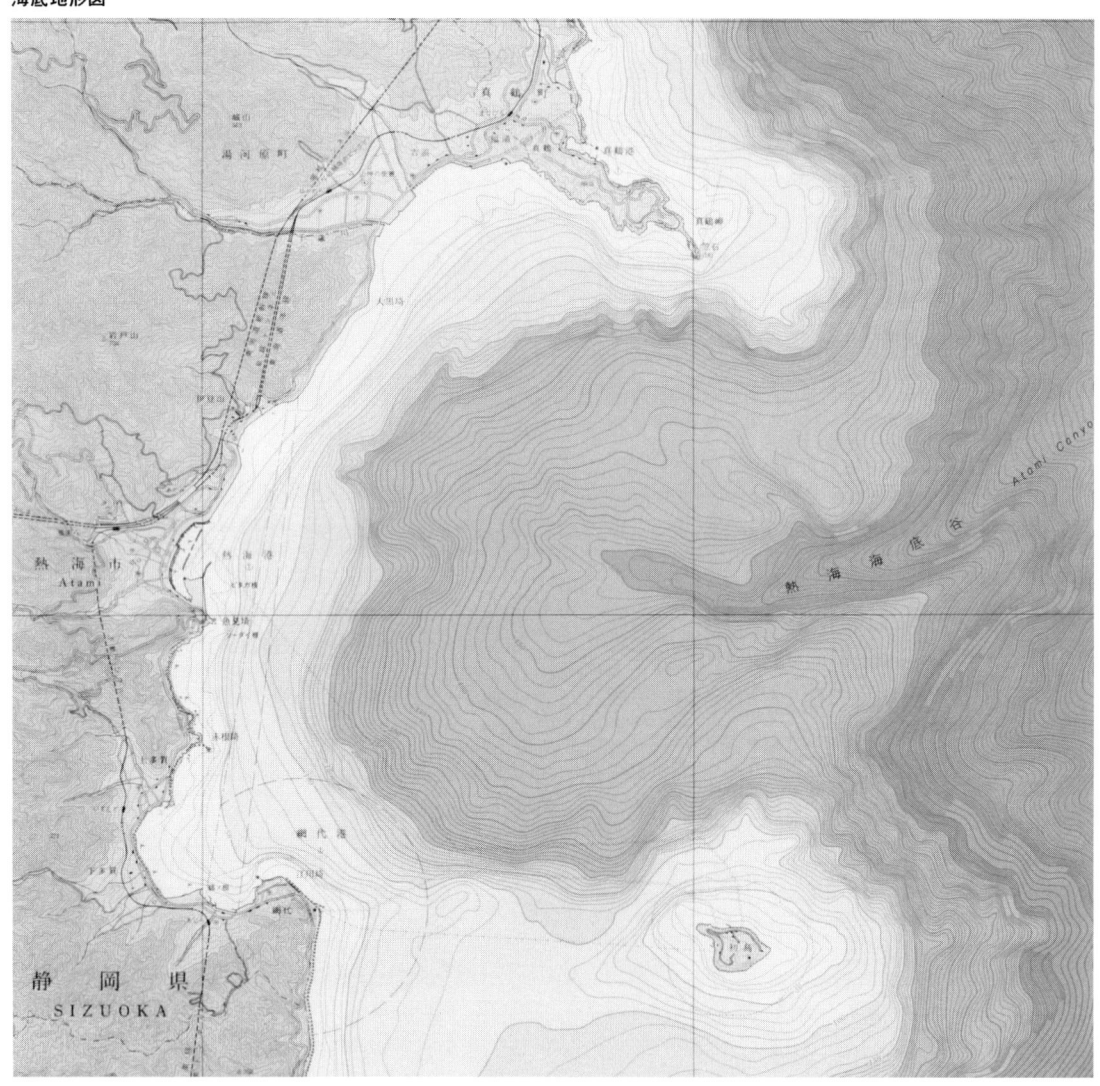

ポイント探しが宝探しなら、海底地形図は宝の地図。持っていない人は今すぐ海底地形図を買いに走ろう!
[海上保安庁図誌利用第160061号]

精度は海図の比ではない。海底のちょっとした起伏やカケアガリの途中にあるテラスなどもわかるのだ。魚にはこうした変化を好む習性があるので、海底地形図はポイントを選ぶうえで大変参考になる。

さらに海図の潮流と底質を合わせればより情報の質も量も増えるが、実は慣れてくると地形図だけでも潮流や底質がかなり予測できるようになる。キーポイントは砂や泥は堆積物という点。等深線の間隔が狭いカケアガリや、起伏が激しいところは潮流が速いのに対し、等深線の間隔が広くてフラットな場所は潮流が緩く、砂地が多い傾向にある。また、河口の沖や強い潮流が当たる場所の裏側も砂や泥が吹き溜まって砂泥地になりやすい。

海底地形図を見てもいまひとつイメージがわかなければ、陸地に注目するのも手だ。岬の先には馬の瀬状の地形が多く、湾の沖には小さな海溝が伸びていたりする。基本的に海の地形は陸地の延長だと思って差し支えない。というのも、2万年前のウルム氷期には今よりも100m以上海面が低かったし、縄文海進といって5、6千年前には海面が今よりも数メートル高かった。海面の高さは絶えず変化しているのである。

底質をもっと詳しく知りたいときに役に立つのが海底地質構造図である。海図、海底地形図、海底地質構造図の3つが揃えば、資料としてはほぼ完璧だろう。これらの海図および海の基本図は日本水路協会のホームページで注文できるほか、マリーナや船具店など全国の水路図誌販売所で購入できる。

なお、艤装のGPSのところで紹介した「航海用電子参考図（new pec）」でも細かい等深線がわかるが、一般向けGPSプロッターやGPS魚探のすべてで互換性があるわけではないので要注意。ボート以外でもGPSの海底地形図を見たいなら、本体を持ち帰るか、画像情報をパソコンやタブレットなどへ出力する機能のあるモデルを選ぶとよいだろう。

釣り情報

■マリーナや釣り仲間

釣り情報は実際に釣りに行ったアングラーや、釣りに詳しいマリーナのスタッフに聞くのが最も確実。とはいえ、なかなか釣友を作りにくいのがボートフィッシング。釣り仲間がいなければ、マリーナの釣りクラブやJGFAのBOLなど、組織や団体に所属して友達の輪を広げるのも一案である。

> **BOL（Boat Owner's League、ボートオーナー連絡会）**
> JGFA（ジャパンゲームフィッシュ協会）の中のボートオーナーを主体にした集まり。会員同士の交流を深める月例会や各種講習会の開催、海況速報と釣果速報のファックスサービス、海上での情報交換に役立つ「マリンVHF」の普及など、精力的に活動を行っている。北日本・北関東・東日本・中日本・西日本の5つの地区ごとに運営。詳細はJGFAのホームページ（http:// www.jgfa.or.jp）まで。

■釣具店

地元の釣具店は情報の宝庫。ボートフィッシングに精通する店員がいるショップがベストだが、そうでなくても、遊漁船の情報に詳しいケースは多い。少なくとも店員は釣りに詳しいはずだし、釣具店は情報の交差点なので、ネタも新鮮だ。エサを買うついでにちょっと話を聞く程度でも思わぬ特ダネを聞き出せるかもしれない。注意点は釣具店によって得意、不得意なターゲットがあること。

■遊漁船

ボートフィッシングで一番役に立つ情報ソースがこれ。遊漁船の釣果速報はインターネットのホームページ、スポーツ新聞の釣り欄などで見られる。港からポイントまでの航程の目安として○○沖という程度ならけっこう目にすることも。自分のエリアで今、どんな魚が釣れているのかを知るには非常に便利。

■ボートフィッシングのHP

最近はボートアングラーのホームページが充実し、釣果や場所が素早くアップされるものも登場している。特に複数のボートアングラーが報告を寄せ合うスタイルの掲示板は更新も早くてありがたい。もちろん、個人でも秀逸なホームページはある。検索ページで「ボート釣り」「ボートフィッシング」などのキーワードを入力すると相当な件数がヒットする。そこからリンクを頼りに飛んでいけばネットワークはますます広がる。

BOAT FISHING BIBLE
第6章 ボートフィッシングの基礎知識
The Basic Theories of Boat Fishing

タックルを選ぶ

タックルと釣りの関係はとても深く、適切な道具選びが釣果を大きく左右することもしばしば。ボートフィッシングはタックルを自由に選べるとはいえ、他のジャンルの道具を流用するしかないのが現状だ。釣具店で困らないためのタックル・ガイダンス。

今のところボートフィッシング専用のタックルといえばトローリングカルアー用くらいなもので、専用のものは非常に少ない。そのため、実際には沖釣り用のタックルを流用するケースがほとんどである。沖釣りとボートフィッシングは確かに共通する部分が多く、ボートフィッシング用としてもすぐれたものがたくさんある。しかし、大きなフネでたくさんのアングラーが並んでサオを出す沖釣りのシステムはボートフィッシングと異なるのも事実。沖釣りでは乗客同士のオマツリやレベルの差などを考慮して、ヘビーなタックルを設定する傾向にある。いまは沖釣りでも「ライトタックル」というスタイルが確立されているが、まだまだ限定的。しかも、それでさえ遊漁船とマイボートのシステムは異なって当然である。

道具に制約のないボートフィッシングでは、自分流のタックル選びも大きな楽しみのひとつである。ここでは沖釣りにおけるタックルを中心に、ボートフィッシングで使われることの多いものを紹介しよう。

サオ

釣具店に行くと、実にさまざまな沖釣り用のサオが並んでいる。調子、長さ、オモリ負荷の3点を基準に選ぶとよい。

調子は大きく分けると先調子と胴調子になる。8：2や7：3、6：4と言う場合もある。これはサオを曲げたときの頂点がサオの長さを10分割して手元からどのあたりに来るかを表した比率だ。

調子は釣り方によって使い分けるのが一般的。シロギスやカワハギのように、積極的に仕掛けを動かしてアタリを取ってアワセる釣りには、仕掛けの操作性にすぐれた先調子が適している。逆に、できるだけ抵抗を与えずにエサを食いこませるには胴調子が向く。置きザオ釣法のマダイや、生きエサを使ったマゴチ、ヒラメ、アコウなどのムーチングに代表される釣り方だ。

釣趣の違いもある。先調子は魚のアタリや引きがダイレクトに伝わる。一方、胴調子はサオが吸収する分、手元に伝わる感覚はマイルドだが、サオの曲がりは派手。釣趣に関しては完全に好みの問題だ。

長さについては、手に持つことが多い先調子は2m前後までと短め。置きザオがメインの胴調子は3m以上で長めという考え方が基本であり、理に適っている。ただし、スペースの限られたプレジャーボートでは全体に少し短いほうが扱いやすいだろう。

厄介なのがオモリ負荷だ。オモリ負荷はそのサオで使うオモリの範囲、つまりサオのパワーを示すものだが、この値が実際に使うオモリとずれている場合がある。

オモリ負荷と使用オモリがずれているケースは、特にコマセを使う釣法用のサオに多い。これはコマセマダイ釣りが普及し始めた頃、まだ置きザオに適した胴調子のサオが開発されておらず、先調子のサオに無理やり重いオモリを背負わせた習慣の名残りである。寄せエサを使う釣法用のサオを見ると、オモリ負荷30号とあるのに、実際に使うビシのオモリが80号だったりするのはそのため。その他のサオではオモリ負荷と実際のオモリはほぼ一致している。

また、最近は「20〜100号」「30〜150号」というように、オモリ負荷を極端に広く設定したサオも登場してきた。特にライトタックルのジャンルに多い。こうしたサオは力をかければかけるだけ素直に曲がってくれる。いわゆる「おいしいところ」が長続きするサオと言えるだろう。

とはいえ、オモリ負荷については釣具店でオモリをぶら下げるなどして、しっかりとチェックしてみるのが

おすすめ。特にプレジャーボートでは自分の好きなオモリを使えるので、自分のスタイルや好みに合わせて柔軟に考えたい。

サオにはターゲット別の専用ザオもある。理想的には自分の釣法にぴったり合った専用ザオがベストだが、そうもいかないケースがほとんどに違いない。参考までに、以下にボートフィッシングで出番の多いラインナップを整理してみた。

■浅場用小物ザオ
〈長さ.1.8m前後、オモリ負荷10号前後の先調子〉

シロギス、カレイ、アイナメ、マゴチ、アオリイカのシャクリ釣り、浅場のカサゴやカワハギなど水深20mくらいまでに対応する。シロギスザオともいい、ボートフィッシングで手軽に遊ぶにはまず欲しい1本だ。浅場の釣りであればたいていの釣りをこの1本でこなせる。長さは1.5～2.1m。オモリ負荷5～10号、10～20号というように、オモリ負荷別に替え穂先がセットされたものもある。最初は替え穂付きが重宝するだろう。また、ルアーロッドやボート用のパックロッドも流用可だ。

左が浅場用小物ザオ（シロギスザオ）で、中央と右が応用範囲の広いライトタックル用ゲームロッド

■水深50m前後までの中小物ザオ
〈長さ1.8m前後、オモリ負荷20～30号前後の先調子〉

1.8m前後の先調子で、カワハギをはじめ水深20～50mのカサゴのドウヅキ釣り、深場のアイナメ、コウイカ、フグ、シャクリマダイなど、主に寄せエサを使わない釣りに流用できる。シロギスザオの上にあたるクラスで、20～35号までのオモリを使うことが多い。

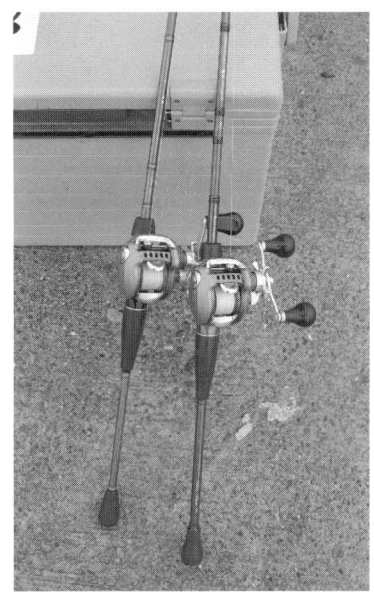

水深50m前後までの中小物ザオ（カワハギザオ）。最近はカワハギだけに特化したものも見受けられるが、一般的なカワハギザオは水深50mくらいまでの中小物に対して使い回しが利く

■中深場までのライトタックル用ゲームロッド
〈長さ1.6～2m前後、オモリ負荷20～80号前後の8：2～6：4調子〉

アジ、イサキ、イナダといった手持ちのコマセ釣りから、アマダイやオニカサゴなど積極的に誘ってアタリをとる中深場のターゲットまで幅広く対応する。また、重めのオモリを使って置きザオ釣法にも流用できる。負荷をかければ胴まで入り、胴の硬さによって82や64と表示されるものが多い。厳密に言えば、82（8：2）はより先調子で操作性にすぐれ、誘って掛ける釣りに合い、胴に入る64（6：4）は食い込みを待つ釣法に向く。73（7：3）はその中間的な存在だが、サオの強さ的にはカワハギザオの上で、いずれも使い回しが利き、出番は相当多い。

■コマセ釣法用ムーチングロッド
〈長さ3m前後、オモリ負荷30～50号前後の胴調子〉

コマセマダイ釣法に代表される、寄せエサを使用した置きザオの釣りに向く。マダイのほか、ワラサ、カンパチ、シマアジといった大物ねらい用。3～3.6mの長さに50～100号までのオモリを背負わせ、ロッドホルダーに掛けて釣りをする。手前船頭で寄せエサを使う釣りには、置きザオにするケースが多く、この手のサオが大変重宝する。長さは若干短めでもOK。

BOAT FISHING BIBLE　第6章 ボートフィッシングの基礎知識
The Basic Theories of Boat Fishing

コマセ釣法用ムーチングロッド

■深場用の汎用ザオ
〈長さ2m前後、オモリ負荷100号以上の胴調子〉

　水深100m以上をねらう深場用。胴調子といっても、このクラスになると粘りが強く、オモリをぶら下げただけでは先調子で、魚が掛かってから胴に入るタイプも多い。また、8：2調子のゲームロッドやビシザオ、イカザオなども流用できる。特にイカザオは先調子、乗り調子、電動シャクリ調子など調子はさまざま。同船者が少なく、細いミチイトを使えるボートフィッシングではオモリ負荷100号程度でも水深200〜300mは十分守備範囲。深場用はこの1本で相当使い回しが利く。

深場用汎用ザオ（ビシザオ）

■浅場用大物ザオ
〈長さ4〜5m前後、2号前後の磯ザオ〉

　ブッコミ、完全フカセ、ウキ流し、マダイや大アジのドウヅキ、アオリイカのヤエンやウキ釣りなどに流用できる非常に便利な1本である。もちろん、磯釣り同様ウキフカセにも使える。2号という表示は適合ハリスの値で、それより太い号数ならOK。本来はウキフカセで大型のグレや青物をねらう大物用だが、長くてパワーもあるため、30号くらいまでのオモリは余裕で背負える。マダイや青物の良型を掛けてもへっちゃらだ。3号のサオも使えるが、魚が小さいとパワーがありすぎて面白くない。いずれにしろ、磯ザオは細かいアタリを取る釣りには不向きだが、応用範囲は非常に広い。

浅場用大物ザオ（磯ザオ）

■ジギングロッド

　エサ釣りのサオに比べると、ルアーロッドは良くも悪くもオールマイティーだ。硬さが合えばどんな釣りにも使えるが、逆に、どんな釣りに使ってもいまひとつという見方もある。基本的に短くて単調なので、食い込みのよさやデリケートなアクションは期待薄。しかし、アタリを取らない釣りなら無関係だし、とにかく1本でたくさんの釣りをしたい向きには非常に便利。しかも、ジ

ジギングロッド

ギングロッドを1本持っていれば、いつでもジギングやショットガンに対応できる。

リール

個性的なサオに比べれば、リールの選び方はシンプルだ。目安はイト巻き量と巻き上げ力。それから値段。リールの性能は値段に比例しており、基本的に高いものほど品質はいい。

安いリールは巻き上げのギアが弱く、思わぬ大物が掛かったときなど、壊れてしまうこともある。また、ドラッグの性能や耐久性、耐蝕性も値段が高いほどすぐれている。不意の大物が掛かったときに後悔しないよう、予算の許す限り高価なリールを選んでおきたい。以下に、ボトムフィッシングで使用頻度の高いリールをリストアップした。

■小型スピニングリール

シロギスザオや磯ザオに組み合わせる。大きさは1号のPEラインが200mも巻ければ十分。しかし、小さすぎるリールはイトヨレが多く、扱い慣れないうちはライントラブルのもとになる。また、大物ねらいの磯ザオ用にはやや大きめが合う。実際に使うときはミチイトが100mもあればいいので、下巻きをして使うか、浅溝スプールにすれば経済的だ。値段が高いものほど性能はよいが、定価が1万円以上のものならドラッグ性能も満足できるレベルで、マゴチやヒラメの生きエサ釣りにも使えて便利。

■小型両軸受けリール

水深50m以内で寄せエサを使わないカワハギ、カサゴ、イシモチ、メバルなどのドウヅキ釣りに向いている。この場合、カワハギザオと組み合わせて使う。スピニングリールに比べると、イトヨレが少なくパワーがあるので、シロギスザオと組み合わせたマゴチやカレイねらいにも適している。

大きさはPEラインの1～2号が100～150m巻けるもの。あまり小さいものは巻き上げのスピードが遅かったり、パワーが足りなかったりするので、スピニングリール同様、やはり下巻きをして使うと経済的。値段は1万円～。海仕様になっていれば、ルアーフィッシング用のベイトキャスティングリールも流用できる。

■小型電動リール

このところの電動リールの進化は目覚しく、一段と小型で高性能なモデルが各メーカーから次々に送り出されている。電動リールは操船に忙しい手前船頭の釣りにはとにかく便利。他船をよけたりする場合など、巻き上げの速さは安全対策上も有効で、最近は水深が浅くても使う人が増えている。

かつて小型電動リールといえば、「電動リールのなかで小型のもの」という意味だった。ところが、現在では手巻きの両軸受けリールのカテゴリーに入れても、小型といって差し支えないサイズが登場している。電動と手巻きのどちらを選ぶかは、もはや好みの問題だ。

電動リールのサイズは自分のスタイルによって決め

小型スピニングリール（左）、小型両軸受けリール（右）

小型電動リール

BOAT FISHING BIBLE　第6章　ボートフィッシングの基礎知識
The Basic Theories of Boat Fishing

ればよいだろう。遊漁船の場合、中深場のミチイトはPEの5〜6号が標準だが、ボートフィッシングではPEの2号で水深300m以上の深場を攻略する人もいる。ラインナップの種類は豊富で、店頭価格で3〜10万円と値段もさまざまだ。

なお、ボートに電動リール用の電源がなければ、専用の充電式リチウムバッテリーも売られている。大容量のものはやや高価だが、余裕で1日持つし、使い勝手もいい。

イト

沖釣りで使うミチイトのほとんどはPEラインと呼ばれるもの。PEとはポリエチレンの略で、他の素材に比べると非常に強く、伸びが少ないために感度が高い。食い渋り時の微妙なアタリも逃さず、1mごとに色分けされたものを使えば水深もわかりやすいなど、メリットは絶大である。他のイトよりやや高価だが、耐久性が高い分、寿命は長く、トータルに見れば経済的だ。ボートフィッシングには欠かせないアイテムである。

ただし、PEは極端に伸びが少ないため、魚種や釣り方によってはナイロンやフロロカーボンのミチイトを使用したり、伸びのある先イトをPEラインに接続し、バラシを防ぐ場合もある。

幹イトやハリスなどの仕掛けに使うイトはナイロンとフロロカーボンの2種類。ナイロンは比較的柔らかく、比重が低い。フロロカーボンは張りがあり、水より比重が高く、ナイロンに比べると根ズレに強い。そのため、ボートフィッシングではフロロカーボンを使う場合が多いようだ。

以上のタックルでボートフィッシングのターゲットはほぼカバーできるだろう。なお、ライトトローリングやジギングなど、特殊な用途のタックルについては次の章で紹介する。

PEライン

第7章

The Best Spots and Fishing Rigs
基本仕掛け別ターゲット&釣り方

タックルに制約のないボートフィッシング。
仕掛けは最も重要な部分だけに工夫のしどころだ。
それにはまず、個々の仕掛けに通じることが第一。
普通はターゲット別に釣法を紹介することが多いが、
ここでは応用力を身につけるため、
あえて仕掛けごとにそのエッセンスと釣り方を解説する。

BOAT FISHING BIBLE

ブッコミ仕掛け

ブッコミ仕掛けのエッセンス

　ミチイトからハリまで1本通し。簡単に言えば、イトの先にハリがある形だ。ブッコミは最もシンプルな仕掛けのひとつである。投げ釣りあるいはカセの仕掛けの応用で、関東以北ではあまり使われないが、浜名湖のキビレや、伊勢湾・大阪湾のクロダイ、陸っぱりマダイなど、中部以西では非常にポピュラー。ミニボーターの間では、リトルボートの店長でありボー研隊の田原学隊長（150頁参照）の得意技としても知られている。関東以北で使われる数少ない類似例のひとつはアイナメの遊動仕掛けだろう。しかし、これはハリスを極端に短くして根の中を探るためのもの。ブッコミとは一線を画す仕掛けである。

　ブッコミの最大の強みは、ハリスを長くとってエサを底近くで自然に漂わせられる点にある。遊動式なのでエサの食い込みもいい。そのため、マダイやクロダイ、カレイ、ヒラメなど、底付近のエサを食べる魚で、なかでも警戒心の強い大型ねらいに効果的。その威力は素晴らしく、関東以北であまり人気がないのが不思議である。

　防波堤などでもよく用いられるが、ポイントが限られる陸っぱりでは大物をねらうといっても限度がある。一方、ボートで沖に出れば、ブッコミ仕掛けが活躍するポイントはそれこそ無数。ボートフィッシングだからといって、陸っぱりの釣り方ができないわけではない。これほど優れた仕掛けを放っておく手はない。

　ボートコントロールはアンカリング一本槍。複数のサオで遠近投げ分ける置きザオ釣法のため、水深は浅いほうが釣りやすい。仕掛けの操作性はよいとは言えず、根掛かりにも強くないので、険しい岩礁帯は苦手。基本的にはフラットだったり、ツブ根の混じる砂地が活躍の舞台だ。

ブッコミ仕掛けの骨組み

　基本的な仕組みはミチイトに中通しのオモリを通して、ヨリモドシ、ハリス、ハリを接続するだけと実にシンプル。場合によっては遊動式の片テンビンを利用したり、オキアミ用の編みカゴなどのコマセカゴを付けたりすることもある。

　スピニングリールを使い、置きザオで食い込ませるため、ミチイトはナイロンが主流だ。大物に的を絞るときは細めのPEラインにナイロンの先イトやクッションゴムを併用するケースもある。ミチイトにはオモリを通してサルカンを接続。オモリとサルカンの間にゴム管を通して結び目を保護する人も多い。

　比較的重めのオモリで仕掛けを落ち着かせる方法と、あえて軽くして潮流に乗せて広く探る2通りがある。寄せエサを使うときは、重いオモリで寄せエサの出どころを安定させたほうが集魚効果が高い。オモリの形状はいろいろだが、どれも大差はない。

　根ズレが多いのでハリスはフロロカーボンが定番だ。長さはアイナメやカレイねらいなら短くてもよく、マ

代表的なブッコミ仕掛け

（磯ザオ 2号／中通しオモリ／ハリス 4m／中型スピニングリール）

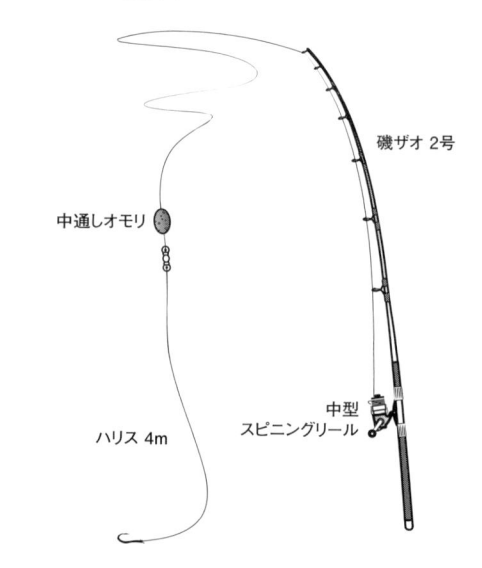

ターゲット	ハリ	ハリス号数	ハリス長
大型ねらい （マダイ、クロダイ、 ヒラメ、スズキなど）	チヌバリ4〜5号	3〜4号	3〜4m
中　型 （キス、カレイ、ベラなど）	丸セイゴ9〜10号 流線10〜12号	2〜3号	2〜3m

ダイやクロダイの大型をねらうなら最低3mはほしい。ハリスの号数とハリの形はターゲットに合わせて決めればよいだろう。

　主なターゲットはマダイ、クロダイ、カンダイ、スズキ、ヒラメ、アイナメ、カレイ、シロギス、ベラなど、とにかく底近くのエサを食べる魚種である。ブッコミ釣りは基本的に五目釣り。魚種によって変えるのはハリやハリス、エサなどのパーツだけで、釣り方はどの魚も共通である。

代表的なターゲットの攻略法

■ブッコミの五目釣り
（マダイ、クロダイ、ヒラメ、スズキなど）

　浅場の潮通しのよい砂地でブッコミ釣りをすると、マダイ、クロダイ、ヒラメなどの良型が釣れる。ベストポイントは水深30m以内の岩礁帯の近くにある砂地や、岩場が点在するようなエサ場。いわゆるフィーディングスポットだ。もちろん、時期とポイントを選べば魚種の釣り分けは可能。いずれにしろ、ブッコミのポイントは砂地がベース。そうでないと根掛かりばかりで非常に釣りにくい。

　釣り方はアンカリングしての置きザオ釣法だ。操船する必要はないので、単独釣行でもサオを3～4本出し、扇状にしてかつ遠近を投げ分ける。そもそも良型ねらいだから、この釣りはあまり数が出ない。サオ数を多めにして確率を高くしたい。

　付けエサはイワイソメかオキアミが万能。一発大物ねらいならボケ（スナモグリ）かユムシも有効だ。なお、オキアミの寄せエサを使う場合は付けエサもオキアミにする。

　釣り方は文字通り仕掛けをブッコんでは上げての繰り返し。だが、仕掛けの動かし方によって探り釣りと待ち釣りの2パターンがある。

　探り釣りはオモリが着底後、数分に一度軽くサオをあおってボート下まで探ってくる。寄せエサを使う場合は、こうして寄せエサを振り出すとともに誘いをかけるのがセオリーだ。投入地点からボート下まで探れば、より広いエリアから魚を寄せられる。

　一方、潮流の影響で流された仕掛けが止まったと

ブッコミ釣りの釣果。魚種はマダイ、スズキ、クロダイ、アナゴ、イシモチなど。浅場の大物に効果てきめんだ

ころで待つ方法もある。仕掛けが止まる場所は根ギワの好ポイント。変化のない砂地よりは確率が高い。この場合、潮流の速さに合う適度な重さのオモリを選び、ハリスを太めにすること。それから、いったん仕掛けが止まったらあまり動かさずにじっと待つのがコツだ。なお、どちらか一方の釣り方に限る必要はないので、サオを3～4本出したときは両者を組み合わせるのも手。そのときは潮上側に寄せエサ仕様の仕掛けを投入するのが鉄則だ。

　ブッコミ釣りではハリス長以上の長ザオを使う。そのため、アタリはサオ先を見て取るのが基本。フワフワとした前アタリから、ラインが走ったら根から引き離すようにサオを大きくあおってアワセること。根ギワねらいではアワセが遅れると根に潜られるので、前アタリがあったらすぐ手持ちにするのがベター。

　クロダイにしろ、マダイにしろ、浅場で大型が掛かると横に走るので、同じ魚種でも意外なほどよく引く。そんなスピード感のあるファイトもこの釣りの魅力だ。

　ちなみに、アイナメやカレイ、ベラなどの中型に的を絞る場合は、短く細めのハリスで短いサオを使い、タックルをすべて小さめにして対応すると釣りやすい。

　仕掛けも釣り方もシンプルで、一見、原始的なブッコミ釣り。ターゲット別に細かく攻略法が分かれるようなスマートさもない。だが、浅場の大型狙いには絶好の釣り方である。

片テンビン仕掛け

片テンビン仕掛けのエッセンス

　支柱から突き出した、ゆるやかにカーブする1本の腕。腕が2本あれば両テンビンだが、1本のため片テンビンという。ミチイトを支柱に接続し、ハリスは腕の先に結んで使う。腕に結ぶハリス（幹イト）も当然1本である。

　片テンビン仕掛け全体を眺めてみると、ミチイトからハリスまでが1本になっている。片テンビン仕掛けはミチイトにオモリを通したブッコミ仕掛けの応用編だ。

　片テンビンの大きな特徴は仕掛けの操作性が高いこと。浅場でチョイ投げを繰り返したり、海底でひんぱんに誘いをかけるような動作をしても、腕がハリスをさばいてくれるので仕掛け絡みも少ない。片テンビン仕掛けがシロギスやアマダイなど、誘いを繰り返す釣りに使われるのはご存じのとおりだ。

　また、片テンビンの先ではハリスが自由に漂うので、シロギスなどの警戒心の強い魚や、マダイやアラといったプレッシャーの高いターゲットの攻略にも向いている。置きザオにしてエサを漂わせるブッコミに対し、誘いをかけつつも、ナチュラルなエサの動きでアピールするのがこの仕掛けの真骨頂だ。

　そのため、ハリスは手前マツリの少ない短めながらも、自然なエサの動きを損なわない、ある程度の長さが好適。

　2本、3本バリもあるが、ドウヅキ仕掛けに比べればハリ数も少なめである。そもそも片テンビンは一度にたくさんの魚を釣るための仕掛けではない。特に警戒心の強い魚を1尾1尾大事に釣りたいときは、目的からいっても1本バリのほうがふさわしいし、結果的に効率は上がるだろう。

　オモリの先にハリスがある構造上、片テンビン仕掛けは底ねらいが基本となる。しかし、ハリスを垂れ流している状態なので根掛かりは多い。ゆえにブッコミ同様、根掛かりの多い岩礁帯には不向き。片テンビン仕掛けのターゲットはシロギスやカレイ、アマダイ、オニカサゴなど、根掛かりの少ない砂泥底にすむ魚だ。ドウヅキで食わせきれない岩場の魚を片テンビンでねらう手もあるが、その場合にはやはり根掛かりが最大の壁となる。

　仕掛けがシンプルなため、アタリは比較的わかりやすい。また、腕が柔らかいとクッションになり、エサの食い込みをよくすると同時にアワセ効果も得られる。

　片テンビンには遊動式もある。遊動式はまさに片テンビンとブッコミの中間的なシステムで、アタリの伝わり方は上だが、サオ先が硬いと食い込みが悪くなる点を見落としてはならない。遊動式を使う場合は、タックルにひと工夫が必要だ。

片テンビン仕掛けの骨組み

　釣具店に行くと、浅場の中小物用として固定式や遊動式などさまざまな片テンビンが市販されている。

　片テンビンの基本は固定式だ。シロギスやメゴチなど、キャスティングでサビいてくる釣りには腕長10〜12cmのシロギス用片テンビンのMかLサイズ。また、マゴチの生きエサ釣りにはワンサイズ上の腕長15cm程度のシロギス用片テンビンLLサイズあたりが強度的にも適している。浅場といっても、マゴチはキャスティングせず、タテに誘うので、オモリがブレずハリス絡みの少ない鋳込みテンビンも使いやすい。

　遊動式テンビンは魚のアタリがダイレクトに伝わるのが長所だが、先に述べたように、サオ先が硬いと魚がエサを吐き出してしまう。遊動式を使う場合は、固定式よりも穂先が柔らかめのサオを併用したり、ナイロンリーダーを長めにとるなどして、食い込みのよさを重視したバランスタックルがカギ。

　固定式テンビンには発光パイプや発光玉などのアイテムが使われているものもある。一般的にはさほどの効果は期待できないが、この傾向が顕著なのが東北以北のカレイ釣り。関東以南に比べるとカレイの密度が高く、積極的に誘って食わせる独特なスタイルで、活性が高いときには一定の効果があるようだ。

代表的な片テンビン仕掛け

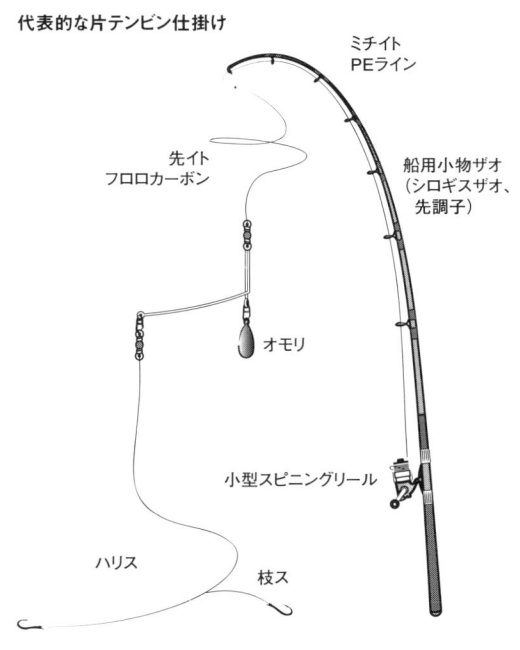

- ミチイト PEライン
- 先イト フロロカーボン
- 船用小物ザオ（シロギスザオ、先調子）
- オモリ
- 小型スピニングリール
- ハリス
- 枝ス

ターゲット	ハリ	ハリス号数	ハリス長
シロギス	競技用キス7〜8号 / 流線7〜8号 ×2本	1〜2号	1m
カレイ	カレイバリ10〜12号 / 丸セイゴ10〜12号 ×2〜3本	2〜3号	1m
マゴチ	スズキバリ16〜17号	3〜4号	1.5m
アマダイ	チヌバリ3〜4号 ×2本	3〜4号	2〜2.5m
オニカサゴ	ムツバリ16〜18号 ×2本	5〜6号	2m

　アマダイやオニカサゴといった中深場のターゲットには腕長40〜50cmの大型片テンビンでOK。このタイプには浅場用ほどのバリエーションはない。しいて言えば、ハリス絡みの少ないタイプが使いやすい。釣具店ではあまり見かけないが、マゴチ同様、オモリが固定された鋳込みテンビンもおすすめだ。

代表的なターゲットの攻略法

■シロギス

　水深30m以深に落ちる越冬時期を除き、シロギスには20mより浅場を小さな群れで回遊する習性がある。とりわけ産卵期を迎える夏は水深が浅く、5m以内の浅場にも姿を見せる。

　警戒心が強いシロギス釣りのボートコントロールは主に2通り。アンカリングとシーアンカーの流し釣りだ。そのうえで、キャスティングで探る広角釣法が効果的。

　いずれの場合も、キャスティングのあとは積極的に仕掛けをボート下までサビいて食いを誘う。シーアンカーの流し釣りではボートの進行方向の斜め前を目標にすると釣りやすいだろう。仕掛けを引くときは、サオとミチイトの角度をアタリが出やすいよう90度前後に保つのがコツ。その速さは状況によってまちまちだが、メゴチが多いときには速めがセオリーだ。

　ミチイトが伸びの少ないPEラインで、シロギスの活性が高ければ、ブルブルッとシャープなアタリが明確に伝わる。アワセは手を握り返すほどの軽いもので十分。もし食いが渋く、モゾッとした最初のアタリで合わなければ、ワンテンポ送り込んでから聞きアワセをしてみよう。

　テンポのよい数釣りが片テンビンによるシロギス釣りの妙味だが、ボートでは大型ねらいに的を絞ってみるのも面白い。ジャンボシロギスは岩礁帯の間にあるポケットのような砂地や、潮通しがよくて地形に変化のある根際などを好む。こうした場所には底引き網が入れないのも大型の確率が高い理由のひとつ。そんな場所を集中的にねらうにはアンカリングが有利だ。ちなみに、岩礁混じりのポイントがメインなら、長めの枝スのドウヅキ仕掛けでねらう手もある。

浅場でキャストと誘いを繰り返して釣るシロギスは片テンビンの得意種目。シャープなアタリと引きが小気味よい

BOAT FISHING BIBLE

第7章 基本仕掛け別ターゲット & 釣り方
The Best Spots and Fishing Rigs

■カレイ

ボートフィッシングの対象となるのはマガレイ、イシガレイ、マコガレイがメイン。種類と地域によって場所は異なるが、いずれも水深50mくらいまでがねらいめになる。

カレイの釣り方は関東北部を境に大きく分かれている。関東より北の地域では、派手な仕掛けで積極的に誘うコヅキ釣りが一般的。関東以西では、2～3組のタックルを並べた置きザオ釣法が主流である。

置きザオ釣法の基本テクニックは、距離を変えて軽くキャストをしたら、そのままの状態でしばらく待機し、数分に一度アタリを聞いてみる動作の繰り返しだ。置きザオ釣法のカレイは待ちの釣り。あわてずじっくりと粘ることが重要である。もちろん、ボートコントロールはアンカリングだ。

カレイは居食いをするので、アタリは出ない可能性も高く、聞き上げたときにググッと重みを感じることが多い。ピリピリとした小さなアタリが出たときも早アワセはしないこと。本アタリを待ってから大きく聞きアワセをすると、しっかりハリ掛かりする。

カレイ釣りで重要なのはエサの付け方だ。6～8cmのイソメ類を動きのよいチョン掛けで房掛けにして食い気を誘うのは、どの地方でも共通。

関東以北のコヅキ釣りでは、オモリで海底を叩いたあとに軽く聞きアワセをしてアタリを出すのが基本テクニック。だが、北のコヅキ釣法は非常にバリエーションが多く、エリアやアングラーによってもさまざまなスタイルがある。ボートコントロールは流し釣りが有利。カキ棚や定置網の近くをねらうときにはアンカリングも有効だ。

■マゴチ

東北以南の日本各地の砂地に生息し、俗に"照りゴチ"といわれるように、夏になると水深10m以内の浅場にも上がってくる。専門にねらってもよいが、数が出る魚ではないので、シロギスと同時にねらうのもおすすめだ。

マゴチの釣り方は、釣ったシロギスやメゴチ、ハゼをエサに使う生きエサ釣法。というと、ドウヅキ仕掛けのヒラメと同じようだが、マゴチの場合はエサが底に張り付く魚なので、片テンビン仕掛けでねらうのが普通である。もしイワシを入手できるなら、例外的にドウヅキ仕掛けも有効だ。

釣り方は仕掛けが着底後、ハリスの範囲内でタナを取り、エサが底スレスレを泳ぐか、底を這うように調節する。マゴチのアタリは一気にサオを引ったくるようなものから、1分以上モゾモゾとした前アタリが続いてなかなか食い込まないものまで千差万別。小さな

カレイも片テンビン仕掛けでねらう代表的なターゲット。置きザオ釣法と誘って釣る釣り方の2通りがある

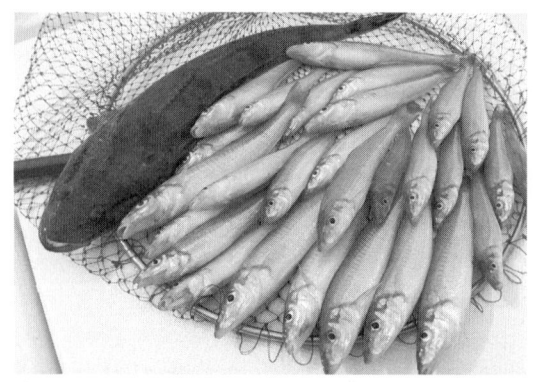

浅場でシロギスが釣れるときは、ついでに置きザオを出しておくとマゴチはけっこう釣れるものだ

振幅のアタリがグイッ、グイッと段をつけて大きく引きこんだときがアワセのタイミング。この本アタリと同時に、大きなストロークでしっかりサオを立て、何とか海底に戻ろうとするマゴチの動きを利用してがっちりハリに掛けたい。

また、積極的にアタリを取らなくても、胴調子で柔らかいサオ使い、向こうアワセで釣るムーチング釣法もある。ムーチングの場合、サオ先が海面に突き刺さるくらい大きく入るまで放っておけばほとんどの場合ハリ掛かりしているが、このときもしっかりサオを立てて追いアワセをしておくと安心だ。

■**アマダイ**

関東から西日本一帯にかけての水深30～100mの砂地に生息する。アカ、シロ、キの3種がおり、シロアマダイが水深30～60m、アカアマダイが40～100m、キアマダイが60～100m超と徐々に水深が深くなる。

アマダイの釣り方は中深場のシロギスといった感じで、非常に手軽なターゲットだ。ただし、水深が深いのでシーアンカーやスパンカーを使った流し釣りが向き、当然、キャスティングはしない。誘いもタテ方向。アマダイは大きな群れは作らないので、ポツポツと拾い釣りをするような感覚だ。

付けエサはオキアミ。仕掛けが着底したら、ハリが海底スレスレか底を這うくらいにハリスの範囲内でタナを取る。この状態からさらにサオを大きくあおってエサを海底からいったん離し、その後ナチュラルにエサが底まで落ちてゆくイメージで、ごくゆっくりとサオ先を下げてゆくのが誘いのベーシック。この誘いとタナ取りを時々繰り返してアピールするのが好釣果への王道である。

アタリはとても明確で、サオ先をグッと押さえ込む。たいていはアワセなくても大丈夫だが、アワセるとハリが口元に掛かる率が高い。アマダイは特に海底付近ではよく引くので、最初のうちは慎重にリールを巻こう。また、海面で暴れる可能性もある。取り込みはくれぐれも慎重に。

■**オニカサゴ**

オニカサゴは釣り人が使う通称で、標準和名はイズカサゴ。関西でオニオコゼと呼ぶのもこの魚である。アマダイ同様、大変おいしい魚でグルメ派に大人気。太平洋側は東京湾以西、日本海では山形以西に分布しており、カサゴと名がつくものの、生息地は岩礁ではなく根周りの砂泥底や砂礫底である。水深は50～150mとアマダイに似ており、実際、アマダイねらいでオニカサゴが掛かることもある。

付けエサは長さ7～8cmのサバやサンマ、イカの短冊が一般的だが、オニカサゴの特効エサとして知られるのがイイダコ。イイダコは小さければ丸ごと、大きめのものは半分に割ってチョン掛けで使う。

カサゴ釣りは簡単なイメージもあるが、オニカサゴの場合は誘い方によってヒット率が大きく変わるテクニカルな一面も。仕掛けが着底したら、50cm～1mほどタナを切って数分待ち、アタリがなかったらまたタナ取りを繰り返す。これで食わなければ、数メートル誘い上げたり、さらにエサをゆっくりと落とし込むように誘い下げたりしてみよう。オニカサゴは上から落ちてくるエサによく反応するため、誘い下げは効果的。また、意外に高いタナで待っているとヒットするケースもある。オニカサゴ釣りではいろいろな誘い方を試してヒットパターンを見つけるのがコツ。仕掛けの動きは穏やかなほうが食いはよいようだ。

ゴツゴツと明確なアタリが出る前に、小さな前アタリがわかることもあるが、基本的には向こうアワセの釣り。本アタリが来たら聞きアワセをする程度でOKだ。ちなみに、オニカサゴも水圧の変化に強いので取り込みはタモ入れが鉄則である。

アマダイ釣りは中深場のシロギス釣りといった感覚で、それなりに水深があっても手軽に楽しめる人気種目

ドウヅキ仕掛け

ドウヅキ仕掛けのエッセンス

ドウヅキは"胴突き"あるいは"胴付き"と書く。胴突きは「こづく、打つ」という意味で、オモリが底をトントンと叩く動きを指す。また、"胴付き"は"胴"にあたる幹イトに枝スが接続されるスタイルのこと。ドウヅキはサビキ、ノマセ、深場などバリエーションも豊富で、ボートフィッシングではもっとも出番の多いユーティリティープレイヤーである。

ドウヅキ仕掛けが広く使われる理由のひとつは根掛かりが少ないから。ハリが必ずオモリの上にあるため、イトを張っていれば海底を釣る可能性は極めて低い。険しい根の中腹を引っ掛けても、枝スを幹イトより細くしておけばハリスが切れるだけで済む。オモリの根掛かりも捨てイトで対応できる。岩礁帯から砂地まで場所を選ばないのがこの仕掛けの強みだ。

ハリがオモリの上にある構成のためアタリも明快。仕掛けの造りはシンプルで、オモリの着底もわかりやすい。仕掛けの状況がダイレクトに伝わる釣りやすい仕掛けであることも、大活躍に一役買っている。

ハリ数を多くできるのもメリットだ。サビキや深場など、魚種によっては1投で何尾も釣る多点掛けがねらえるうえ、タナを広く探る効果も見逃せない。魚のタナは時合や潮の状況によって目まぐるしく変わるもの。岩間に身を潜めるカサゴやハタ類でさえ、ときには底を離れてエサを食うこともある。回遊性のあるターゲットではなおさらだ。

効率という点では、タナを広く探れ、一度に何尾もハリに掛けられるドウヅキ仕掛けに勝る仕掛けはないだろう。群れを作る魚の場合、1尾がハリに掛かると活性が高くなってバタバタとハリ掛かりすることもしばしば。サビキ仕掛けに代表されるように、魚群を一気に攻略するにはベストな選択である。

一方、警戒心の強い魚は苦手な相手だ。仕掛け捌きが悪くなるので枝スはあまり長くできず、ハリ数も多いとなれば、エサの動きはどうしても不自然になる。誘って食わせるにも限界がある。したがって、神経質な魚種や警戒心の強い大型には不向き。大きな魚が一度に何尾も掛かったらやり取りも難しい。同じコマセ釣法でも、大物やスレた魚をねらうときはビシ仕掛けを使うのはこのためだ。潮が速い場所や、生きエサを使うときなどの例外はあるものの、ドウヅキは貪欲な魚を効率よくねらうのが得意分野である。

とはいえ、警戒心の強い相手でも、根掛かりが激しくて他の仕掛けが使えない場合も多い。そんなときはなるべくハリ数を少なくして対処するのが基本。

ドウヅキ仕掛けは応用範囲が広いため、ひと口にドウヅキといってもさまざまなタイプがある。以下ではハリ数が2～3本で根掛かりの多い根周りの魚をねらう一般的な「ドウヅキ」、多点掛けをねらう「サビキ釣り」、生きエサによる「ノマセ釣り」、イカヅノを使った「イカサビキ」、そして「深場釣り」の5つのカテゴリーに分けて解説する。

ドウヅキ仕掛けの骨組み

ミチイトにスナップを介して仕掛けを接続し、一番下にオモリを付けるのが基本構成。

枝スの長さはターゲットによって異なる。具体的には、カサゴのようにハリスをあまり気にしない魚なら短めでOK。短ければ短いほど手前マツリが少なく、アタリもはっきり出て釣りやすい。好奇心旺盛でエサ取り名人の異名を持つカワハギなどは、枝スが数センチの短さだ。しかし、メバルのように目がよくて神経質な魚には、細くて長めのハリスでなるべく警戒心を抱かせないようにするのがセオリー。

ただし、単純に枝スを細く長くすればいいわけではない。結局、ターゲットが警戒心を抱かずに食い気を起こすかどうかは、枝スの先にあるエサの動き次第。これには潮の速さ、枝スの硬さ（素材）、エサの種類、ハリの重さ、魚の習性などさまざまな要素が関係する。潮流があれば枝スは吹き流しのように漂うのに、潮が止まればだらりと垂れ下がるだけだろう。生きエサと

身エサでもエサの動きは異なる。状況に合ったバランスを見つける視点が必要だ。

枝スと枝スの間隔、いわゆる枝間は、上下の枝スが絡まないよう枝スの2倍以上が原則。そして、遊泳層の幅広いターゲットを効率よく釣るには、枝間を長くしてタナを広く探る。一方、カサゴやカワハギのようにあまり底を離れないなら、低いタナに集中してハリを付けて対処しよう。

ハリ数が多いほど多点掛けの可能性は高まるし、タナを探る効果も高い。しかし、根魚のようにタナが狭かったり、また、警戒心の強い魚が一度に何尾も掛かるのは稀。さらに、慣れないのにハリ数を多くすると手前マツリが増えて仕掛け捌きが大変だ。ときに漁師はおそろしくハリ数の多い仕掛けを使ったりもするが、ボートフィッシングではふつうハリ数は2～3本で、多点掛けをねらう場合に増やすという考え方でよいだろう。

代表的なターゲットの攻略法

■カサゴ

岩礁帯をねらうとよく顔を見せるおなじみの根魚。全国に分布し、磯の浅場から水深100m以上と生息範囲も広い。カサゴには近縁の種類が多く、ほぼ似たような仕掛けで釣れるが、ここではねらいやすい水深30～40mまでの釣り方に的を絞る。

どんなボートコントロールでもOKだが、あまり泳ぎ回らない根魚だけに1カ所で粘るのは不利。効率がよいのは流し釣り。とはいえ、カサゴのポイントは根掛かりが多く、あまり潮が速いと根掛かりばかりになる。トロトロと流れる緩い潮での流し釣りがベストコンディションだ。

釣り方はとても簡単だ。オモリが底に着いたらすぐに一度底を切り、10～20cm程度タナを取る。少し待ってアタリがなければ、底ダチを取りなおすのが基本テクニック。

アタリはググッとサオ先を一気に引き込むように明快。根に入られないよう軽くアワセてリーリングすると、やがて大人しくなる。カサゴは水圧の変化に弱いので、海面に姿を見せたときにはタモ入れが不要なケースがほとんど。

カサゴ釣りの最大の敵はなんと言っても根掛かりである。それには、オモリが底に着いたら間髪入れずタナを切るのが肝心。オモリの着底を見逃さないように、仕掛けを降ろす間はミチイトの出方に注意しよう。底ダチを取りなおす動作は根掛かりを防止するとともに誘いになるので、ひんぱんに行うと釣果アップにつながる。

エサはアオイソメでもサバなどの身エサでもOK。手軽で簡単なうえ、一年中釣れ、食味も抜群と、ボートフィッシングでは非常にありがたいターゲットである。

代表的なドウヅキ仕掛け

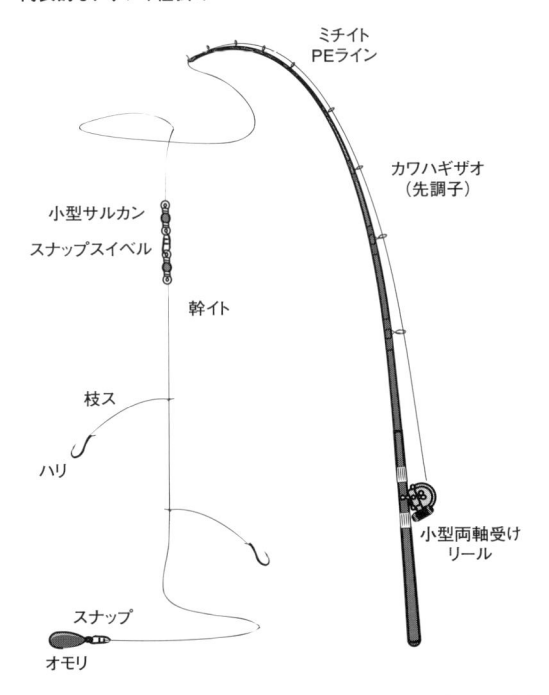

（図：ミチイト PEライン、カワハギザオ（先調子）、小型サルカン スナップスイベル、幹イト、枝ス、ハリ、小型両軸受けリール、スナップ、オモリ）

ターゲット	ハリ	枝ス号数	枝ス長
カサゴ	丸セイゴ12～13号 ×2～3本	2～3号	10～15cm
クロメバル	丸セイゴ12～13号 ×2～3本	1～1.5号	20～25cm
イシモチ	丸セイゴ12～13号 ×2～3本	2号	15～20cm
カワハギ	カワハギ専用0.8号 丸セイゴ8～9号 ×2～3本	2～3号	4～8cm
マダイ	チヌバリ4号 マダイバリ10～11号 ×3～4本	3～4号	30～40cm

BOAT FISHING BIBLE　第7章　基本仕掛け別ターゲット & 釣り方
The Best Spots and Fishing Rigs

■メバル

　カサゴと同じく全国の岩礁帯に分布し、生息する水深も広い。実際、カサゴのゲストによく釣れる魚だ。カサゴとの違いは、カサゴが単独で根に貼り付くのに対し、メバルは底をやや離れたところに群れていること。そのため、カサゴに比べればポイントは狭くてシビア。だが、群れが魚探に映って簡単に見つかるケースもある。アジなどに混じって釣れることも少なくない。メバルの釣期は長いが、春告魚といわれるように、よくエサを追い、味もよくなる産卵前の春がベストシーズンだ。水深はおおむね30mくらいまでである。

　ピンポイントに群れているときはアンカリングが有利。瀬戸内海など、メバル釣りが盛んな地域では2丁アンカーが主流なほど。しかし、藻が生えている浅場にポツポツと良型が潜んでいる場合もある。そんなメバルは流し釣りで拾い釣るのが得策。

　釣り方はカサゴとほぼ同じで、底から10～20cmくらいタナを切って待つのが基本。ただし、群れが上ずるケースもあるので、上バリに掛かるようなら誘い上げるか、一気にタナを1～2m切ってみると続けてヒットすることがある。

　アタリは一度小さな前アタリが来てから一気に引き込む本アタリに移行するケースが多い。アワセは不要で、サオ先が引き込まれたらゆっくりとリーリングすればOK。

　目がいいメバル釣りで重要なのはタックルと日並の選択だ。細仕掛けが基本なので、食い込みがよく、ハリス切れを防げる柔らかめの胴調子のサオがバランスタックル。また、澄み潮だと食いが落ちやすい。底荒れもメバルには不向き。ナギの薄濁りがメバルねらいのベストコンディションである。

■イシモチ

　イシモチは通称で、標準和名はシログチとニベ。2種類いるのは、どちらも頭骨の中に大きな耳石を持っており、姿形がよく似ているため。生息域はニベが水深20mまでの浅場、シログチが20～50mと異なるが、釣り方は基本的に同じなので、ここでも慣例に従って両者をイシモチと呼ぶことにする。ちなみに、見分け方はエラブタの後端にある黒い斑紋。これがあるほうがシログチだ。

　イシモチは東北以南から九州までの砂地に群棲し、ほぼ周年ねらえるターゲット。シロギスと違って広範囲に散っているのではなく、根際のカケアガリや船道などポイントは限定的。ボートコントロールはアンカリングが有利だが、慣れない釣り場ではまず流し釣りでよく釣れる場所を見つけてからアンカーを入れるとムダがない。

　エサはサバやサンマの切り身も有効だが、一番は生きのいいアオイソメ。タラシを5～6cmにして数本房掛けにする。鮮度をキープするためマメな交換が釣果を伸ばすキーポイントである。

　根掛かりの少ないイシモチではオモリが底を切る必要はない。仕掛けが着底したら、オモリがトントンと底を時々叩くようにミチイトの長さを調節する。"ガガガッ"とサオ先を大きく揺さぶる激震のアタリがイシモチ釣りの醍醐味。しかし、すぐにアワセず、さらにサオ先が引きこまれるまで待つと向こうアワセでがっちりハリ掛かりする。

　底から数十センチ～1mまでを群れで回遊しているため、釣れるときと釣れないときの差が大きいのもイシモチの特徴だ。ポイントの判断が微妙なことに加えて、バタバタと釣れ続いている間の手返しによっては釣果にかなり差が出る。釣り方は簡単だが、ボートフィッシングでは意外に手強い一面もある。なお、底近くに固まっているときは片テンビンとドウヅキを併用する裏ワザも効果的だ。

目のよいメバル釣りには細くて長めの枝スが向く。ドウヅキ仕掛けではターゲットによって枝スの長さ、太さを変える

根掛かりが少ないのはドウヅキ仕掛けの強みのひとつ。岩礁帯ねらいではオールマイティーに活躍する

■カワハギ

　餌取り名人のアダ名はあまりにも有名。ひょっとこみたいなおちょぼ口で海底近くをホバリングしながら、アタリを感じさせないままエサを失敬する華麗なる手口は天下一品だ。

　分布は北海道南部から九州までと広いが、暖かい海を好むため、釣りが盛んなのは関東以西。美味なキモが大きくなる冬が釣りのハイシーズンとされるが、実は夏のほうが活性は高く、ほぼ周年釣れるターゲットである。夏は主に水深20m以内と浅めで、水温が下がるにしたがって50m以上の深場に落ちる。

　ポイントは幅広く、特に砂地の根際や岩礁帯の間のポケットのような場所が好スポット。カワハギはこうした場所にある程度の大きさの群れを作って生活している。ポイントの性質上、効率からすれば潮に沿って探る流し釣りが有利だが、水深が浅い場合はアンカリングもおすすめだ。何しろアタリが微妙だから、操船しながら釣るのは大変だし、ボートの挙動も安定して釣りに集中できるのは助かるはず。アンカリングしたときは機動力に劣るため、一度釣れるポイントに入ったら、あまり動かずにカワハギを寄せて釣るほうが釣果は伸びるだろう。

　ドウヅキといっても、カワハギの場合はカワハギ仕掛けといったほうがいいくらいユニークだ。なるべくアタリが出やすいように枝スは10cm以下と極端に短く、タナが底付近なので枝間も詰めてオモリの近くに2～3本をまとめて付ける。さらに「集寄」といってキラキラ光る金属板やド派手な数珠みたいなアイテムを仕掛けの上にセットするのが一般的。集寄には中オモリとしての役割があり、タタキ釣りやタルマセ釣りになくてはならないアイテムである。

　エサはアサリのむき身が群を抜いている。剥きたてが最高だが、パック詰めでも十分食いはいい。

　カワハギでまず覚えたい釣り方が聞きアワセ釣り。海底にオモリを付けたまま、あるいはほんの少し持ち上げる感じでサオ先を微妙に上下させてアタリを取るテクニックである。活性が高ければゴッ、ゴッと何かがハリ先を引っ掻くようなアタリが出るものの、食い渋り時にはサオ先がうっすらと重くなったかなという程度のモタレしか感じない。とにかく違和感を感じたら、聞きアワセるようにしてサオをゆっくり立ててみよう。カワハギがハリに掛かればカンカンと金属的な引きでサオを揺らすので、リールで巻きアワセをする。もし5分以上経過しても釣れないなら、アタリを感じなくても仕掛けを上げてエサの有無をチェックする。アタリがないのにエサがなくなっていたらカワハギの可能性が高い。

BOAT FISHING BIBLE

第7章 基本仕掛け別ターゲット & 釣り方
The Best Spots and Fishing Rigs

ほかにもタタキ釣り、タルマセ釣りといった釣法がある。オモリが海底に着いたらカワハギがエサを食べられないようサオを激しく上下に動かしてじらし、動きを止めた瞬間に反射食いをさせてアタリを出すのがタタキ釣り。対して、オモリが着底したら集寄の重さを利用してミチイトをタルマセ、タイミングをみて聞きアワセるのがタルマセ釣りだ。なお、最近はタタキ・タルマセ・聞きアワセで1セットとする釣法が定番になりつつある。さらに、オモリを底から離す宙釣りや誘い下げといったやや特殊な釣法もある。

カワハギはこれまで紹介したカサゴやイシモチとは打って変わって、仕掛けにしろ釣り方にしろ、そこまでやらなくていいんじゃないかというほどマニア度が高い。しかし、実際にやってみると、本当にアタリもなく見事にエサを取っていく。それが口惜しくて病み付きになる人が多いのも納得できるはず。ねらってハリに掛けるのは相当難しいが、確かにとても面白いターゲットである。

■マダイ

マダイといえば寄せエサを使うビシ釣りが主流だが、地方によっては今でもドウヅキ仕掛けで釣るところもある。ドウヅキ仕掛けでねらう理由は、仕掛けがシンプルで速潮に対応できること、釣趣にすぐれること、マダイのタナを探りやすいこと、さらに寄せエサが禁止というケースもある。

ドウヅキマダイは小型ねらいで、ボートコントロールは流し釣りがメイン。しかし、なかには伊勢湾口のようにアンカリングして大型を釣る地方もある。これは、なるべく軽めのオモリで速潮の瀬に仕掛けをフカセる半フカセとでもいうべきご当地釣法だ。

付けエサはアカエビやシラサエビなど、生きたエビが一般的。生きエビがなければオキアミやイワイソメ、アオイソメでもいい。

各地で盛んに行われてきたマダイ釣りだけあって、同じ仕掛けでも釣り方は実に多彩。ここですべてを紹介するのは無理だし、ボートフィッシングではやはりビシ釣りが一般的。マダイについてはビシ釣りで詳しく紹介する。

サビキ仕掛けの骨組み

群れを作る中・小型の魚を多点掛けで攻略するのがモットー。ボートフィッシングのターゲットとしては、アジ、サバ、イワシなどの青物五目。さらにカマス、メバル、そして魚種を決めずに魚探で見つけた群れを直撃するショットガンなどがいい例だ。

サビキ仕掛けといっても、釣具店の店頭にはたくさんの種類が並んでいるので、どれを使ったらいいか迷ってしまう人も多いのでは。サビキ仕掛けを大別すると、着色ゴムのスキン系、サバやハゲ皮などの魚皮系、光りもののオーロラ&フラッシャー系、ハリだけのカラバリ系の主に4タイプがある。このうち、アミコマセに似せたスキンサビキと小魚ライクな魚皮がナチュラル系で、その他のタイプは独特の色や光りで食わせるアピール系だ。

全国的にみて、もっともオールマイティーなのが魚皮サビキ。アミコマセを使って潮が澄んでいるときはピンクのスキンも有効。大雑把に言えば、サビキ仕掛けはこの2種類でほとんどカバーできる。しかし、

代表的なサビキ仕掛け

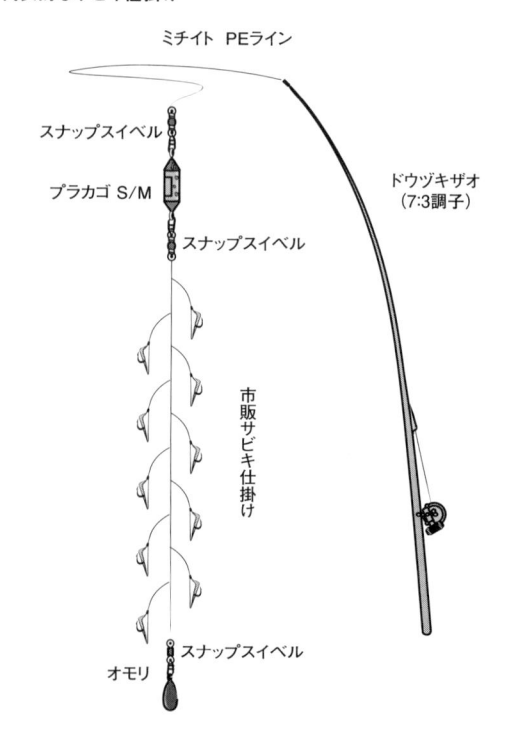

ミチイト PEライン
スナップスイベル
プラカゴ S/M
スナップスイベル
市販サビキ仕掛け
ドウヅキザオ（7:3調子）
スナップスイベル
オモリ

魚種やエリアによってヒットサビキもあるので、できれば地元の釣具店で話を聞いて購入するのがおすすめ。

　サビキ仕掛けを選ぶときは、ターゲットに合ったハリと幹イト＆ハリスの組み合わせが基準になる。ハリ数は仕掛け捌きと多点掛け効果のバランスからいって、6〜10本の間が扱いやすい。

　サビキ仕掛けに併用するアイテムに寄せエサを詰めるコマセ管やコマセカゴがある。プラスチック製の"プラ管"ならSかM。また、浅場の小アジ五目には木綿やナイロンイトで編んだコマセ袋も使われる。

　サビキの釣りにはアミコマセなど寄せエサを使うケースが多いものの、魚影が濃ければコマセがなくても意外に釣れるものだ。ただし、コマセを使わない場合は群れの足を止められないので早めにポイントを移動するのが定石。その典型が、魚探に反応が出ると同時に仕掛けを投入するショットガンだ。ショットガンの場合は釣ってみるまで魚種がわからないため、サビキ選びはオールマイティーな魚皮サビキが好適。また、逃げ足の速いカマスもカマスサビキを使って同様の釣り方をする。

　サビキ仕掛けのタックルで気をつけたいのがオモリの重さ。水深が浅く、魚が小さいからといってあまり軽いオモリを使うと、オモリの重量によるアワセ効果が半減し、ハリ掛かりが悪くなる。さらに、次から次へと追い食いをしたときに仕掛けが暴れすぎてバラシも増える。サビキ釣りをするときにはこの点に注意してバランスタックルを選ぶべきである。

代表的なターゲットの攻略法

■アジ五目

　周年楽しめる場所もあるが、中・小型の数釣りを楽しむサビキアジは夏から秋がベストシーズン。水深は深くても50mに届かず、20m以浅がほとんど。この時期のアジポイントにはサバやイワシなども回ってくるので、五目釣りになることが多い。

　アジのポイントは少し沖めにある潮通しのよい根周りやカケアガリなどで、根周りには中アジ、カケアガリなどの平場には小アジが多い。海水温が高い季節はこ

サイズは小さくても「鈴なり」の快感は格別。パーフェクトを達成すればやっぱりうれしい

うしたポイントの潮上を回遊しているが、アジは水温が下がるとともに大人しくなって潮下やちょっとした岩陰に隠れていたりする。

　水深が浅く、寄せエサを使うのでアンカリングが基本だ。アジ釣りではポイント選びがとても大切で、浅場の数釣りとナメてかかると意外に苦戦する。魚探の反応を見て納得がいくまでポイントを探すべき。アンカーを何度か入れなおすくらいの気持ちで臨みたい。

　コマセサビキ釣りはターゲットのタナで寄せエサを撒き、その煙幕の中にサビキをステイさせるか、ゆっくりと通過させるのが基本テクニック。

　コマセ管は仕掛けの上に接続する場合と、下に付ける"逆サビキ"の2通りがある。瀬戸内海では逆サビキが主流で、逆サビキはアジのタナが低いときに有効だが、根掛かり率が高いのが欠点だ。いずれの場合も釣り方は同じ。しかし、カケアガリの小アジ

BOAT FISHING BIBLE | 第7章 基本仕掛け別ターゲット & 釣り方
The Best Spots and Fishing Rigs

をねらう場合と、根周りの中アジとでは釣り方が少し異なる。

カケアガリをねらう場合はタナが底近くに留まるケースが多い。そのため、オモリが着底したら、そのままの状態で寄せエサを振りだし、サオ先を頭上いっぱいまで誘い上げる。

一方、根周りでは寄せエサの効果によってタナが高くなりやすい。オモリが着底したら1mほどタナを切り、寄せエサを振り出してからサオ先を頭上に上げて誘い上げる。そのうちにヒットがあったら、ねらうタナを少し高めに設定。寄せエサを振り、上バリから下バリに向かって追い食いを誘うのが多点掛けのコツだ。また、タナが高くなるのはアジの食い気が高くなった証拠。以降は海面からタナを取り、それ以下に仕掛けを下げないようにしてタナを維持するのも釣果アップには有効だ。

アジは口が弱いのでアワセは禁物。多点掛けを達成したら、一定のテンションでゆっくりとリーリングし、口切れしないよう静かにオモリごと仕掛けを船内に取りこんでしまうと安心。あとは落ち着いて上バリから順に外していこう。

小アジ用サビキ仕掛けは金袖バリ5〜7号、幹イト2〜3号×枝ス1〜1.5号。中アジには金袖バリ6〜8号、幹イト3〜4号×枝ス1.5〜2号が標準。

なお、サバとイワシも基本的に釣り方は同じだが、タナが中層まで浮くので、魚探を見て海面からタナを取ると手返しが速い。中型以上のサバを専門にねらう場合は、幹イト4〜5号×枝ス2〜3号と太目の仕掛けにワンランク重いオモリを使う。サバはハリ掛かりした途端、あっちこっちに暴走するから、一気のリーリングで素早く取り込まないと同乗者とオマツリするだけでなく、仕掛けがぐちゃぐちゃになるおそれもある。多少強引なくらいのファイトでちょうどいいだろう。

■カマス

暖海性の回遊魚で、関東・中部以南から九州にかけて生息する。カマスの仲間は種類が多く、ボートフィッシングで対象になるのは主にアカカマスとヤマトカマスだ。見分け方は簡単で、アカカマスの背ビレは腹ビレよりだいぶ後ろ側にあるのに対し、ヤマトカマスでは背ビレと腹ビレがほぼ同じ位置から始まる。アカカマスは背中が赤みを帯びた黄褐色だが、ヤマトカマスは淡い灰褐色と、体の色でも区別できる。

カマスは巨大な群れで沖合いの深海と浅瀬を季節移動しており、釣りのシーズンは浅場に上がる夏から秋がメイン。まず夏にヤマトカマスが接岸し、秋になると入れ替わるようにアカカマスが浅場の根周りに上ってくるのが回遊パターンだ。

カマスはまるで忍者のように逃げ足が速いので、ポイント選びは非常に難しい。魚探の反応を見て即座に仕掛けを投入するスタイルが基本。だが、それにはだいたいどのあたりにカマスが現れるかを知っておかないと、ねらって釣るのは難しい。カマスには一定の回遊ルートがある。ある程度、情報収集力と経験が必要だろう。

速攻が命のカマス釣りに寄せエサは不要。寄せエサがなくても、キラキラ光るハリには仕掛けが落ち込む途中で簡単に飛びついてくる。もし落ち込みで食わなければ、オモリが着底後、速やかに底から5〜6mまで誘い上げる。これでヒットしなければカマスはもう他へ行ってしまっている可能性が高い。また魚探を見て群れを探してみよう。

カマスには軸を平打ちにしたカラバリ系か光りモノ系。歯が鋭いので幹イト5〜6号、枝ス4〜5号のカマスサビキがベストマッチだ。首尾よく釣り上げたあとは鋭い歯にくれぐれもご注意を。

中アジもサビキ仕掛けのターゲット。このくらいのサイズが複数掛かると、相当にヒキは強い

ノマセ仕掛けの骨組み

　生きエサを使ってより大きなフィッシュイーターをねらうノマセ釣り。ノマセは主に関西の言い方で、関東では泳がせ釣りとも生きエサ釣りともいう。ノマセ釣りの醍醐味は何と言ってもなかなかエサを食い込まないターゲットとの駆け引き。といっても、すぐに食い込むこともあれば、いくら待っても食い込まないでエサを離してしまうこともある。それだけにアワセが決まったときは爽快だ。

　エサが動き回れるようにハリスは長めで、数は1～2本と少ない。特に大型魚ねらいではファイトを考えてハリ数は1本が適切。先調子のサオを手持ちにして誘ったり食わせたりするテクニックもあるが、大型船に比べれば揺れが大きく、置きザオ釣法の多いボートフィッシングでは食い込みを重視した胴調子のサオがおすすめ。ソイ、ハタ、ブリ、ヒラマサ、ヒラメなどのほか、ハモノ、クエなどの超大物も対象になる。

代表的なノマセ釣り仕掛け

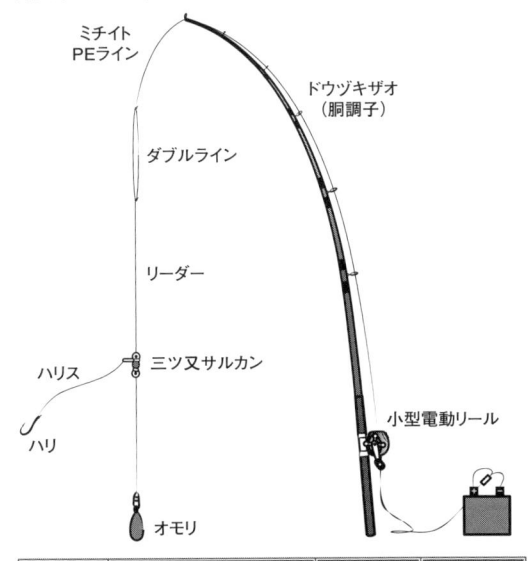

（図：ミチイト PEライン、ダブルライン、リーダー、三ツ又サルカン、ハリス、ハリ、オモリ、ドウヅキザオ（胴調子）、小型電動リール）

ターゲット	ハリ	ハリス号数	ハリス長
キジハタ・アオハタ	丸セイゴ15～17号 チヌバリ5～7号　×1～2本	4～6号	30～60cm
ブリ・ヒラマサ・カンパチ	スズキバリ17～18号 ヒラマサバリ12～13号	6～10号	1～2m
ヒラメ	スズキバリ16～18号 グレバリ12～14号	4～6号	1～1.5m

代表的なターゲットの攻略法

■キジハタ、アオハタ

　キジハタ（アコウ）とアオハタは関西以西で人気のターゲット。ハタ類のなかでは比較的小さく、ノマセ釣りの対象魚としても小型の部類だ。アコウ、アオハタは東北以南に生息するとされるが、基本的には南方系の魚で、釣りの対象となるのは中部以西。それより寒い地域では入れ替わるようにしてソイがターゲットとなる。水深はどれも60mくらいまで。アコウとアオハタでは生息地がちょっと違っていて、キジハタは藻の多い岩礁帯、アオハタは砂地の根周りに多く、釣り分けることができる。そんな場所を魚探で確認し、ベイトフィッシュがいればグッドコンディション。暖かい潮を好む魚でベストシーズンは夏から秋だ。

　いずれも大きな群れを作る魚ではなく、水深もあるので流し釣りが有利。

　エサは体長15cmくらいまでの小アジが一般的。近場で小アジを釣ってからノマセ釣りというパターンが主流で、小アジが釣れなくなるとやむなくシーズン終了、というファンも多いだろう。

　キジハタ、アオハタは最大でも50cm程度。最初の締め込みは強いものの、引きはそれほどではない。ハリ数は2本でもOKだ。釣り方はオモリが着底したら、時々オモリが底を叩くくらいにタナを切ってアタリを待つ。根が険しかったり、ボートの揺れでオモリが底を叩いたときにイトがフケるようであれば、もう少し高めにタナを切る。

　最初のアタリはサオ先が軽くおじぎをする程度。それからしばらくモゾモゾ、ゴツゴツと続けて、胴調子のサオが大きく締め込まれる本アタリが来たら、根から引きずり出すようにゆっくり大きくサオをあおってアワセる。他の魚種に比べても、キジハタ、アオハタの前アタリは大きめだが、早アワセは絶対禁物。エサの食い込みは悪くないほうだから、本アタリをしっかり待とう。

　アワセが決まった瞬間はかなりの手応えで引きも強い。それをやり過ごせば大人しく上がってくる。ハタ類は歯が鋭く体表にトゲも多いので、小さくてもタモを使いたい。

BOAT FISHING BIBLE

第7章 基本仕掛け別ターゲット & 釣り方
The Best Spots and Fishing Rigs

なかなか食い込まないアタリをアワセる高いゲーム性。それから、おいしい魚が多いのもノマセ釣りの魅力

■ブリ、ヒラマサ、カンパチ

俗に"ブリ御三家"と呼ばれるこの3種。分布はブリが北海道以南、ヒラマサとカンパチは東北以南で、カンパチが最も南方系である。水深100m以上の深場でも釣れるが、ボートフィッシングでねらいやすいのは水深50mくらいまでだろう。

魚種によってポイントは微妙に異なるが、外潮が入り込む潮通しのよい瀬や根周りが回遊ルートにあたるのは共通。ポイント選びの条件にベイトフィッシュも必須。だが、そもそもこれらの大型回遊魚は海流の動きによって行動が大きく左右されるので、釣期、釣り場は状況により相当異なる。そのため、マメな情報収集がカギだ。いい情報が入ったら間髪入れず釣りに行くのが成功の秘訣である。

ブリ御三家のノマセ釣りは、回遊ルートで群れを待ち受ける"待ち"の釣り。したがってアンカリングが楽だが、確率があまり高いといえないので、ヤリイカのハモノ釣りのように他の釣りをしながらサオを出してみるのもいいだろう。また、本格的に超大物をねらうなら、アンカーロープがファイトの邪魔になるので流し釣りが有利。ハリは1本が基本。エサに負担をかけない軽くて丈夫なヒラマサバリ、あるいは泳がせバリなどが主流だ。エサは小アジ、イワシなどが代表的で入手しやすく、さらにサイズによってはサバ、イカ、ムロアジ、ソウダガツオなども使える。

タナは一応底近くがねらいめで大物も多い。底から10m以内で、魚探を見てベイトフィッシュのタナか、それよりやや高めに合わせて置きザオで待つ。

アタリは明確だ。エサが逃げ回る前兆から小さな前アタリに移行したあと、一気にサオ先が引き込まれる。その衝撃は他のノマセ釣りの比ではない。

ブリ御三家を手にするにはある程度の強引さが必要。特にヒラマサは根に巻かれるおそれが大きいのでパワーファイトを楽しもう。それには太めのハリスを使い、あらかじめドラッグをしっかり調整しておくのを忘れずに。

ブリ、ヒラマサ、カンパチは場所によってサイズが大きく異なる。そのため、ハリやハリスはその場、そのときに釣れるサイズに合わせて臨機応変に選択しよう。

■ヒラメ

北海道から九州まで広く分布する、いわずとしれた人気者。体型からすると底ベタの根魚のようだが、

実はあちこち泳ぎ回る回遊魚。特に大型は相当な距離を移動するらしい。らしい、というのは、まだあまり生態がわかっていないからである。さすがにブリ御三家ほどではないものの、毎年一定の場所で産卵をする群れ以外にも、大規模な回遊をするグループがあるそうで、漁師の間ではヒラメが群れで移動するのは常識。その群れを曳き釣りでねらう釣り方もある。曳き釣りでは根のフチをトレースするように引くのが基本。というわけで、ヒラメは砂地だけでなく、岩場の根際などの岩礁帯もねらいめだ。タナも底から中層までと広く、日中はわりと底近くにいて、夜間に中層に浮き上がってエサを取る。

シロギスのついでにサオを出すボーナスメニューとしてねらうなら砂地もいいが、専門にヒラメをねらうなら流し釣りで岩場をねらうほうが確率は高いだろう。岩場を流すときは枝スを捨てイトより短くすると根掛かりが減る。ベストポイントはベイトフィッシュの多い根際。初夏から秋までは浅くて水深20m以内。秋以降は深場に落ちて100m以内が目安となる。エサは小サバ、イワシ、アジ、シロギスなどが代表的。

俗に"ヒラメ40"と言われるのは、アタリが来てから40数えろということ。つまり、それだけ前アタリが長いという意味だ。小さな前アタリが4、5回来たあとに、本アタリに変わって思いっきりアワセたらサオは満月。となれば最高に気持ちいいが、実際にはセオリー通りにいかないほうが多い。ときにはいきなりガツンとサオが持っていかれることもあれば、いつまでたっても食い込まず、挙句の果てにオサラバという落ちもある。それゆえ、手持ちザオで誘い上げたり、その逆に送り込んだりといろんなテクニックがある。人気者だけに仕掛けのバリエーションも豊富で、枝スが極端に短いものから、底近くで長めのものまでさまざまだが、ボートフィッシングではやはり胴調子のサオを置きザオにしてサオ先が海中に突っ込むまで待つ置きザオ釣法が便利だろう。

ヒラメはタモ入れの寸前によく暴れるので取り込みは慎重に。それと、大型が掛かったのはいいけれど、タモに入りきらなくて逃がしてしまったなんてことがないように、ちゃんと大きめのタモを用意しておくこと。

イカサビキ仕掛けの骨組み

ヤリイカ、スルメイカ、ケンサキイカなどの中層を群れで回遊するタイプのイカには、ドウヅキ流にイカヅノ（またはスッテ）を並べたイカサビキ仕掛けが一般的。枝スの先のイカヅノがブラブラと動くことから、手釣りで使う伝統的な直結仕掛けに対して、「ブランコ仕掛け」と呼ぶこともある。また、イカ「サビキ」というように、疑似餌で誘って多点掛けをねらう点はサビキ仕掛けと共通だ。

イカサビキではツノの選択がいちばんのカギになる。ただし、それはイカの種類によるので、ターゲット別の項目に譲る。

ツノとスッテのハリはカンナといってカエシがない。カンナにはシングルとダブルの2種類がある。定番は掛かりがよく、手返しも早いシングル。一方、ダブルはバレにくく、強度も高いので、大型のイカや乗りのいいときに向く。

代表的なイカサビキ仕掛け

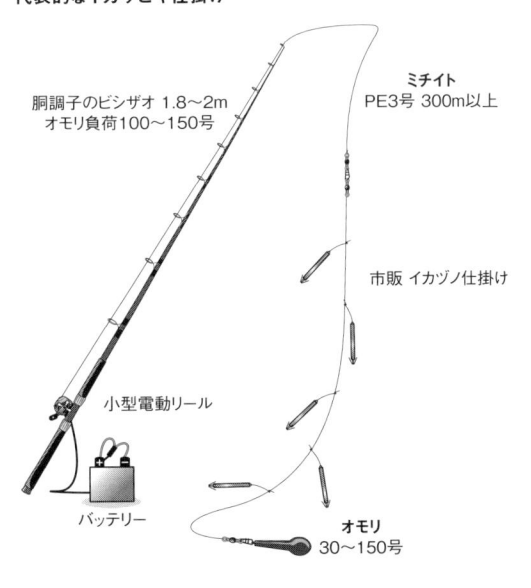

胴調子のビシザオ 1.8〜2m
オモリ負荷100〜150号

ミチイト
PE3号 300m以上

市販 イカヅノ仕掛け

小型電動リール

バッテリー

オモリ
30〜150号

ターゲット	イカヅノ	ハリス号数	ハリス長
スルメイカ	14〜18cm	3〜6号	5〜10m
ヤリイカ	11cmまたはウキスッテ	2〜4号	8〜10m
ケンサキイカ	専用ウキスッテ またはスッテ3〜4号	3〜4号	10〜30m 1cm(直ブラ)

ほかにはツノの数、接続方法、枝間のとり方などが工夫のしどころだ。

ツノの数はおおむね5〜10本といったところ。多ければ多いほどタナを広く探れ、多点掛けの可能性も高まるが、仕掛け捌きは大変。ハリにカエシがないだけに、イカサビキの取り込みは特に忙しい。手前船頭のときなどはたまったもんじゃない。また、イカのタナが狭い場合には、ツノの数が多いとアタリヅノが外れてしまうこともあるので、一概に有利とも言い切れない。手返しが悪くなっては元も子もない。慣れないうちは5本で十分。もし、イカの乗りがよいときや、タナがばらけ気味の場合などには、自分が扱える範囲内でツノ数を増やすという考えでいいだろう。

枝スの接続方法は、短めのときは引っ掛かりがなく絡みも少ないヨリチチワがおすすめ。対して、長めの枝スでは接続具を使ったほうがヨレもとれて捌きやすい。枝スの太さにもよるが、20cm前後がボーダーラインである。

枝間は、枝スを含めたツノとツノの間を矢引きプラス10〜20cmにする。矢引きとは弓を引くときの両手の間隔で、左手をいっぱいに伸ばし、右手を右肩の前に持ってきたときの長さ。体格にもよるが、だいたい1mから1.2mくらいである。この長さに10〜20cmを足すと、取り込みのときにちょうど次から次へじかにツノをつかんで手繰れ、手前マツリを減らせてイカもバラしにくい。捌きやすいツノとツノの間隔はその人にもボートの造作にもよるので、自分がいちばんやりやすい長さを見つけよう。ただし、一番上のツノからミチイトの接続部までと、一番下のツノとオモリまでの間隔は若干短めのほうが扱いやすい。また、船上スペースを広くとれる場合を除いて、パイプを並べたような投入器があると便利だ。

なお、イカ釣りでは夜釣りも盛んだが、ボートフィッシングでは一般的ではないので省略した。

代表的なターゲットの攻略法

■スルメイカ

マイカという名前もあるとおり、日本人にはとてもなじみの深いイカである。ヤリイカとケンサキイカよりも

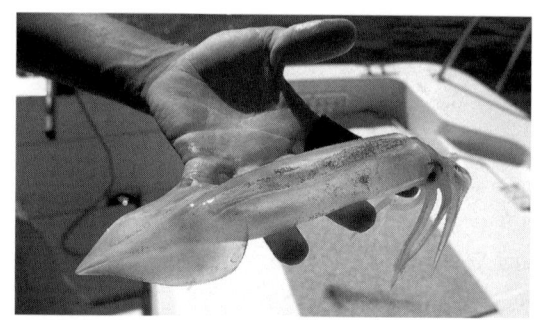

生息範囲が広く、手軽に数が釣れるスルメイカはイカのエントリー種目にぴったり。イカヅノに乗ったときの強烈な手応えとトルクフルなヒキも魅力。えんぺらが短いのが特徴

胴体は太めで、えんぺらと呼ばれるヒレが胴長の3〜4割と小さく、また、目に膜のある閉眼類であることから簡単に見分けがつく。が、慣れた釣り人なら、乗ったときの強烈な手ごたえとヒキですぐにスルメとわかるものだ。大型の胴長は30cmを超える。ちなみに、干した「するめ」は干物の総称であって、スルメイカとは限らない。

スルメイカは日本近海に広く分布し、一生を終える1年の間に大規模な南北回遊を行う。加えて、秋、冬、春〜夏生まれの3つのグループがあるため、釣期は場所によって異なる。

秋生まれの群れは東シナ海で産卵し、対馬海流に乗って日本海を北上する。一方、冬生まれのグループは九州近海で誕生し、日本海と太平洋に分かれて北に上る。その2つとは異なる一団が春〜夏生まれの群れだ。これは地域で産卵、成長する小規模な集団らしい。

というわけだが、スルメイカのシーズンは春から秋にかけて。その後は冬が旬のヤリイカにバトンタッチするという流れがイカファンの間では一般的。

スルメイカのポイントはおおむね水深が50〜250mの間で、小さい時期ほど浅く、成長するにつれて深くなる。潮通しのよい岬周りや岩場、カケアガリなどを好み、小型のうちはアジ科の魚が釣れるような場所がねらいめ。遊泳力の高い大型になると、サバ科の魚が回る場所と重なりがちだ。いずれにしろ、スルメイカは漁業的価値が高く、回遊ルートがよく知られており、遊漁船や漁船を参考にするのも手である。

スルメイカは非常に足が速いため、魚探で群れを

追いかけながらの釣りになる。イカが映る50〜100kHzの低周波数で高出力の魚探は必須。この釣りでは魚探に映った群れにいかに素早く仕掛けを届けるかがカギ。だから、細いミチイトと重いオモリの組み合わせは効果的である。オモリは水深にもよるけれど、ミチイトはPEの1号で十分。落とし込みで乗せるときも、サミングで微調節できるので、仕掛けの落下スピードは速いほど有利である。

スルメイカは日中でも海底からゆうに50m以上離れる。そんなときは仕掛けを底まで落とす必要はない。群れが海底近くのときは仕掛けを底まで落とし、中層のときは反応の10m前後下まで降ろしてから、1mくらいの幅で数秒に一度しっかり強めにシャクる。それから20〜30mくらい探ってみて、まだ魚探に反応があれば、タナ下まで降ろす手順を繰り返す。もし魚探の反応が消えていたらポイントを移動しよう。マメな投入と移動の繰り返しがこの釣りの鉄則だ。

スルメイカが乗ったときの手ごたえは強烈。カンナには返しがないので、絶対に仕掛けを戻さないようにして、まずはゆっくり手巻きで巻いてみる。すると、追い乗りをするケースがある。しばらく手で巻いたら電動リールのスイッチをON。巻き上げのスピードは中速以下で遅めのほうがバレにくい。スルメイカは引きも強い。イカは引かないと敬遠する向きもあるが、獰猛なファイトぶりで楽しませてくれるはずだ。

スルメイカ用のツノはプラヅノの14〜18cmで、小型の場合のみ11cmを使うことがある。カラーはピンク、ブルー、ケイムラ（蛍光ムラサキ）にアクセントとなる色を加える配色が定番だが、比較的濃い色に乗りが集中するときもある。

なお、電動リールのスイッチを入れっぱなしにして小刻みにシャクリ続ける直結仕掛けの電動シャクリ釣法は速攻がモットー。イカの逃げ足が速かったり、乗りが活発だったりするときには、試してみる価値があるだろう。

■ヤリイカ

胴体が細く、透明感があり、どことなく女性的な雰囲気が漂うイカだ。眼に膜のある閉眼類で、えんぺらが胴体の6〜7割に達することから、同じポイントで釣れてもスルメとはすぐに見分けがつくだろう。胴長が40cmを超える大型は「パラソル」のニックネームも。そんなヤリイカは本当に傘みたいだ。

北海道南部から九州まで各地に生息し、北へ行くほど水深が浅いのは水温の関係。同じヤリイカ科でよく似たケンサキイカとポイントが重ならない理由は適した水温が違うからである。ヤリイカの回遊や生態はよくわかっていないが、冬から春にかけて沿岸で産卵する点は全国共通で、東北から九州の各地で産卵場所が確認されている。どうやら産卵場所を基点として比較的小規模に回遊するようだ。

孵化後、胴長が10cmを超えるくらいから深場に移動する。そのサイズを釣って釣れなくもないけれど、大型になる秋以降から冬にかけてが本格的なヤリイカシーズンである。

ヤリイカ釣りの水深は250mくらいまで。浅いほうの水深は水温による。当然、北へ行くほど浅場で釣れる。また、産卵期の夜は陸っぱりでも釣れる。ポイントはスルメ同様、潮通しのよい岬周りや岩場、カケアガリなどで、実際にスルメが回るエリアではポイントが重なっている。群れを追いかけながらの釣りになるところもスルメと同じだが、それほど足が速くなく、地形につく習性も強いことから、動き回らなくて済むことも多い。

微妙な乗りの見極めがヤリイカ釣りの醍醐味。スルメイカほど足が速くないため、操船が比較的楽なのはありがたい

ヤリイカのタナは主に底近くなので、仕掛けを必ず底まで降ろし、底から10mくらいまでをシャクりながら探るのがセオリー。しゃくり方はスルメよりもずっとソフトに。そして、シャクリとシャクリの間に必ずサオを止め、サオ先でアタリを見ること。手ごたえではわからない微妙なアタリも多い。サオ先を注視して「モゾモゾ」とか「フワッ」というふうに、少しでもおかしいなと思ったらそのままサオを下げずにゆっくりリールを巻いてみよう。イカが乗っていれば、このときの手ごたえでわかるし、追い乗りの可能性もある。10mほど巻いたら、電動リールにバトンタッチ。ヤリイカは身切れしやすいので、スピードはあくまでゆっくりと。繊細なヤリイカはとにかく優しくていねいがモットーだ。

しばらくシャクっても乗らないときは、一度30〜50mくらい巻いてからまた仕掛けを入れ直すのも手。また、そのときにタナに来たらスプールをサミングしてゆっくりと落とし込んでみても効果的だ。フォール中にもけっこう乗ってくるゾ。

ヤリイカのツノは11cmのプラヅノがメイン。カラーは全般的に淡色系がよく、ピンク、ブルー、ケイムラが定番で、最近はこれに赤白系のイトを巻いた7cmのスッテをよく混ぜている。以前は「寄せヅノ」と考えられていたが、実際にはスッテにもよく乗るケースがあり、今は「乗せヅノ」としてすっかり定着した。

■ケンサキイカ

ヤリイカ科に属し、大きなえんぺらと眼に膜があって、見た目もよく似るが、「槍」ではなく「剣先」と呼ぶように胴体が若干太い。小さいうちは特にヤリイカと似ているけれど、冷水を好むヤリイカに対し、暖かい潮を好むケンサキイカは南方系。同時期に同じポイントで釣れることはまずない。

ケンサキイカは本州の東北以南から東シナ海、南はなんと赤道を越えてはるかオーストラリアまで広く分布する。日本近海でもっとも多いエリアは東シナ海。いわゆる佐賀県名物「呼子のイカの活造り」はもっぱらこのイカだ。

やたらと地方名が多いのもケンサキイカの特色である。日本海の「しろいか」「ぶどういか」、三浦半島の「まるいか」、相模湾の「めといか」、伊豆諸島の「あかいか」、和歌山の「めひかり」、九州の「ごとういか」、呼子の「やりいか」などはすべてこのイカのこと。アカイカ、ヤリイカという標準和名を持つイカも他にいるから、まったくもってややこしい。

詳しい生態は不明。産卵期の中心は夏とはいえ、暖かい地方では長期にわたる。たとえば九州南方の東シナ海では4つの異なる群れが周年入れ替わって産卵するらしい。また、地方によって大きさ、色、形に差があり、関東近海のケンサキイカは関西から九州、伊豆諸島のものに比べてずっと小型。こんなギャップが地方名の多い理由かもしれない。

したがって、ケンサキイカのシーズンは場所によってまちまちだが、温帯の本州沿岸では、寒い時期は深く、暖かくなるにつれて浅くなる。こうしたエリアでは晩冬から秋までが主なシーズンだ。水深は深くても100mまで。初期は深く、盛期の夏には10m前後の浅場にも上がってくる。このぐらいの深さだと、シロギスザオでも十分間に合う。

ケンサキイカも魚探の反応を基準にポイントを選ぶ。エサを追いかけている初期は、潮通しのよいエ

マニアックな数釣りのターゲットとして注目を浴びるケンサキイカ。イカのなかでも一、二を競うおいしいイカだ

サ場やカケアガリのキワなどに集まるが、砂地に卵を埋め込む産卵期は砂地を広範囲に回遊している。また、ヤリイカと同じくタナが底付近で、地形につく習性もあるため、群れを追いかけなくても大丈夫。回遊のスピードはスルメイカより遅く、水深はヤリイカより浅い。ボートフィッシングでは比較的ねらいやすいイカだろう。

　釣り方は独特。イカヅノではなくスッテを使い、枝スは長めが一般的。浮力のあるスッテをふわりと漂わせて抱かせるイメージだ。シャクリはヤリイカ以上にソフトに。というより、50cmから1mくらいの幅で、そおっと聞きアワセをするくらいでよい。イカが濃ければ胴調子の長ザオによる置きザオ釣法でも乗ってくるほど。

　ヤリイカ同様、アタリはサオ先を見て判断する。多少なりとも違和感があったらゆっくりとリールを巻いて、しばらくしても追い乗りがなければ電動に。ケンサキイカは特にバラシが多いので、ドラッグを積極的に活用したい。船の揺れで滑るくらいにぎりぎりまで緩めておこう。

　かように繊細なイカかと思えば、カワハギばりのタタキ釣りもあったりするのがケンサキイカの面白いところだ。この仕掛けは直結または「直ブラ」という。「直ブラ」は直結とブランコのあいのこで、直結感覚のブランコ仕掛けともいえる。1cm前後の極めて短い枝スに、浮力が低めの5cmほどのスッテを組み合わせる。海底からオモリを少し浮かせて、サオ先を激しくシェイクし、動きを止めると微妙なモタレが出るから、このときにアワセる。仕掛けの操作性上、特に浅場の小型に効果があるようだ。

　スッテのサイズは小〜中型には5〜7cm、大型ねらいには4号（寸）が標準。ガス糸やニット、布で覆ったものを使う。さて、カラーだが、赤、白、オレンジ、ピンクなどが定番と言われるものの、緑や茶色などにも乗りが集中することがあり、アオリイカなみに気まぐれ。だから、各色をひととおり揃えておいたほうがよいだろう。

　水深が浅いおかげもあり、ゲーム性が高く、人気急上昇中のケンサキイカ。ちなみに、イカの中でも抜群のおいしさも人気の理由である。

深場仕掛けの骨組み

　ムツ、アラ、マダラ、キンメダイ、アコウダイといった深場の魚は根掛かりの多い岩礁帯がねらいめ。しかも、1回の上げ下ろしにえらく時間がかかるため、なるべく効率を高めたいところ。とくれば、ハリ数を多くしたドウヅキ仕掛けがヒットメーカーだ。

　深場釣りの定番といえば、ネムリバリともジゴクバリとも呼ばれるムツバリ。アワセが不要だからネムリバリ。また、いったんハリに掛かると針先が食い込んで外れにくいのでジゴクバリ。アワセが不要でバレないのは遠距離通信の深場釣りにぴったりだが、ムツバリを使

代表的な深場用仕掛け

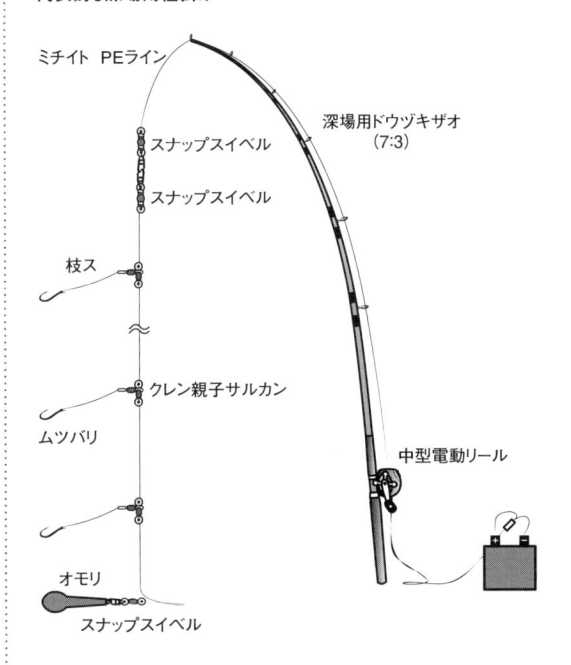

ターゲット	ハリ	枝ス号数	枝ス長
ムツ	ムツバリ16〜18号 ×5〜10本	8〜10号	70cm〜1m
アラ	ムツバリ18〜20号 ×5〜10本	12〜14号	70cm〜1m
マダラ	ムツバリ18〜20号 ×5〜10本	8〜14号	40〜80cm
キンメダイ	ムツバリ16〜18号 ×5〜10本	8〜12号	50〜75cm
アコウダイ	ムツバリ18〜20号 ×5〜10本	10〜14号	70cm〜1m
アカムツ	ムツバリ（細軸）17〜19号 ×2〜4本	5〜8号	40cm〜

BOAT FISHING BIBLE

第7章 基本仕掛け別ターゲット & 釣り方
The Best Spots and Fishing Rigs

う本来の目的は他にある。それはクチビルに掛けること。ムツをはじめ、深場の魚は鋭い歯のある大きな口でエサをひと呑みにする。実のところはハリが口の奥に掛かって主に歯でハリスが切れるのを防ぐためのムツバリだ。

深場仕掛けならではの小道具も多い。ハリ数が20とか30で使い捨て一発勝負の仕掛けには、絡みなく投入できる治具という独特の仕掛け巻きを使うが、ボートフィッシングではハリ数を5～10にして同じ仕掛けを使い回すのが得策だろう。それにはスムーズに再投入できるようハリを並べるマグネット板が必須。

マダラ、キンメダイ、アコウダイには集魚ライトも定番アイテム。ただし、ムツ系は光りものを嫌うと言われる。サメの多いときも外しておこう。水深が深くなるほどヨリ取り用の連結ベアリングスイベルやヨリトリフィンなどもトラブル防止に役立つ。水中ライトや大型のヨリトリ器具は、仕掛けを這わせて追い食いを誘うための中オモリとしても機能する。

条件がよければシーアンカーも使えなくはないが、深場釣りのボートコントロールはやはり流し釣りが向く。深場では魚探に映る範囲が広いから、実際の位置と反応のズレを考慮して、1回の流しを長めにとれるよう、十分潮上から流し始めるのがセオリーだ。

深場釣りというと、マニアックで難しいと腰が引けるかもしれない。しかし、魚はおいしいし、ディープワールドのポイント探しはとても神秘的。ボートフィッシングなら仕掛けの上げ下ろしは自由。しかも、ライトタックルで手軽にチャレンジできるので、チャンスがあればやらない手はないと思うのだが……。

代表的なターゲットの攻略法

■ムツ

ムツとクロムツの2種類がいて、ムツは銀褐色で腹が白っぽいのに対し、クロムツは紫がかった黒。ムツは北海道から九州まで、クロムツは北海道から中部までと分布も違うが、ポイントはほぼ同じで釣りでは両者を区別しない。

ムツは深場の魚のなかでも険しい根を好み、水深80～500mに生息する。ただし、深いほど大型

上がムツで下がシロムツ。シロムツはムツの仲間ではなく、深場では定番の外道

が多く数が少ないので確率は低い。ボートフィッシングでは中・小ムツねらいの300m以浅が無難な線だろう。

中・小ムツなら枝スは1m以内で十分。歯が鋭いため太さは8～10号はほしい。エサはイカ、サンマ、サバを10cm前後に切った短冊のチョン掛け。小振りのイワシを丸ごと使うこともある。釣り方は、オモリが着底したらすぐに1m前後底を切り、オモリが常に底を切った状態をキープする。底ダチはマメに取りなおすと根掛かりを避けられるし、誘いにもなる。ムツ釣りは根掛かりとの闘いだ。ぼやぼやしているとすぐに根掛かりしてしまう。逆に言うと、それだけ激しい根をねらうのがキーポイントである。

ゴツッ、ゴツッと派手にサオを叩くのがムツのアタリ。ネムリバリなのでアワセは当然不要。中型以下ならしばらく追い食いを待って、電動リールのスイッチをオン。腹が膨れて海面に姿を見せるので取り込みは楽だ。仕掛けをデッキに上げてから魚を外してもいいし、1尾ずつ外しながら仕掛けを並べてもいい。再投入に備えて仕掛けを整えながら取り込もう。

■アカムツ

最近は「ノドグロ」の俗称がすっかり有名になった。一時期は幻の魚などとも呼ばれていたが、大人気のおかげで目にする機会はめっきり増えた。もちろん、釣りでも人気は高く、いまや最もメジャーな深海のターゲットのひとつである。

北海道から九州まで生息し、水深は60mの浅場から500mを超えるような場所にもいるが、釣りの対象となるのは100～350mぐらいまで。とりわけ、産卵のため浅場にあがってくる初夏から晩秋が好機。産卵期は水深も100から深くても250mぐらいと比較的浅く釣りやすい。

　ムツの名前が付いているものの、実はムツ科ではなく、ホタルジャコの仲間だ。生息地もムツとクロムツとは大違いで砂泥底を好み、比較的狭いエリアに集中する傾向がある。そのため、オニカサゴのように片テンビン仕掛けを使う地域もある。釣り方もオニカサゴのヘビーバージョンといった感じだ。胴突き仕掛けを使ってもそれは同じで、マメに誘いを入れるのが釣果を伸ばすコツである。

　ほかの深海のターゲットと比べると、アカムツは多点掛けが少なく口切れもするので、仕掛けのハリ数は少なめにして、1尾ずつていねいに釣り上げるのが賢明だ。エサはホタルイカかサバの切り身が定番。発光体はとても有効なので、外道が少なければハリの近くに付けると有効だ。

　アカムツのタナは底から1m前後までと言われている。仕掛けが底に着いたら、オモリが時々底を叩くようにミチイトを調節する、いわゆる"トントンオモリ"にするか、さらに完全に底を切るようにしてもよい。動きのあるエサに反応しやすいので、時々2～3mシャクったり、マメにタナを取り直すなどしてなるべく誘いを混ぜてみよう。

　アタリはシャープで明確だ。ただ、すぐに大きく合わせるのは禁物。ゆっくりサオを立てて聞き上げてみて、軽かったらまた同じ誘いを繰り返し、魚が掛かったのを確認したら、そのまま電動リールのスイッチを入れればいい。とにかく口が切れやすいので、ドラグをしっかり利かせての低速設定が基本。そのうえで、波やうねりがあるときはサオを手に持って、上下動を吸収すると安心だ。

　アカムツは水面近くでも元気に泳ぐので、取り込みは必ずタモを使って慎重に。ボート際でもハリが外れればアカムツはまた潜ってしまう。せっかくの魚をあと一歩のところで逃してしまうのはあまりにももったいなさすぎるゾ。

■アラ

　北海道から九州まで生息し、100～300mのカケアガリのテラスや、砂地に岩場が点在するような場所を好む。そのため、浅いところではアマダイやオニカサゴのゲストに混じり、実際、片テンビンを使うアラ釣りもあるが、そんな浅場は小型が多い。しかも、オニカサゴに比べてアラのタナは少し高めのため、専門にねら

「幻の魚」の名に恥じないレア度と美味を誇るアラ。10kg超もいるが、型を見られれば大満足の魚だ

うならドウヅキ仕掛けで水深200～300mを釣ると面白いだろう。

釣り方はトントンオモリでよい。大型ねらいにはイワシやイカ、サバなどの生きエサが一番。しかし、地域によっては禁止されている場合があるので注意しよう。普通はサバやサンマの短冊でもOKだ。

アラ釣りのコツはタナ。底に近すぎるとオニカサゴをはじめ外道が増える。ベストは底から2、3m。したがって、捨てイトの長さを長めにとるのも一案だ。また、アラ釣りはツノザメとの闘いになる。ツノザメを嫌っていてはアラが釣れないから、ツノザメがいるところはアラがいると考えて辛抱するしかない。

アラのアタリは激しく、大型になると一気にサオを締め込むパワーの持ち主だ。小型なら追い食いを待ってもよいが、大型ならワンテンポおいて海底から引き離し、すぐにリーリングを開始しよう。低層ではよく引くので、ドラッグを調整し、巻き上げのスピードは低速か中速。やがて抵抗が減り、太鼓腹が海面に飛び出したら大成功！

■マダラ

日本海側は山陰以北、太平洋側は茨城県以北の深場に棲む北方系の大型魚。水深は100m以浅から300m超と広範囲におよび、北海道をはじめ寒い地方ほど浅い。また、産卵期には浅場に回遊する。群れで行動する大型魚のため、魚探には映りやすい。沈船や魚礁、険しい根などのピンポイントがお好みで、したがって的確な操船がものをいうターゲットである。ちなみに、マダラは根の潮上にも潮下に付く。潮が速いほど潮下にいることが多いようだ。

いい群れにあたれば大型が2、3尾掛かることもあるので、仕掛けは多少ヘビーなくらいがいいだろう。身エサは大きめのサンマがよく、他にサバやイカの短冊、さらにヒイカの1パイ掛けも有効。

オモリが着底したらトントンオモリをキープ。グッと力強くサオを絞り込むアタリが来たらもうハリに掛かっている。その場で待って追い食いする手もあるが、上バリがまた同じタナに入るようミチイトを少し送り込む釣り方もある。どちらがいいかは状況次第。マダラのタナを見て判断しよう。また、根が険しいと根掛かりの

マダラは北の深場の代表格。10kgオーバーも珍しくない大物ぶりも魅力

可能性も忘れてはならない。

マダラは意外に水圧の変化に強く、海面付近まで激しく抵抗する。海面に浮かんでも逃げ出す輩がたまにいるから、気を抜かずにタモかギャフで取り込むのが安全だ。

■キンメダイ

文字通り金色の目がトレードマークの、アコウダイと並ぶ深場釣りの華。北海道から沖縄までの太平洋岸に広く分布し、水深200m以上の海山の周辺や大陸棚の縁に生息する。正確にはフウセンキンメとナンヨウキンメも含めた3種類が釣りの対象。シーズンは周年。ポイントは、ほぼ同じ水深に生息するアコウダイやメヌケに比べると傾斜の急なカケアガリや海山で、ある程度の出力があれば群れが魚探に映るので比較的探しやすい。

キンメダイは非常に大きな群れを作り、夜間には海山の頂上で水深100m程度まで浮上するなど、タナの変化も大きい。ハリ数が多いと有利なのは明らか

深場とはいえシャープなアタリが気持ちいいキンメダイ。水深がある分、やり取りも長く楽しめる

だが、仕掛け捌きを考えると5〜10本程度でスマートにこなしたいところ。エサは基本的にイカやサバ、カツオの腹身を塩漬けにしたハラモ、または銀皮がついたサーモンの短冊など。キンメダイは口が弱いうえ、水圧の変化にも強くバレやすいから、ややオモリ負けするくらいの胴調子のサオが有利だ。バレ防止にはクッションゴムも効果的。

釣り方は、日中の釣りならトントンオモリで待つのが基本。他の深場の魚に比べると、サオを断続的に振るわせるキンメダイのアタリは小さいながらもシャープ。群れが大きいケースが多いので、いかに追い食いを誘うかがウデの見せどころだ。アタリ後の対応には、ボートの流れに合わせてミチイトを送る新島式と、食いダナをキープする御前崎式が知られているが、ボートフィッシングでは御前崎式がおすすめ。つまり、アタリがあったらそのタナでしばらく待っていればOK。

バレやすい魚なので、あらかじめドラッグをしっかり調整しておくことを忘れずに。キンメダイは水圧の変化に強く、海面でも元気に泳いでいる。取り込みはタモ入れが鉄則だ。

なお、キンメダイは商業価値が高いので漁船も多い。地域によっては禁漁期間等、さまざまな取り決めがあるので、トラブルのないようくれぐれもご注意を。

■ アコウダイ

電動リールが止まり、海面に目をやると点々とオレンジ色の魚が浮かび上がる。誰が名付けたか知らないが、これが深場釣りのシンボルともいえるアコウダイの「提灯行列」。アコウダイは東北から四国にかけての水深300m以上の深場に生息するカサゴの仲間。近縁種にはバラメヌケもいて、こちらは関東以北の北方系。目の下にトゲが2つあればアコウダイ、なければバラメヌケだ。

アコウダイのポイントは水深300m以上の根周り。キンメダイに比べると、カケアガリの途中にあるテラスや窪地といった、より傾斜の緩い場所に多い。

水深と魚のサイズによるが、仕掛けと釣り方は基本的にキンメダイと同じである。ただし、アコウダイはタナが低いので、ハリ数を少なくし、捨てイトは短めでもOK。カサゴの仲間のご多聞に漏れず、口が大きく歯が貧弱で、エサを丸のみにするタイプだからハリに掛かりやすい。追い食いを誘うときは、アタリがあったらミチイトを送り込むのがセオリー。一気にミチイトを出すのではなく、枝間の分だけ段階的に送るのがコツだ。

底近くではよく引くものの、水圧に弱いアコウダイは途中からあまり引かなくなる。そして、海面付近ではオモリを引き上げるほどの浮力で浮き、海面にオレンジ色の花が咲き乱れる。

数百メートルを超える深場から、色鮮やかなアコウダイが海面に浮き上がる様子は見事。まさに深場釣りの華である

ビシ仕掛け

ビシ仕掛けのエッセンス

ビシとはオモリのこと。といっても、ビシ仕掛けはオモリを使う仕掛け全般ではなく、オモリが付いたコマセ管を使う仕掛けのことだ。だから、正しくはビシカゴ仕掛けのはず。しかし、ビシカゴにも各種あり、呼び方もさまざまなため、省略形であるビシ仕掛け、あるいはビシ釣りという名前が定着したのだろう。また、コマセ管を使う仕掛けは潮の抵抗が大きく、一段と重いオモリがいる。それでビシ釣りと呼ぶようになったのかもしれない。

名前の由来はさておき、ビシ仕掛けは寄せエサを使って中・大型魚をねらうときの立役者。同じ寄せエサを使うサビキ仕掛けに比べると、長いハリスを自然に漂わせられるおかげで警戒心の強い魚にめっぽう強い。サビキ釣りが煙幕を張ってウブな群れを狂乱させるのに対して、ビシ釣りはポロポロとこぼれ落ちる寄せエサに付けエサを紛れさせ、老練な大物をだまし討つイメージだ。したがって、ビシ釣りのタナは狭く、"的確なタナ決め"と"付けエサと寄せエサの同調"の2点が黄金律である。

ハリ数の少ない片テンビンスタイルは仕掛けの強度が高く、大物に対応しやすい。しかし、抵抗の大きなビシカゴがミチイトとハリスの間に割り込むのがウィークポイント。その弱点をカバーするのがショックアブソーバーのクッションゴムだ。これで大物の急激な引きもしっかりかわせるが、その分、手元に伝わる引きはマイルドになるのは致し方ない。もっとも、ビシ釣りでは胴調子のロングロッドが主流だから、そもそもダイレクトなファイトを楽しむ釣りでもない。

とはいえ、マダイやワラサといった大物を釣るにはビシ釣りがやはり一番手軽だ。サビキ仕掛けで攻略しきれない中型以上のアジやイサキにも威力を発揮する。寄せエサを使い、置きザオ釣法で中・大型の魚をキャッチできるビシ釣りは、何かと手数の多いボートアングラーの強い味方である。

ちなみに、ビシ仕掛けにはウキ流しやウィリーシャクリといったバリエーションもある。ウキ流しは大きなウキを使ってビシ仕掛けを流すアンカリング釣法で、オモリの号数に合ったウキと大ぶりの専用片テンビンを使う。原理はビシ釣りと共通だ。一方、片テンビンを使いながら小・中型の群れをねらうウィリーシャクリはサビキとビシの中間的な釣法といえるだろう。

ビシ仕掛けの骨組み

ビシ仕掛けの必須アイテムといえば、片テンビン、コマセ管、クッションゴムの3点セット。

片テンビンは、アジやイサキなどの小型魚には直径

代表的なビシ仕掛け

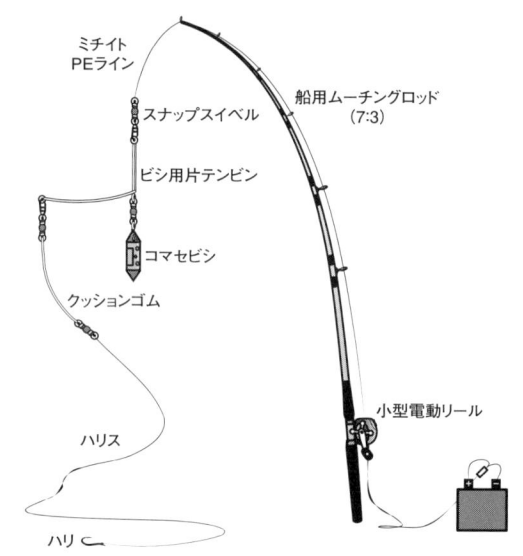

ターゲット	ハリ	ハリス号数	ハリス長
イサキ	チヌバリ2～3号 ×2～3本	1.5～2号	2.5～3m
アジ	ムツバリ9～11号 ×2～3本	2～3号	2m
マダイ	マダイバリ10～12号 グレバリ8～9号	3～4号	6～9m
イナダ	グレバリ8～9号 チヌバリ5～6号 ×2～3本	4～5号	3m
ワラサ	グレバリ10～12号 ヒラマサバリ10～12号	6～10号	4.5～6m

1.6〜1.8mmで腕長40〜50cm、マダイやイナダ（ハマチ）などの中型魚には直径1.8〜2.0mmで腕長50〜60cm、ワラサ（メジロ）やヒラマサなどの大型回遊魚には直径2.5mmで腕長50〜60cmの3タイプに分けられる。

片テンビンの腕に接続するクッションゴムも同様に3タイプ。具体的には、アジ・イナダ用に直径1.5〜2.0mmで長さ20〜30cm、中型魚は直径1.5〜2.5mmで長さ1m、大型魚用としては直径3mmで1mがスタンダード。しかし、最近は強力なタイプも登場している。購入時にはしっかり適合ハリスを確認しておこう。

クッションゴムにセットする仕掛けはハリ数が1〜3本でハリスは長めが基本。アジ・イサキなどの小型魚はハリ数が多めで、サイズアップするほど仕掛けが長く、ハリ数が少なくなる傾向にある。市販仕掛けも揃っているが、シンプルなので自作も簡単。ただし、大物仕掛けの枝スは編み付けにして万全を期したい。

コマセ管にはいろいろなタイプがある。金属の編みカゴは寄せエサと網目がマッチすれば思い通りのコマセワークが可能。だが、慣れないうちは上部のネジで開口部の大きさを調節できるプラカゴが万能型で使いやすい。カゴは大きいほうが効率はよいが、エリアによってはサイズや寄せエサの種類にルールがあるので注意しよう。

代表的なターゲットの攻略法

■イサキ

東北以南の黒潮の影響が強い水深100m以内にある根周りが生息地。周年釣れるが、"梅雨イサキ"と言われるようにベストシーズンは夏。夏はイサキの産卵期で、毎年ほぼ同じ場所に回遊してくる大きな群れをねらうと釣りやすい。ちなみに、イサキは産卵期になっても味が落ちない珍しい魚のひとつである。

夏のイサキは水深40m以浅の高根や魚礁の潮肩に群れる習性がある。魚探にもしっかり映るのでポイントを探すのは難しくないが、問題はタナだ。"イサキはタナを釣れ"の格言どおり、イサキのタナは数

アンカリングできればイサキは簡単。夏には決まった場所に大きな群れを作り、大型ほど上のほうに集まる

メートルと狭く、しかも上層に大型が集まっている。その薄膜に仕掛けを正確に入れれば大型が入れ食いになるが、逆にタナを外してしまうと釣果はガクッと落ちる。

イサキの群れはずっと同じ場所にいることが多いので、できればアンカリングしたいところ。地域のルール等でアンカリングできなければ、流し釣りをするしかないが、そのときはなるべくポイント上にステイするような操船が望ましい。潮流で多少ミチイトが斜めにフケても、粘って粘って群れの足を止める操船がイサキには絶大な威力を発揮する。アンカリングできればとても簡単だが、流し釣りだと意外に操船の難易度は高い。

肝心のタナの見つけ方は、魚探の反応のやや下から少しずつ高くしていくのがセオリー。まずは反応の1mくらい下で寄せエサを振りだし、寄せエサの中に付けエサが入るようにハリス分ミチイトを巻く。次はその位置からまた同じ動作を繰り返す。こうして徐々にタナを高くしていき、良型が入れ食いになるスイートスポットを見つければしめたもの。

寄せエサはオキアミかアミエビ、付けエサはオキアミ、アオイソメ、アカタン（イカ玉）など。

シャープに小気味よくサオ先が引き込まれるのがイサキのアタリだ。そのときはすでにハリ掛かりしているからアワセる必要はない。口切れしないよう慎重にリーリングに移ろう。

■アジ

サビキ釣りでも紹介したように、東北から九州の内湾から外洋まで、アジは潮通しのよい根周りやカケアガリに広く生息している。ビシ釣りでねらうのは水深30m以上にいる中・大型だ。サビキアジは主に夏から秋がシーズンだったのに対し、深場のアジは周年ねらえる。

ボートコントロールはアンカリングが有利だが、流し釣りでもかまわない。潮流の速いポイントではミチイトが吹けあがって、流し釣りでないと釣りにならないこともある。特に「関アジ」級の大アジが釣れる各地の速潮の瀬では、潮止まり前後にしか釣りにならないくらいだ。

寄せエサはアミエビで、付けエサはアカタンかアオイソメ。中・大アジのタナは底から2～5m程度で、ねらったタナでまず寄せエサを振り出してから、寄せエサの中に付けエサが来るようにハリス分だけ超スローに巻き上げ、しばらく置きザオで待つのが基本動作。これを2、3回のインターバルで繰り返したら一度仕掛けを上げて寄せエサをチェックする。このときに寄せエサがわずかに残っているくらいの出具合に調節する。

アジのアタリはクククッと小さいながら鋭利にサオ先を引き込む。口の弱い魚なのでアワセは厳禁。最初の引きをいなしたら、追い食いを待たずに一定のテンションでリーリングする。大アジの引きはマダイの同クラスが掛かったと思うほどパワフルだ。しかも、水面まで強く抵抗するので気が抜けない。無理なファイトはもってのほか。取り込みは水面に顔を出させてのタモ入れがスムーズだ。

■マダイ

古くから日本人に親しまれてきた国民的アイドルは津軽海峡から薩南にかけての水深150m以内に生息している。産卵場所を中心に、夏は浅場、冬は深場に落ちる季節移動を繰り返し、特に春の産卵期は決まった場所に群れる習性がある。周年ねらえるとはいえ、産卵のため浅場へ上がってくる乗っ込みダイと、越冬で深場へ落ちる前に荒食いをする落ちダイの2大シーズンが釣りやすい。

マダイの生活場所は主に底中心だが、春は底潮が冷たいのでタナが高く、秋は逆に上潮が冷えるので底から離れない。この現象は「春はタナを釣れ、秋は底を釣れ」と表現される。また、とりわけ産卵後の初夏から夏にかけてはイワシやケンサキイカを追って相当浅場まで浮き上がることもある。

春から秋は水深が40m以内と浅めで、秋から春にかけては50～100mがひとつの目安。ポイントは潮通しのよい根周りが基本だが、エサ取りにも根掛かりに

ある程度以上深い場所のアジはビシ仕掛けでねらうのがセオリー。アタリ、ヒキともにシャープで釣趣もよい

マダイといえばビシ仕掛けが定番。寄せエサを撒きすぎないことがキーポイント。置きザオ釣法かウキ流しで

も悩まされるピンポイントの高根よりも、その根際や、砂地に岩場が点在するような場所のほうが確率は高い。そんな場所を流し釣りで探るのがコマセダイのセオリーだ。

寄せエサはオキアミかアミエビで、付けエサはオキアミが定番。遊漁船でスレたマダイをねらうときは10m以上のハリスを使うこともあるが、ボートフィッシングではそこまで長くする必要はない。6〜9mがいいところだろう。食いのよさと強度を重視して、ハリは1本仕様がおすすめだ。

マダイ釣りのキーポイントはタナ決めと寄せエサの振り出し方にある。タナはビシ位置で底からハリス分を基準に、季節や潮の速さを考えて上下を探る。格言どおり、春は上、秋は底だ。

寄せエサを一気に撒きすぎるとエサ取りばかりになる。マダイにはビシカゴからぽろぽろとこぼれ落ちるくらいがベスト。それにはボートの揺れで寄せエサが適度に出るようビシカゴを調整し、置きザオにして待つとよい。これが置きザオ釣法だ。したがって、寄せエサを振り出す必要はない。ただし、ベタナギでボートが揺れないときは時々軽く振り出そう。

寄せエサを詰め替えるインターバルは5〜10分。この間隔で寄せエサがカラになるのが理想的。あとはドラッグを調節してアタリを待つだけだ。

マダイがエサを食うと、サオ先を軽く押さえ込むような前アタリのあと、胴調子のロングロッドが満月に絞り込まれるような突っ込みが来る。基本的に向こうアワセだが、本アタリが来たら一度大きくアワセてからトルクフルなファイトを存分に楽しもう。ドラッグを調節してあればハリスが切れる心配は少ない。マダイは水圧の変化に弱いが、ゆっくり時間をかけて上げてくると元気なこともある。海面でひと暴れすることも多いので、慎重にタモに納めたい。

■ワラサ（メジロ）＆イナダ（ハマチ）

イナダクラスであればビシ釣りでも簡単に釣れるが、ワラサとなると確率はぐんと下がる。問題は群れの回遊だ。ブリ、ヒラマサ、カンパチのブリ御三家では一番顔なじみとはいえ、そこは気まぐれな回遊魚。ノマセ釣りでも述べたとおり、やはり新鮮な情報が釣果を約束する。

ポイントは潮通しのよい有望根で、シーズンは地方にもよるが、だいたい夏から晩秋まで。ポイントを探る釣りではないので、ボートコントロールはできればアンカリングが楽だろう。寄せエサはオキアミかアミエビ。付けエサはオキアミが定番だ。

イナダ＆ワラサのキーポイントは2つある。ひとつはその日そのときで目まぐるしく変化するタナを的確にキャッチすること。魚探の反応に常に注意を払っておこう。しかも、群れが回ってきたら寄せエサを一気振りして大量に撒き、足を止めるのが効果的。この大量コマセワークがふたつめのキーポイントだ。

首尾よくターゲットがエサを食い込めば、ガツンと一気にサオが絞り込まれる。ドラッグ調整はマダイ以上に徹底すべし。ワラサが掛かったら走るだけ走らせて、ファーストランが弱まってからじっくりやり取りをするのがファイトのコツだ。なお、イナダクラスにはカッタクリ仕掛けやウィリーシャクリも有効。確率からいっても、ワラサクラスのビシ釣りは気楽なウキ流し釣りもおすすめである。

テンヤ仕掛け

テンヤ仕掛けのエッセンス

　テンヤは別名カブラともいう。カブラの語源は野菜のカブと同じで、「頭」を表す「カブ」に助詞の「ラ」がついたもの。英語でもこういう形の仕掛けをジグ"ヘッド"という。ハリのチモトにオモリがついた様子はカブラという表現がぴったりだ。一方、テンヤの語源は謎である。

　関東ではテンヤ、関西以西ではカブラと呼ぶことが多い。テンヤには上下が平らで底座りのいいテンヤオモリ、カブラには丸オモリを使う傾向がある。だが、関西にはタチウオテンヤがあるし、丸オモリのイイダコテンヤをはじめ、オモリの形状に関しても厳密ではない。要はどちらもハリにオモリが付いた仕掛けのことだ。

　テンヤ仕掛けの一番の特徴はハリの動きを演出しやすい点である。カワハギやイカといったごく一部を除いて、ブッコミ、片テンビン、ドウヅキ、ビシなど、他のエサ釣りの仕掛けはエサを自然に漂わせて食べさせようとするナチュラル派。ところが、テンヤ仕掛けは正反対。積極的にハリを動かして魚を誘惑する技巧派だ。いわばエサを使ったルアー釣りである。

　以前はマニアックとされていたテンヤ仕掛けが最近じわりじわりと人気を集めている理由はルアーフィッシングに似ているからだろう。いまはすっかりタイラバと呼ばれるようになったが、エサを使わないタイカブラがその好例である。実際、テンヤ釣法の感覚はとてもルアーに近い。エサが付いていても、基本は待ちではなく攻めの釣りである。

　したがって、テンヤ仕掛けでは食欲とは異なる部分にも訴えかけられる。ナチュラルに漂うエサにはなかなか反応しない魚がテンヤ仕掛けによくヒットするのはそんなときである。

　オモリを付ける都合上、仕掛けがある程度以上のサイズになるため、エビ、イカ、魚などの大きなエサで大物をねらう場合に向いている。裏を返せば、テンヤ仕掛けなら大きなエサでも潮に流されにくく、的確にポイントに送り込める。また、ハリ先が常に上を向くようにオモリを付ければ根掛かりは減る。おかげで険しい根周りで大物をねらうときにも威力を発揮する。クエやイシナギにテンヤを使う地方は多い。

　サオ、リール、ミチイトなどのタックルの構成についても、ルアーフィッシングとの融合が進んでいる。エサを使わないタイラバやインチクなども広い意味ではテンヤの仲間。新しいスタイルと道具に出会ったことにより、テンヤ釣法はいま劇的に進化中。大きな可能性を秘めた発展途上の釣法だ。

テンヤ仕掛けの骨組み

　ひと口にテンヤ仕掛けといっても、それこそマダイからイイダコまで多種多様。ターゲットによって相当異なるために、スタンダードといえる仕掛けはない。だが、基本はミチイトの先にテンヤがひとつというスタイルだ。あえて差をつけるなら、テンヤを直結するか、中オモリを挟むかぐらいの違いである。

　テンヤを直結するほうが仕掛けの操作性にすぐれ、釣趣もダイレクト。テンヤの長所を存分に活かすことができる。どのくらいのオモリを使うかはミチイトの太さ、エサのサイズ、水深、潮流などの諸条件による。たとえば、サルエビを使うマダイ釣りの場合、PEラインの1号以下を使い、4〜5号のテンヤで水深50m以上をカバーできなくはない。オモリは軽いほうが基本的に食いはいいし、釣りも楽だ。しかし、水深が深かったり、潮流が速かったりすると、テンヤのオモリだけではコントロールしにくい。あまりテンヤが軽すぎても操作性が悪く、とりわけ操船が大変になってしまう。

　重いオモリは使いたくない。けれど、軽いオモリでは釣りや操船が難しい。そのギャップを埋める策が中オモリになる。

　中オモリはある程度以上の水深でマダイやヒラメなどの底ものをねらうときによく使われる。代表的な釣法は豆テンヤに中オモリあるいは片テンビンを組み合わせる東京湾のシャクリダイだ。この釣り方は

代表的なテンヤ仕掛け

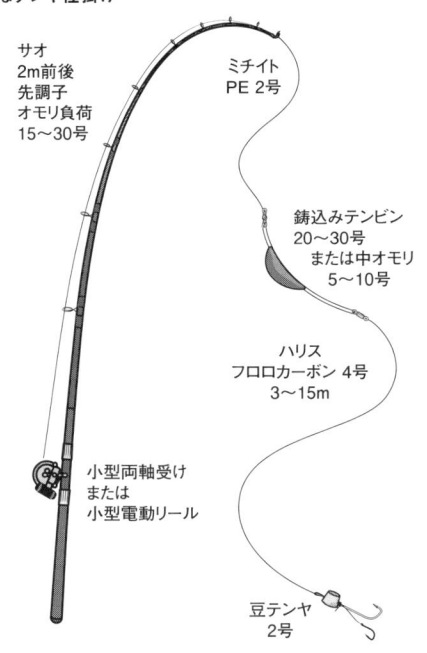

サオ
2m前後
先調子
オモリ負荷
15〜30号

ミチイト
PE 2号

鋳込みテンビン
20〜30号
または中オモリ
5〜10号

ハリス
フロロカーボン 4号
3〜15m

小型両軸受け
または
小型電動リール

豆テンヤ
2号

ライン
PE 0.8〜1号
100m以上

FGノット

リーダー
フロロカーボン
20ポンド
3m

タイカブラ
(タイラバ)
40〜100g

ライン
PE 0.8〜1号
100m以上

FGノット

ハリス
フロロカーボン
2〜4号
3m

テンヤ
3〜15号

東京湾の伝統釣法で、根のタイプや潮の速さなどによって、中オモリの使い方にもいくつかのやり方がある。この中オモリをさらに細かく分散させると、紀州や大原で行われるビシマ釣法に行き着く。イトにオモリの機能を持たせたビシマ釣法は非常にすぐれた釣り方だが、熟練を要する手釣りのため、解説はまたの機会に譲ろう。同じく、マダコについても手釣りがメインで、禁漁のエリアも多いためここでは割愛する。

代表的なターゲットの攻略法

■マダイ

　現在はビシ釣りにその座を譲ったものの、ひと昔までマダイ釣りの仕掛けといえばテンヤが主役だった。房総半島、三浦半島、伊豆半島、紀州、瀬戸内海、さらには九州まで、テンヤ釣法は各地で広く行われていた。最大の理由はエサである。オキアミが登場する以前、マダイ釣りで最も一般的なエサは、クルマエビやシバエビ、通称ウタセエビと呼ばれるサルエビなど。いわゆる「エビタイ」である。テンヤを使うと、これらのエビの収まりが非常にいい。ちなみに、タイテンヤはテンヤ仕掛けの代表格であり、「テンヤバリ」の多くはエビタイ用のハリを指す。

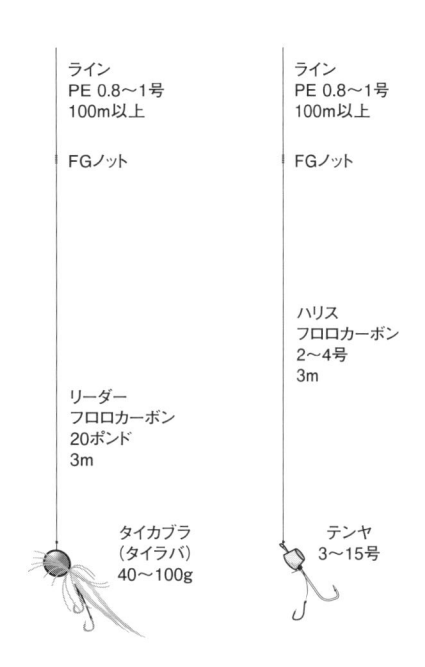

　マダイの生態はビシ仕掛けのページをご覧いただくとして、テンヤによるマダイのスタイルは3つに大別できる。

　ひとつはテンヤを直結するもの。水深が浅く、潮流もさほど強くないポイントでは、ダイレクトな釣趣が味わえるこの釣法がおすすめだ。以前からナイロンラージやテトロンのミチイトでも行われていたが、最近は0.8号前後のPEラインに2号前後のフロロカーボンのリーダーを付けるルアー式のシステムが定着しつつある。テンヤオモリは3〜15号前後。オモリが軽いとフォールを中心に仕掛けをフカセて食い気を誘え、食い込みもいいが、潮が速くなると底ダチがとりにくい。また、重いオモリを使ってタイラバのように積極的に動かして食わせるケースもある。

　タックルはスピニングが多く、サオは胴のしっかりした先調子で、オモリが軽ければシロギスザオも流用可だ。オモリ負荷はテンヤオモリに合わせるとして、問題は長さ。短いほうがシャクリやすく、感覚もダイレクトなのに対し、長いほうがアワセが利き、波やウネリにも対処しやすい。サオの長さに関しては完全に個

BOAT FISHING BIBLE

第7章 基本仕掛け別ターゲット & 釣り方
The Best Spots and Fishing Rigs

人の好みである。

　基本の釣り方はテンヤで底ダチをとってはシャクる動作を繰り返す。シャクリといっても、太くて伸びのあるナイロンラインを使っていた頃の派手な動作は不要。PEラインでは1m以内のストロークで"スッ"と静かに聞き上げる程度でOK。これは中オモリを使う場合も同様である。

　シャクリのときにアタリが来たら即アワセが原則。それでもハリ掛かりしなかったら、追い食いするパターンもあるのでしばらく待ってみる。

　落とし込みの途中でヒットするケースも多い。そのときは着底前にミチイトが止まったり、走ったりする。落とし込みのアタリでも即アワセが原則である。張りが強い素材だとミチイトがピリピリと震えるアタリが出るが、極細PEでは滅多にない。

　マヅメどきやベイトフィッシュが多い場合にはタナが上ずることがある。マダイのタナが高い場合は、底から10m程度までシャクリながら探ってみよう。

　ちなみに、エサを使わないタイラバの釣り方は、一度着底させてからタナの少し上までゆっくり巻くだけと実にシンプルだ。テンヤよりも広く探りやすいので、タナを絞りにくい状況ではとても効果的。こちらは細かいアタリがあってもすぐにはアワセず、サオ先が引き込まれてからサオを起こすのが鉄則である。ちなみに、重めのカブラにアオイソメや海藻などの「長物」を付けるときもこの釣り方になる。

　2つめのスタイルは東京湾の内房式に代表される軽めの中オモリと軽いテンヤを組み合わせる方式だ。

ルアー用のラインシステムと出会ったおかげで、伝統的なテンヤとカブラ釣法が復活を果たした。ダイレクトな操作感と釣趣が身上だ

極細PEラインを駆使するタックスシステムにより、伝統的なテンヤによるマダイ釣りは「ひとつテンヤ」というスタイルに進化を遂げた

内房式の標準的な仕掛けは、8号前後の中オモリ、4号前後のハリスが5ヒロほど、2号の豆テンヤという構成である。サオは1.5～2mまでのやや胴に乗るもの。ただし、ミチイトがPEの場合はより軽めの中オモリでも足りるし、構成は水深、潮流にもよる。それよりも注目すべきは軽い中オモリを活かす方法である。

このスタイルはテンヤ仕掛けを使いながらも、フカセ釣りの要素を取り入れた釣法で、上からタナを取り、テンヤを着底させない。釣り方はシャクリを繰り返すだけと簡単だが、その分タナ決めとボートコントロールが要となる。潮流や魚の泳層といったポイントのクセを見抜き、タナを絞り、中層でシャクリ続けながらも、仕掛けがタナから外れないボートコントロールが要求される。

と書くと、なんだかやたらと難しく思われそうだが、結局これは釣りという「手仕事」をなるべく簡単に済ませて、主要な部分を操船に任せる手前船頭のためのシステムである。だから、慣れれば手前船頭がとても楽だし、ボートコントロールを活用して釣る感覚はボートフィッシングならではのもの。これと対照的な釣法が後述する鴨居式だ。こちらは操船よりも釣りの占める比重が高くなる。

内房式に代表されるフカセ釣りをマスターするには釣り場と釣り方に慣れるのが一番である。最初のうちは中オモリを重め、ハリスを短めにして、魚探の水深を見てミチイトの長さを調節し、ときどき中オモリで底ダチを確認したり、根掛かりの様子を見たりしながら、徐々に仕掛けを軽く、ハリスを長くしていけばいいだろう。

シャクリのインターバルは直結よりも長め。シャクった直後にサオ先を下げて中オモリを戻すと、軽い豆テンヤがやや遅れて沈み込む。その豆テンヤが沈みきり、ミチイトとハリスがまっすぐになったら再びシャクる。ハリスがまっすぐになったかどうかはシャクリの手応えで判断できる。テンヤが沈み切っていないと、中オモリがハネるだけのため、シャクリの手応えはずっと軽い。

落とし込みの最中にも、シャクったときにもアタるが、タナが合っていると、ハリスが延びきった瞬間にアタることが多い。この釣法でもアタったら即アワセ。硬い

マダイのクチにしっかりハリが刺さるように大きなストロークで力強くアワセよう。

一方、重い中オモリを使って、底を基準にタナを決める釣り方が3つめだ。東京湾では鴨居式がこれにあたる。仕掛けの構成は30号前後のオモリを鋳込んだ片テンビンに4号のハリス2ヒロ、そして2号の豆テンヤである。

鴨居式では重量のある片テンビンをいったん着底させて海底からタナを取る。そのため、速潮に強く、タナ決めも操船も釣り方もわかりやすい。反面、ひんぱんにタナを取らなければならないので、釣りが忙しい。タナ決めからアワセまでの一連のプロセスはすべてアングラー任せであり、釣りとしては面白いのだが、手前船頭では負担が大きくなる。

片テンビンを着底させてから、ハリス分の2ヒロを巻けばテンヤは海底すれすれにある計算だ。そこからタナにテンヤの位置を合わせればよい。底潮の利き方次第で多少ハリスは吹き上がるかもしれないが、ハリスが短いうえに、慣れてくればテンヤが海底を離れたときの感覚がわかるようになる。タナ取りの作業は誘いにもなるので、なるべくマメに行う。鴨居式では基本的にサオをシャクらない。誘いはシャクリではなくタナ取りでOKだ。

アタリはいろいろで、状況によってアワセのタイミングが異なるとはいえ、やはり基本は即アワセである。

中オモリが重いといっても、仕掛けの抵抗は少ない。前の2つに比べればタックルが多少ヘビーなくらいで、マダイを掛けてしまえば、ダイレクトな引きが楽しめる点は同じである。

■タチウオ

西日本の特に大阪湾から瀬戸内海にかけて盛んな釣り方で、魚をまるごと針金で縛り付ける独特のタチウオテンヤを使用する。最近はジギングも人気だが、テンヤのタチウオはまさにルアーとテンヤの共通点を象徴するような釣法だ。

通常のテンヤ仕掛けと異なり、タチウオテンヤのハリは下向きで、軸の上側にエサを止める。ハリ先が下を向いている理由はタチウオの顔を見ればよくわかる。エサの横っ腹に噛みついたタチウオの長い下アゴに

タチウオテンヤは大阪湾で人気の釣法。テンビン仕掛けと比べると勝負は早い

掛けるためだ。また、ハリスにワイヤを使い、ケミホタルをセットする。

エサはイワシ、アジ、イカナゴ、ドジョウなど。生きている必要はなく、冷凍で十分だが、ベイトフィッシュにマッチしていないと食いは悪い。

ジギングのところでも紹介しているように、タチウオは魚探で群れの反応を確認してねらう。タチウオの反応はタテ筋になって現れるのでわかりやすい。

釣り方は、反応のやや下までテンヤを落とし、タナを探りつつゆっくりリールを巻いてまた落とす動作の繰

り返しになるが、タチウオは魚探に反応が出ていてもアタリがない場合がけっこうある。そんなときは巻き上げのスピードに変化をつけ、ヒットパターンを探してみよう。それでもアタリがなければ、テンヤを動かさずに待つのも手だ。また、通常はタナよりやや上で追いかけてヒットしがちだが、大型はタナが低い傾向がある。

獰猛な顔つきのわりに、タチウオのアタリは小さい。最初はタチウオがエサを噛むような前アタリが来て、ゆっくりと誘い上げるうちに、やがてサオ先が引き込まれたら大きくアワセるのがセオリー。だが、いくら待っても本アタリが訪れないときは、前アタリでアワセると掛かる場合があるし、テンヤをフリーフォールさせる落下アワセでフッキングするケースもある。どんなパターンがいいかは、その日のタチウオ次第。けっこう気まぐれな分、当日のヒットパターンを見つけるまでがテンヤタチウオの面白さのひとつでもある。

タチウオはファイト中に突然ハリが外れたように姿を消すことがある。それでもたいていはバレていないので、最後まで気を抜かずにリールを巻くこと。なお、釣り上げたタチウオの歯は非常に危険だ。少し触ったくらいでも怪我をするのでくれぐれもお気をつけあれ。

■イイダコ

北は北海道南部から南は九州まで広く分布する小型のタコ。産卵期の冬を迎えると、メスが抱く米粒状の卵がイイ（飯）ダコの語源とされる。また、目の下に「眼紋」という金色の輪が1対あるのが大きな特徴だ。おかげで、他のタコとすぐに見分けがつく。

秋から冬にかけてが釣りの本番だ。潮通しのよい内湾が好ポイントで、水深は数メートルから十数メートルと浅い。貝が多いところは特によく、たとえば、東京湾では潮干狩りでも有名な富津沖が代表的なポイント。水深が浅く、仕掛けも釣り方も簡単なので、ビギナーのエントリー種目にぴったり。しかも、食べておいしいとくれば、ラインナップに加えておいて損はない。

マダコ同様、イイダコもテンヤで釣る。以前は関東が羽子板式、関西は舟形ナマリやパール球式という傾向が強かったが、今はエサいらずで手軽なパール球やタコベイトタイプが主流になっている。

イイダコテンヤの重さは5～15号で、潮流と水深に合わせて選ぶ。タックルはシロギスザオでOK。ミチイトはPEでもナイロンでもお好きなものを。

テンヤを着底させたら、船を潮に乗せて流しながら引きずり気味に軽く小突く。イイダコが乗ったら、引きずっているテンヤが重くなるのでゆっくり大きくサオを立てればいい。そのままミチイトを緩めないように巻き上げてくれば一丁あがりだ。

遊漁船のベテランには数にこだわる人もいる。確かに、釣り方は簡単でもイイダコは腕の差がはっきり出る釣りだ。とはいえ、強いてイイダコ釣りのコツを挙げるとすれば、ポイント選びとボートコントロールだろう。イイダコは広い砂地のどこにでもいるわけではない。また、ボートを流すスピードの調節が楽に釣るためのカギになる。

イイダコの活性が高いときはテンヤで底を引きずるだけで乗ってくるし、慣れてくればイイダコの足がテンヤに触った微妙な感覚がわかるようになる。独特な感触があって、アワセたときの手ごたえと重量感は絶妙。なかなかに楽しい釣りである。

手軽に数が釣れておいしいイイダコはビギナーのエントリー種目にもぴったり。軟体動物らしい独特の釣趣も魅力

エギング仕掛け

エギング仕掛けのエッセンス

　餌木（エギ）を使ってアオリイカやコウイカをねらう釣法がエギングだ。1990年代に始まったアオリイカの一大ブームによって定着した釣り方である。ちゃんとした英語の「ジギング」と異なり、完全な和製英語でネイティブスピーカーにはいまのところ通じない。

　さる研究によれば、エギが生まれたのは300年以上前。ルーツはどうやら薩南諸島あたりのようだ。その昔からブレイクするまでの主な使い方はフネによるアオリイカの「烏賊曳き」である。要はシャクリを入れながらの曳き釣りで、中オモリを使い、しかも夜釣りだった。

　対して、エギングは日中の陸っぱりの釣法として発展した。

　90年代に一大ブームとなったのは、温暖化の影響でアオリイカの分布が拡大しつつ、アオリイカが日中釣れるとわかったこともある。けれど、それ以上にやはりタックルの進化、とりわけPEラインの活用が大きい。

　伸びが少なく強力な極細ラインにより、遠投が利き、何よりエギの操作性が格段に向上した。おかげで一気にエギを使う世界が広がった。エギングはまずアオリイカで確立され、いまやコウイカにまで勢力を広げている。

　ルアー釣りであるエギングのキモはやはりアクションにある。ただし、イカの場合はアクションといっても動きだけにあらず。アクションの合間にしっかりエギを止める「ポーズ」も重要だ。エギは沈むから厳密には静止しないが、たとえばジギングの魚と違って、激しく動くエギにはアオリイカもコウイカも抱きつかない。

　アクションで誘い、ポーズで抱かせる。アクションとポーズはエギングの両輪だ。エギングのキモはアクションにあると先に書いたが、すぐれたグルーヴの休符に確かな存在感があるように、アクションとポーズの

代表的なエギング仕掛け

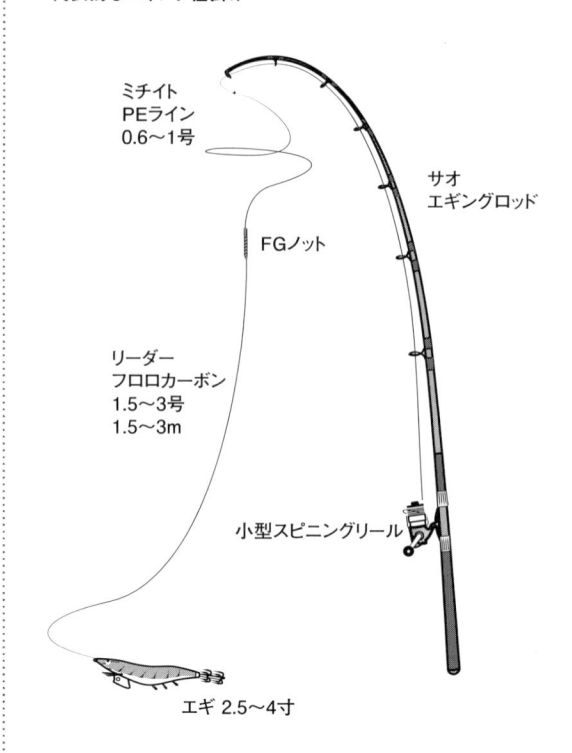

- ミチイト　PEライン 0.6〜1号
- サオ　エギングロッド
- FGノット
- リーダー　フロロカーボン 1.5〜3号 1.5〜3m
- 小型スピニングリール
- エギ 2.5〜4寸

両方がそろわなければイカは乗ってくれない。これを理解することがエギングでイカを乗せるいちばんのキモである。

エギング仕掛けの骨組み

　基本は直結か中オモリを使うかの2通りだ。

　以前はエギといえばゆっくり沈むものしかなかった。エギングではポーズが大事だから、シャクったあとに沈むスピードが速すぎるとイカが乗らない。よって、水深が深かったり潮が速くなったりして、直結でのコントロールが難しくなったら、エギ自体を重くするのではなく、中オモリを付けて対処していた。

　いまでもその考え方は変わらない。ただし、近年ブレイクしたティップラン釣法（別名スパイラル釣法）は例外。ティップランではエギが沈まないようにラインを張ってタナをキープするため、水深40〜50mでも重いエギを直結してカバーできる。いまは遊漁船も出ているが、ティップランはそもそもボートフィッシングの釣法とし

て編み出されたもの。テクニカルで面白いので、機会があったらぜひお試しあれ。

代表的なターゲットの攻略法

■アオリイカ

暖海性のイカで、沖縄やエギの故郷である薩南諸島はもとより、最近は温暖化の影響で北海道まで分布を広げている。えんぺら（ひれ）が胴体の全長にわたり、一見コウイカの仲間のように見えて実はヤリイカやケンサキイカの仲間。「みずいか」「ばしょういか」「くついか」「しろいか」「あかいか」「くわいか」など例によって地方名はすこぶる多い。これにはアオリイカといっても本当は何種類かに分かれているせいもあるのだが、釣り方はどれもほぼ同じなので、釣りの世界ではあまり区別されていない。

多くのイカと同じく、アオリイカも1年で死んでしまう。水温が高い間はたいてい浅い場所にいて、産卵期の春から夏にかけて水深20mぐらいまでの藻場で卵を産んで代替わりをする。新しく生まれた子イカは産卵場所の近くで成長し、水温が15～10℃以下になると沖の深場に移動するという説が一般的である。

だが、時と場合によっては冬でも浅場で釣れるから、もしかしたら活性が低いだけかもしれない。また、深海調査船に乗った研究者が水深300mでアオリイカを見たという報告もあり、実のところ生態はよくわかっていない。それでも、浅場にいるときに釣りにくい深場をねらう意味はあまりないので、深場は水温が低くなってからという理解でいいだろう。

産卵後に親イカは死んでしまうが、いっせいに行動するのではなく、多くの個体が時期をずらして入れ替わり卵を産む。そのため、たとえば産卵期は関東あたりで4月から7月ぐらいにかけてだらだらと続く。この産卵シーズンと、生まれた子イカがある程度大きくなった秋がアオリイカの好機だ。春から初夏は親イカの大型ねらい。秋から晩秋は子イカの数釣りが楽しめる。

アオリイカのポイントは潮通しがよい岩礁帯周り。そういう場所に藻があって、ベイトフィッシュがいればベスト。だが、アオリイカを食べる青物が多いエリアと、塩分濃度が低い湾の奥には少ない。

定置網を仕掛けることからもわかるように、アオリイカには付き場や回遊ルートがある。それがわかっていれば粘るのも手だ。一方、点在しているエリアもあり、広く探るのが有効なときもある。その場合、アオリイカがいるレンジはかなり広く、時期や場所によって水深もばらばらなので、どのタナがいいかはいろいろ試してみるしかない。極端なときは水深が10m以上でも水面近くまで追いかけてきて乗ることもある。

浅場は直結、深場は中オモリ仕掛けがノーマルタイプのエギのセオリーだ。10～15mぐらいが使い分けの目安だろう。

直結でのエギングは、エギをキャストしていったん底まで沈め、シャクリとポーズを繰り返す。ボートが移動しないほうが海中のエギの位置や動きがわかりやすく、慣れないうちはアンカリングがおすすめだ。キャストするから広範囲も探れる。ボートポジションはポイントの浅い側でも深い側でもOK。

ロッドワークではメリハリを意識しよう。鋭いシャクリのあとはイトフケをとってしっかりポーズ。元気な子イカの多い秋はアグレッシブに、大型の親イカねらいの春は静かにじっくりと誘うとよい。

アタリはポーズの最中にイトフケに出たり手元に感じたりする。あるいは、次のシャクリのときに乗っていることもある。アタリを感じたら大きく合わせよう。それから、イカが身切れしないようにドラッグの調整は忘れずに。

一方、キャストできない中オモリ仕掛けでは流し釣りになる。

この仕掛けでも、中オモリをいったん底まで沈めてから、ハリス長とタナの数メートル分を加えて巻きあげて、シャクリとポーズを繰り返す。シャクったあとに、エギが跳ねあがり、たるんだハリスがまた伸びきってからシャクらないとエギはちゃんと動かない。ハリスの長さとエギの沈下速度にもよるが、そのインターバルは10秒前後みれば大丈夫だろう。加えて、タナボケしないようにマメなタナ取りも重要だ。

シャクリの動きは中オモリにじかに伝わるため、エギのアクションを細かく演出するのは無理。工夫できる

BOAT FISHING BIBLE

第7章 基本仕掛け別ターゲット & 釣り方
The Best Spots and Fishing Rigs

のはシャクリのストロークとインターバルぐらいなので、乗りが悪かったら、シャクリ方やインターバルを変えてみよう。

直結でも中オモリ式でも、ドラッグの調整さえちゃんとできていれば、取り込みは難しくない。時間がかかってもいいから、ラインは決して緩めず、落ち着いて寄せること。そうすれば必ずネットに納められるだろう。

と、ここまでは一般的なエギングの話。続いてティップラン（スパイラル）釣法に移ろう。

ティップランは、簡単にいえばボートを流しながらシャクったあとにタナでエギをキープし、アタリをとって合わせる釣り方である。基本的には中オモリを使うような深いレンジでの釣法だ。

考案者は"イカ先生"こと富所 潤さんである。当初のスパイラル釣法という名称は、ボート下にフォールさせるエギの着底をぐるぐる（スパイラル状）にフケさせ

2kg超えともなるとアオリイカはこの迫力で、トルクフルな引きもすさまじい。どんな釣り方をするにしろ、エギングではメリハリの利いたアクションがカギ。そして、エギを静かにステイさせる意識をお忘れなく

たラインの動きの変化で確認することからつけられた。一方、繊細なアタリが竿先に出ることからティップランとかティップエギングとも呼ばれ、いまはティップランという名称のほうが浸透している。

発想の原点はどんな水深でもダイレクトにエギを操り、アタリをとれないかというものだった。結果、たどりついたのはそれまでなかった重いエギの直結式だった。具体的にはこんなふう。

ボートコントロールは風まかせ。いわゆるドテラ流しが定番だ。ボート下からフリーでフォールさせたエギが着底したら、メリハリのあるシャクリを何度か入れて、即イトフケをとってポーズ。しばらく待ってアタリがなければまたエギを底まで沈めてシャクってポーズ。

ラインやティップに現れるアタリは、たいていとても微妙な変化だ。シャクリの直後にイトフケが変な位置で止まったり、ポーズの間、エギの重みで曲がっている竿先がふわりと戻ったりスッと入ったりすることが多い。アタリがあったら即アワセが鉄則。竿先がツンと持っていかれるようなアタリは合わせが遅れた証拠だ。微妙な前アタリをとって合わせる感覚には、ほかのエギングにはない面白さがある。

ティップランのメリットはエギをダイレクトに操作できるだけではない。タナでエギを止めることは、キャスティングをした「ヨコ」釣りでは不可能であり、エギングのなかでティップランがいちばんアクションにメリハリをつけられる。当然よく釣れる。

注意点としては、極力ドテラ流しにすること。別にパラシュートや推力を使っても釣れないことはないが、ボートの挙動がポーズ中のエギの動きを乱すとヒット率は落ちる。それから、基本的にはボートの流れ具合をあまりコントロールできず、狭いスポットで静かにアクションをつける春アオリにはあまり向いていない。ティップランは基本的に秋に有利な釣りだ。

■コウイカ

テンヤ仕掛けのところでも書いたように、最近はコウイカのエギングが定着しつつある。コウイカは基本的に砂地のボトムにいるため、根掛かりが少なく、水深も10〜50m以上と深いので中オモリ式が一般的だ。季節は秋から春までで、遅くなるほど深くなるが、

コウイカもエギでねらえる。スミイカとも呼ばれるように濃いスミを大量に吐くので取り込みは慎重に

最後は産卵のため浅場に戻る。アオリイカと同じポイントにもいるものの、砂地や内湾に多い。水深が20mぐらいまでなら、片テンビンを使ってキャストして探るのも有効だ。

釣り方はアオリイカより簡単だ。そもそも中オモリ式だからできることは限られている。基本はボトム付近でシャクって待つだけ。タナは底のため、中オモリが着底したらハリス分だけを巻いて、時々シャクってアタリを待つだけでOK。ボートコントロールはやはり流し釣りである。

アタリは竿先に出る。中オモリを介してしか伝わらないのでさほど繊細ではない。竿先に違和感が伝わったら合わせると、ずしりとした手応えがたまらない。

アタリをとって合わせる釣趣は上々。そんなに難しい釣りではないから、ビギナーにもおすすめ。だが、コウイカは濃いスミを大量に吐く。バケツとぞうきんは必需品だ。くれぐれもボートを汚さないように気をつけよう。

ジギング

ジギングのエッセンス

 ジギングはジグという金属製のルアーを使う釣り方。"jig"はそもそもジグザグに動くという意味で、ルアーが沈む間、あるいは巻き上げ中にジグザグに動くことから、ジギング（jigging）と言われるようになった。

 専門書ではいろんなテクニックを紹介しているけれど、ごく簡単にいえば金属片を魚の遊泳層まで沈めたり、投げたりしては巻いてくるだけ。エサ釣りに慣れ親しんだアングラーはこんなもので魚が釣れるのかと思うだろう。だが、これが釣れるのだ。実はエサで釣れる魚の大部分がフィッシュイーター。ある程度のサイズ以上なら、カサゴ、メバル、アイナメといった根魚からメジナやイサキ、ベラなどの、ちょっとルアーでは釣れそうもない魚まで、ほとんどの魚種がヒットする。しかも、エサ釣りより釣果が上回ることも少なくない。

 たとえば、マグロやカツオ、サバ、ブリといった回遊魚のナブラに対してエサ釣りはほとんどお手上げである。エサを投げようが何しようがたいていは無視。ところが、ジグなら一発。ナブラの中に軽く落とし込んでやればドカンと引ったくられる。また、シーバスやタチウオの場合、エサ釣りではアタってもハリに掛けるにはそれなりのテクがいるのにジギングなら簡単。いともたやすくフッキングする。ノマセ釣りのターゲットもみな同様だ。

 実のところ、ジグを何だと思って飛びつくのかは魚に聞いてみないとわからない。しかし、エサというよりも、他に何か本能的な理由でもあるのかと思うくらいによく、しかもイージーに釣れるのである。

 効率よくポイントを探れるのがジギングの一番のメリットだろう。何百グラムというジグもあり、数百メートルのスーパーディープも守備範囲。キャストすればヨコ方向にも探れる。エサ釣りのように待つ時間がなく、魚も反射的に飛びついてくるので、圧倒的に手返しがいい。大型回遊魚をエサ釣りでねらうと待ち時間が長いものだが、ジギングだと魚探の反応を見ながらさっさとポイント移動を繰り返せる。エサ釣りに比べれば実にアグレッシブだ。したがって、ボートコントロールは流し釣りが基本。

 逆に言うと、釣れないとすぐに飽きてしまう釣りでもある。スロージギングは例外として、エサ釣りに比べて運動量が多いのも早引けしがちな要因だろう。たとえば、ノマセ釣りでブリを1尾釣る間にジギングで3尾釣ったとしても、3倍の釣果を得るのに30倍の体力がいるといっても大げさではない。釣れる時合も短い。ジギング最大の壁は粘れるかどうか。あるいは、ねらい撃ちができるようになるまで頑張れるかどうか。逆説的だが、ジギングは精神力の釣りでもある。

 確かにいろんな魚が釣れるけれど、どんな魚でも同じ釣り方で釣れるわけではない。ねらって釣ろうと思ったら、やはりそれぞれの攻略法が存在する。とはいえ、あまり難しく考えると辛くなってしまう。他の釣りのついでに魚探で反応を見つけたらとりあえずジギングというスタンスでもいいし、楽しく釣るならある程度五目釣り的にとらえるのが得策だ。

ジギングシステムの骨組み

 ラインにリーダーを接続してジグをセットするのが基本システムだ。

 ラインとリーダーの接続で一般的なのは、FGノットやPRノット。より確実に結べるのはPRノットだが、ラインが細い場合にはFGノットのほうが手早いし、強度的にはFGノットでも遜色はない。ただし、PEラインが太くなるとFGノットを締め込むのが難しくなるため、PRノットのほうが安心だ。カタカナばかりで恐縮だが、そもそもジギングは輸入品なのでご容赦いただきたい。ラインシステムはジギングの要のひとつで、他にもさまざまな接続法がある。詳しくはジギングやノットの専門書を参考にしてほしい。

 リーダーとジグの接続にもフリーノットやスナップスイベル、スプリットリングなど、各種の方法がある。ス

代表的なジギングタックル

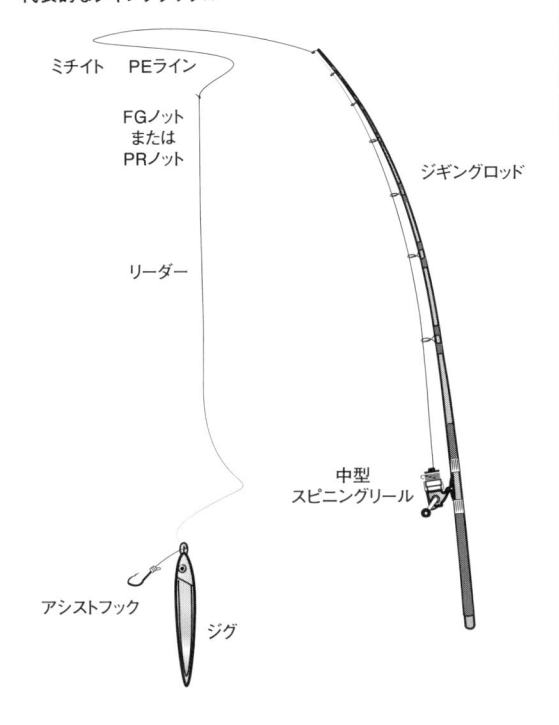

- ミチイト　PEライン
- FGノット または PRノット
- リーダー
- ジギングロッド
- 中型スピニングリール
- アシストフック
- ジグ

イベルはヨリを防ぐのに効果的だが、小さいジグでは頭が重くなってバランスを崩すことがある。大物ねらいでは十分な強度を確保するのがポイントだ。

ルアーのサイズはベイトフィッシュに合わせるのがセオリー。重さは水深の倍がひとつの目安になる。リーダーとルアーの接続部にアシストフックは必須。根掛かり多発地帯ではトレブルフックは外したほうがいいだろう。

ジギングではルアーに合わせたバランスタックルも重要。以下ではごく大雑把にカサゴ、メバルといったショアの根魚、ベイエリアのシーバスやタチウオ、そしてブリやカツオといった大型回遊魚の3パターンとスロージギングを、タックルも含めて解説する。

代表的なターゲットの攻略法

■ショアのライトジギング
（カサゴ、メバル、アイナメ、マゴチ、ヒラメなど）

カサゴ、メバル、アイナメなどの岩場ねらいと、マゴチ、ヒラメの砂地メインとではアプローチがやや異なる。

岩場の根魚は海底付近がポイント。そのためルアーがいつも底近くにあるようにシャクっては落とし込む「リフト＆フォール」が基本だ。実際にはジグの着底後、シャクり上げては底まで落とすようにロッドを上下させる。もう少し上まで探る場合は、ルアーが底に着いたらリールを巻いて中層まで引き、また落とすパターンを繰り返す。根魚は上から落ちてくるエサに飛びつく習性があるので、フォール時にヒットが多い。

ポイント選びはエサ釣りと変わらないが、ジギングではよりベイトフィッシュの有無が重要になる。水深は20mくらいまでが釣りやすいだろう。ジグのサイズは40g程度まで。

砂地でマゴチやヒラメをねらうときは、前述のリフト＆フォールに加えて、キャスティングしてヨコに探るのも有効だ。実際、これらのターゲットはミノーにもよくヒットする。特にヒラメはルアーを追って中層まで浮上することがあるので、キャストしてのナナメ引きや派手なリフト＆フォールもアピール度が高い。

タックルはスピニング、ベイトキャスティングのどちらでもよいが、ベイトリールはフォール時のアタリを取りやすいのに対し、スピニングはキャスティングに有利と一長一短がある。スピニングであればシロギスザオでもOK。ベイトならブラックバス用のルアーロッドも流用できる。ラインはナイロンの8〜12ポンドか、PEの1〜2号。リーダーは20〜30ポンドが1m程度あれば十分。

■ベイエリアのミディアムジギング
（シーバス、タチウオなど）

ベイエリアの人気ジギングターゲットといえばシーバスとタチウオ。シーバスは湾内で水深40m程度までの障害物周り、タチウオはそれより沖目で速潮の湾口や水道とポイントはややズレるが、生息域は近く、タチウオが浅場に入る時期には重なることもある。

シーバスは水深が40m以内で潮通しのよいストラクチャー周辺がねらいめ。また、潮のぶつかるカケアガリの起点と肩なども好ポイント。シーズンは周年だが、秋から春の低水温期のほうが群れが大きく安定している。シーバスがいるエリアで魚探でベイトフィッシュを確認できたらトライしてみよう。

BOAT FISHING BIBLE

第7章 基本仕掛け別ターゲット & 釣り方
The Best Spots and Fishing Rigs

血気盛んなフィッシュイーターの大型回遊魚に威力バツグンのジギング。ツボにはまればごらんのとおり。タックルを常備しておいて損はない

　釣り方はフォーリングで食わせるか、着底後、アクションをつけないでタダ巻きするだけでいい。
　タチウオの場合は魚探で直接群れを探して釣るのが基本。タチウオの行動は毎年ほぼ同じパターンに沿っているので、情報をもとにおおまかにポイントの目星をつけておき、現場では魚探で群れを探してみよう。タチウオの反応は弱いタテ筋として画面に現れる。水深は100m以内とシーバスより深い。潮も速いので100g以上のジグも用意しておくといいだろう。
　魚探で反応を確認したら、群れの少し下までジグを落として中層まで巻き上げてくる。巻き上げ中はロッドを大きくあおりながらリールを巻く「ロングジャーク」を交えて、躍動感のあるアクションを演出するのが効果的。活性が高いときはフォーリングのアタリがとても多い。このアタリを取ってアワセるのが釣果を伸ばすコツだ。ちなみに、底まで落とす必要のないタチウオジギングではアシストの位置にトレブルフックを付けてもOKだ。
　シーバス、タチウオともにフォーリング中のアタリを取りやすいベイトタックルが有利。6〜7フィートのシーバス用ジギングロッドかオモリ負荷30号くらいまでのドウヅキザオに小・中型のベイトリール、ラインはPEの1〜2号に20〜40ポンドのリーダーを1〜1.5m接続する。歯の鋭いタチウオには太目のリーダーがおすすめである。

■ **大型回遊魚のジギング**
　（ブリ、ヒラマサ、カンパチ、マグロ、カツオ、シイラなど）

　ジギングの本命はやはり大型の回遊魚。アグレッシブなジギングが本領を発揮するターゲットだ。釣り方は根周りがポイントのブリ、ヒラマサ、カンパチと、オフショアのマグロ、カツオ、シイラの2つのカテゴリーに分けられる。

　オフショアではトローリングと同じく、パヤオやブイ、ナブラ、トリヤマ、潮目、流木や流れ藻などがポイント。やはりベイトフィッシュは欠かせないファクターだ。水温が高くなる初夏から秋がシーズンで、25℃以上あれば期待十分。アプローチはキャスティングがメインだ。ナブラに直接キャストできればベストである。大型回遊魚は逃げ足が速いので、ボートコントロールは走ってはポイントをめぐるラン＆ガンのスタイルになる。

　ジグは1～2オンスがキャストしやすく、使いやすいだろう。ジグをキャストしたらすぐ表層をスピーディーに引いてくるのが最初の作戦だ。魚がいれば高速リーリング中にいきなりガツンと衝撃が走る。これでダメなら魚探でベイトフィッシュのタナを確認し、カウントダウンで沈めてからジャークしながら引いてくる。ちなみに、40gのジグは1秒間に約1m沈むと覚えておくと便利。最終的にはボート下でバーチカル（垂直）ジギングと広く探ってみよう。

　一方、潮通しのよい有望根がねらいめのブリ御三家はバーチカルジギングで攻略する。ヤリイカが釣れるような場所では100m以上の深場でもヒットするが、釣りやすいのは水深60mくらいまで。潮が速い場所もあるので、ジグは150g前後まで用意しておきたい。なお、イナダやワラサを寄せエサでねらっているような場所ではジグへの反応が悪い。それでも、ちょっとポイントをずらすか、シーズン初期にはよく反応する。

　アクションは一度底まで落とし、ジャークを入れながらリールを巻くのが基本。水深が30mを超えるポイントでは表層までジグを引く必要はない。たいてい底から10mもアクションさせればOKだ。その日、そのときによって反応するスピードやジャークが異なるので、いろいろなパターンを試してみよう。ヒラマサとブリの特に大型は比較的ゆっくりとしたジャークに反応するものの、ある程度のスピードはいる。カンパチはルアーにじゃれつくようにアタックしてくるため、ハイ

機動力の高いボートでアグレッシブに次々とポイントをチェックしてみる。そんなやり方がよく似合う

BOAT FISHING BIBLE
第7章 基本仕掛け別ターゲット & 釣り方
The Best Spots and Fishing Rigs

ピッチ・ショートジャークが効果的。ブリ、ヒラマサ、カンパチともに時おりストップを混ぜるとヒットするときもある。

タックルはオフショアと根周りを共用できるスピニングロッドの6フィート前後が基本で、バーチカルがメインならベイトタックルを揃えるという考え方でよいだろう。ラインはPEの4〜6号を200mに30〜50ポンド（8〜12号）のリーダーを3〜5m。キャスティングではトラブルの少ない16〜20ポンドのナイロンラインもおすすめだ。イザという大物がヒットしたときのために、ドラグ性能のしっかりしたタフなリールが必須である。

■ **スロージギング**

手返しとアグレッシブのよさが身上のジギングだが、活性が低かったり、あるいは捕食するベイトの動きと合わなかったりして、速いアクションに魚が反応しないこともある。そんな魚を攻略する一手として考案されたのがこの釣法だ。

ジグにはほとんどの魚がヒットすると先に書いた。それはスロージギングでも変わらない。むしろ、動きが遅いために守備範囲はより広いぐらいだ。カサゴやハタといった根魚はもちろん、ブリやカンパチなどの青物、さらには深場のアラやアカムツまで、スロージギングの定番のターゲットは目下拡大中である。

とはいえ、いわゆる普通のジギングをゆっくりとやるわけではない。これまでのジギングのアクションがタテ方向の速い動きなのに対し、スロージギングではヨコ方向の動きを特徴とする。むしろ、動きの速さよりも質こそがスロージギングのエッセンスだ。

ラインから伝わる動きは上下動だけなのに、ヨコ方向の動きを演出するにはちょっとした工夫がいる。したがって、基本的に専用のジグとタックルを使い、アクションの付け方もヨコ方向へのスライドを強く意識したものになる。

ジグはジャークおよびフォールで左右に飛ばしやすいセンターバランスで、フォールスピードは遅くなるため必然的に重めになる。アシストフックはフロントとリアの両方に複数付けるのがセオリーだ。ジグをヨコ方向に飛ばすには、ラインテンションの緩急がキモ。そこで、潮ギレのよい細めのラインとティップの硬いスローテーパーなロッド、そしてクラッチワークのスムーズな両軸受けタイプの組み合わせが定番になる。

アクションの付け方は主に2通り。ひとつはジャークと同時にリールを1/4〜1回転と小刻みに巻き、左右にダートしながら泳ぐような動きを演出するもの。もうひとつは逆に、ロッドアクションだけでジャークしてから、完全にテンションを抜いてフォールさせ、その間にイトフケだけを取るようにリールを巻くやり方だ。こちらはフォール時にヒラヒラしたりスライドしたりするジグの動きを重視したもの。根魚ねらいやタナが狭いときなどはリールを巻かずにリフト&フォールするケースもある。

独特なファイトのスタイルもスロージギングの特徴だ。細いラインとティップの硬いロッドはジャークの動きを吸収しない分、魚の引きも吸収しにくく、無理が利かない。リールのドラグに頼るにしても、ガイドがたくさん付いたスローテーパー（胴調子）のロッドを大きく曲げると、それだけでラインに大きな抵抗がかかってしまう。そこで、ロッドが曲がらないようにティップを真下に下げ、魚からリールまでのラインを一直線に保ち、リールのドラグをしっかり働かせるわけだ。なお、ドラグの性能が高いリールであれば、この方法はほかの釣り方でも効果的だから、ファイトに自信のない人は試してみるといいだろう。バラシがかなり減るはずだ。

タックルと釣法が共通のため、スロージギングではターゲットごとにはさほど細分化されていない。しかも、「スロー」と言うのはあくまで比較の問題であって、ノーマルとスローの間に絶対的な境目はない。状況に応じて、スロージギングを速めにやってみる、あるいは、普通のジギングを遅めにしてみるのももちろんアリだ。特に制約が少なく自由なボートフィッシングでは、普通のジギングからスロージギングまでを連続的に考えて、その時のターゲットにいちばん合ったタックルと釣り方を選ぶのが正解だろう。その際に、スロージギングを理解しておくと、ジグアクションの引き出しが格段に増えることは間違いない。

ただし、スローな釣りになるほど流し釣りのボートコントロールが大変になる。エサ釣りと違って、ジギングでは手が塞がってしまうので、手前船頭はかなりハードルが高いことを最後に付け加えておく。

ライトトローリング

ライトトローリングのエッセンス

　細いメインラインに太いリーダーを接続し、ルアーをセット。日本の仕掛けはハリに近づくにつれてイトが細くなるのに、トローリングは逆なのが面白い。

　それは日本と釣りに対する思想が違うからだ。

　ロッドとリールを駆使して魚とのファイトを存分に楽しむのがトローリングの身上。と聞けば、あえて細いラインを使うのも道理だが、魚の近くにあるイトまで細くすると歯やヒレなどですぐに切られてしまう。だから、ルアーの近くに太いリーダーを使うというわけ。もちろん、ルアーフィッシングでは魚がイトの太さをあまり気にしないという要素もあるだろう。しかし、日本にはカッタクリという和製ルアーもあるではないか。これだけ多種多様な釣りが発展した日本でトローリングのようなシステムが生まれなかったのは、やはり根本的に何かが違うとしか思えない。

　トローリングのルアーはヘッドとタコベイトを組み合わせた独特の形をしている。一見、ベイトフィッシュには見えないが、4～10ノットの高速で引くとちゃんとアクションするようにできており、フィッシュイーターが下から見上げると魅力的に見えるらしい。海面に出たり沈んだりする上下の動き、ルアーの立てる気泡、水しぶきなどがカギだ。沖合いの回遊魚が水しぶきに弱いのはカツオの1本釣りでもご存じのとおり。その習性を利用して、ヒコーキやラビットなどのティーザーをラインにセットすることもある。

　ライトトローリングは、30ポンド以下のラインで手軽に回遊魚とのファイトを楽しもうというクラスである。トローリングではIGFAルールにしたがってシステムを組むのが一般的だが、カツオのケンケンなどはこの限りではない。だからといって、口切れでカツオをバラしてしまうのも口惜しいというアングラーは無理にしたがうことはまったくない。要はロッドとリールで大型回遊魚とのファイトを楽しめばいい。それがライトトローリングの本質なのだから。

ライトトローリングの骨組み

　メインラインはクラス別のナイロンラインが一般的。ライトトローリングでは16～30ポンド。釣れる魚のサイズが小さければ12ポンド程度まで落とすアングラーも少なくない。

　タックルはラインに合わせて専用のものを選ぶ。ただし、16ポンド以下ならジギングをはじめとするルアータックルも流用可だ。

　メインラインの先端部分にはビミニツイストか三ツ編でダブルラインを作り、トローリング用の大型スナップ付きスイベルをオフショアスイベルノットで接続する。そうすればあとはルアーから伸びたリーダーをセットするだけ。もしくは間に「スーパープレーン」などのティーザーを入れてもよい。

　ルアーのリギングは50～130ポンドのリーダー、ビニール管、スリーブ止め、3／0～5／0のフックで作る。普通、トローリング用のルアーはリーダーとセットで販売されているが、使っているうちに当然傷んでくる。

代表的なトローリングタックル

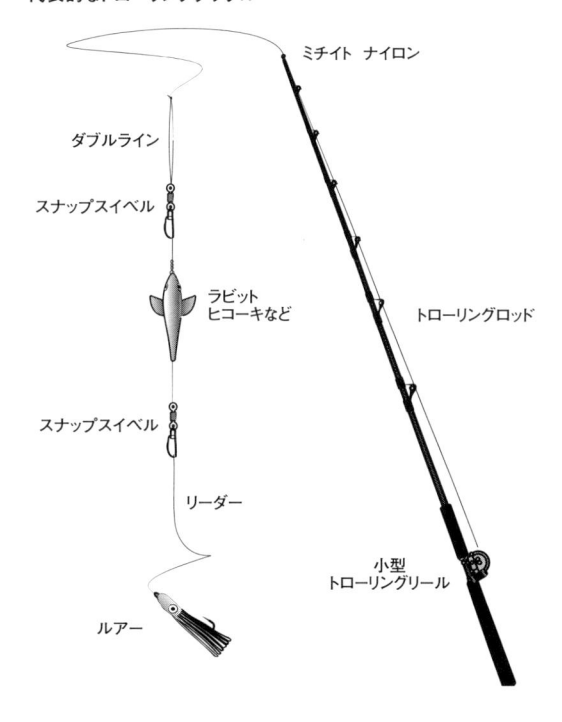

（図：ミチイト ナイロン、ダブルライン、スナップスイベル、ラビット・ヒコーキなど、スナップスイベル、リーダー、ルアー、トローリングロッド、小型トローリングリール）

BOAT FISHING BIBLE

第7章 基本仕掛け別ターゲット & 釣り方
The Best Spots and Fishing Rigs

自分でリグを作りたい人はプロショップで道具を購入しよう。作り方はとても簡単。ショップで教えてくれるはずだ。

代表的なターゲットの釣り方
（マグロ、カツオ、シイラ、ブリ、ヒラマサなど）

トローリングの釣り方はどのターゲットも同じ。魚によって変わるのはポイントだ。マグロ、カツオ、シイラはオフショアの表層を好むのに対して、ブリやヒラマサは沿岸の根周りがメインとなる。

ポイントの見つけ方や操船の方法はボートコントロール編（132頁）で紹介したので、そちらをご覧いただきたい。ここではタックルとその使い方について解説する。

トローリングでルアーを入れる前に絶対にやっておかなければならないのがドラッグのセッティング。細いラインでのやり取りはいわばドラッグ任せのため、これを怠ると魚に逃げられるうえ、大事なヒットルアーまで失う羽目になる。セッティングはドラッグをストライクポジションに合わせて、なるべくファイト中と同じラインの角度を保ち、バネ秤を使ってゆっくり引く。強さは3分の1程度が目安だ。

ライトトローリングに使われるルアーは主にバレットタイプとフラットタイプの2種類がある。バレットとは砲弾の意味で、上下にアクションをして波があるときも安定しているのが特徴。フラットタイプは左右へのダートが持ち味。海が荒れ気味だとアクションが生きないので、こちらはナギの時に有効だ。なお、シイラに限ってはカジキ用の大きなルアーも使える。

ルアーのサイズはベイトフィッシュに合わせるのが基本だ。シラスなどの小魚を追っているときは、相当小さなサイズまで落とすこともある。タコベイトのサイズで2号程度まで用意しておくといいだろう。

最初のうちはまずいろいろなタイプとカラーを組み合わせて、その日のヒットルアーを探してみよう。1つのルアーにしか反応しない場合もあるので、ルアーローテーションは極めて重要だ。ヒットルアーがわかったら、同じタイプのルアーを流してストライクの確率を上げるのが常套手段。

ルアーを流す位置は、泡に紛れてしまわないように航跡の泡が消えかかるくらいのところがベスト。しかし、船外機艇だとやたらと泡が長く伸びる場合があるので、ある程度目立っていれば短くてもOKだ。

ルアーの位置でもうひとつ注意すべきは、引き波の斜面のボート側、つまりルアーが見える側に調整し、さらに複数ルアーを流すときは引き波をずらして流すこと。つまり、メインラインの長さはすべて違うことになる。ラインの長さが同じだと旋回したときにルアーが絡みやすい。

具体的に手順を追ってみよう。4本流しの場合、ポイントに着いたらアウトリガーを使って一番長くラインを伸ばすロングロングから流し始める。ルアーの投入は、ラインやスカートがフックに絡まないよう、ていねいにボートのサイドから入れるのが原則。次にもうひとつのアウトリガーに一段階短めのロングショートをセットし、さらにアウトリガーを使わないショートロング、ショートショートと流してゆく。その長さはボートの大きさやスピードによっても異なるが、マグロやカツオの場合はショートショートで20〜25m、ブリやヒラマサでは30〜35mがひとつの目安。そこからボートの引き波

代表的なトローリングシステム

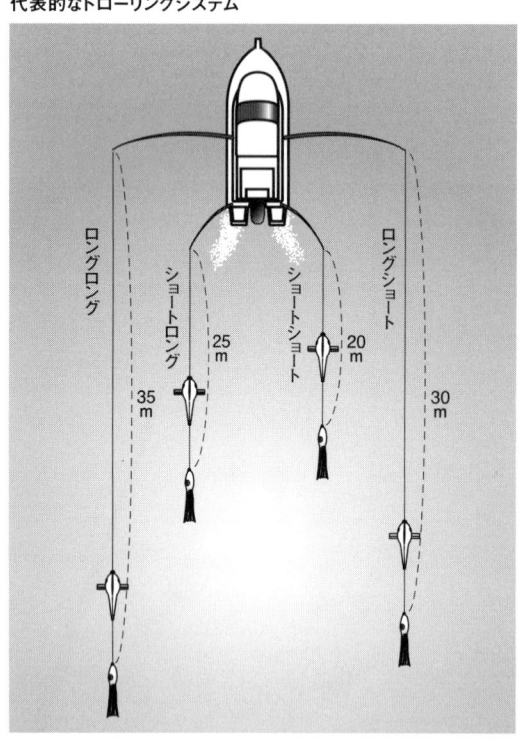

ロングロング／ショートロング 25m／ショートショート 20m／ロングショート 30m／35m

の間隔ごとに左右交互に長くなる。ルアーのセッティングが終わったら、リールのドラッグをストライクポジションに戻してクリックをオンにすれば準備OK。あとはストライクを待つだけだ。

「ギャーーー！」とリールが悲鳴を上げたらストライク。と同時に残りのタックルをすみやかに片付ける。特にショートにヒットすると、ロングに絡みやすいので、ヒットしたラインの動きを見て絡みそうなほうから片付けよう。シイラのように横走りする魚では要注意だ。

スタンディングファイトではベルトハーネスにジンバルをセットした体勢を速やかにとる。ファーストランをやりすごしたら、ロッドを立てて魚を寄せ、その分素早くロッドを前に戻す間にリールを巻く「ポンピング」を駆使してファイトする。その間、ラインテンションは決して緩めてはいけない。

ダブルラインが見えたら大詰めだ。足の速い回遊魚の取り込みは、ボートのサイドから水面に浮かせ、ネットやギャフで一気呵成に片付けてしまおう。

「ギャーーー！」とリールのクリック音が悲鳴をあげた瞬間は最高に興奮する。おまけに、こんなカツオやマグロが釣れるんだから言うことはない

あとがき

　ぼくがボートフィッシング専門誌の編集者になったのは1998年のこと。この世界に飛び込んだのはボートフィッシングが好きだからに他ならない。けれど、理由はそれだけではなかった。ぼく自身が情報に飢えていたのだ。

　世界でも稀な釣り大国の日本。だから、釣りの情報には事欠かないのに対し、ことボートとなると情報は極端に減ってしまう。

　ボートフィッシングを楽しもうとしたら、ボートは自分の足代わり。ボートのことをしっかり理解せずにちゃんと釣りはできやしない。常々そんな不満を抱いていたものの、ボートフィッシングにおけるボート方面のノウハウは未開拓もいいところ。もっとボートの情報があったなら。そして、ボートと釣りをひとつのものとして語るような世界があったなら、ボートフィッシングはますます面白くなるという思いもあった。

　だったら自分が雑誌を作ればいい。そう考えて編集長を務めた雑誌が今はなき『BOAT&REEL』であり、わけあってその雑誌がなくなってからも、ずっと同じ気持ちでこの世界に関わり続けてきた。本書はいわばその果実である。

　本書がボートフィッシングをこれから始めたいと思っている人や、すでにボートを持って釣りをしていてもいまひとつ納得がいかない人、あるいは、もっともっとボートフィッシングを楽しみたい人などのお役に立てば幸いです。特に釣り方のところは、普通の釣りの本のように写真やイラストが多くないし、手取り足取り解説した本でないことは認めます。でも、エッセンスがいっぱい詰まっていることは約束します。だから、どうぞ長い目で見てそばに置いてやってください。

　最後になりますが、「フレンドマリンサービス」の井上嘉夫さん、「リトルボート」の田原学さん、そして過去取材に応じてくださったボートアングラーの方々、さらに『ボート倶楽部』の窪田英弥さん、伊藤博昭さん、清水　岳さん、フリー編集者の菱沼豪さん、本書を編集してくださった植村浩志さん、今井岳美さんに厚くお礼を申し上げます。

2020年7月
齋藤海仁

本書は2004年12月発行のKAZIムック『BOAT FISHING』の内容に加筆・修正を加えて書籍化したものです。巻頭の「達人アングラーに見るスタイル別ボートフィッシング」は改訂にあたり新たに取材・執筆しました。

ボートフィッシング バイブル

海のマイボート・フィッシング
[完全マニュアル]

2008年11月30日　第1版 第1刷発行
2020年 8月20日　第2版 第1刷発行

著　者	齋藤海仁
発行者	植村浩志
発行所	株式会社 舵社
	〒105-0013
	東京都港区浜松町1-2-17
	ストークベル浜松町
	TEL.03-3434-5181（代表）
	TEL.03-3434-4531（販売）
	FAX.03-3434-2640
写　真	齋藤海仁、舵社
イラスト	もりしま蝗、浜中せつお、舵社
装丁・デザイン	熊倉 勲、菅野潤子
印　刷	シナノ パブリッシング プレス

© Kaizin Saito 2008, Printed in Japan

定価はカバーに表示してあります
無断複写・複製を禁じます

ISBN978-4-8072-5121-6